JULIETTE BENZONI

Juliette Benzoni est née à Paris. Fervente lectrice d'Alexandre Dumas, elle nourrit dès l'enfance une passion pour l'Histoire. Elle commence en 1964 une carrière de romancière avec la série des *Catherine*, traduite en 22 langues, qui la lance sur la voie d'un succès jamais démenti à ce jour. Depuis, elle a écrit une soixantaine de romans, recueillis notamment dans les séries *La Florentine* (1988-1989), *Les Treize Vents* (1992), *Le boiteux de Varsovie* (1994-1996) et *Secret d'État* (1997-1998). Outre la série des *Catherine* et *La Florentine*, *Le Gerfaut* et *Marianne* ont fait l'objet d'une adaptation télévisuelle.

Du Moyen Âge aux années trente, les reconstitutions historiques de Juliette Benzoni s'appuient sur une ample documentation. Vue à travers les yeux de ses héroïnes, l'Histoire, ressuscitée par leurs palpitantes aventures, bat au rythme de la passion. Figurant au palmarès des écrivains les plus lus des Français, Juliette Benzoni a su conquérir 50 millions de lecteurs dans 22 pays du monde.

MARIANNE

* *

MARIANNE ET L'INCONNU
DE TOSCANE

DU MÊME AUTEUR
CHEZ POCKET

(Suite en fin de volume)

JULIETTE BENZONI

MARIANNE

* *

MARIANNE
ET L'INCONNU
DE TOSCANE

JEAN-CLAUDE LATTÈS

© 1971, Opera Mundi, Jean-Claude Lattès
ISBN : 2-266-10843-3

PREMIÈRE PARTIE

LA LOI DES HOMMES

CHAPITRE PREMIER

LE RENDEZ-VOUS DE LA FOLIE

Brusquement, Napoléon cessa d'arpenter la pièce et s'arrêta en face de Marianne. Frileusement pelotonnée dans une grande bergère, auprès du feu, les yeux clos, la jeune femme soupira de soulagement. Même amorti par l'épaisseur du tapis, ce pas cadencé agissait douloureusement sur ses nerfs et résonnait dans sa tête. La soirée, par trop fertile en émotions, l'avait laissée si complètement épuisée qu'hormis sa migraine elle n'avait plus tellement conscience d'être encore vivante. Il y avait eu l'excitation de sa première présentation sur la scène du théâtre Feydeau, le trac et surtout l'incompréhensible apparition, dans une loge d'avant-scène, de l'homme qu'elle croyait bien avoir tué, puis sa disparition tout aussi inexplicable. De quoi abattre un organisme autrement vigoureux que le sien !

Au prix d'un effort, cependant, elle ouvrit les yeux, vit qu'il la regardait, les mains au dos et la mine soucieuse. Au fait, était-il vraiment soucieux, ou simplement mécontent ? Sous le talon de son élégant soulier à boucle d'argent, un trou se creusait déjà dans le tapis aux tendres couleurs tandis qu'à certain frémissement de ses narines minces, à certain reflet d'acier dans ses yeux bleus, on pouvait déceler une colère en gestation. Et Marianne se demanda tout à coup si elle avait devant elle son amant, l'Empereur, ou un simple juge d'instruction. Car si, depuis dix minutes qu'il était arrivé en coup de vent, il n'avait pas dit grand-chose, la jeune femme devinait déjà les questions à venir. Le silence de la chambre, paisible et rassurante quelques instants plus tôt avec ses moires bleu-vert, ses fleurs irisées et ses cristaux translucides, en avait acquis une sorte de fragilité, un air de provisoire... Et, de fait, tout à coup, il vola en éclats sous le claquement d'un sec :

— Tu es bien sûre de n'avoir pas été victime d'une hallucination ?

— Une hallucination ?

— Mais oui ! Tu as pu voir quelqu'un qui ressemblait à... cet homme, sans que ce soit lui pour autant. Il serait tout de même étrange qu'un noble anglais pût se promener librement en France, fréquenter les théâtres, entrer même dans la loge du prince archichancelier sans que personne s'en aperçoive ! Ma police est la mieux faite d'Europe !

Malgré son effroi et sa lassitude, Marianne réprima un sourire. C'était bien cela : Napoléon était plus mécontent que soucieux et, cela, uniquement parce que sa police risquait d'être prise en défaut. Dieu seul, cependant, devait savoir combien d'espions étrangers pouvaient se promener impunément dans ce beau pays de France ! Néanmoins, elle était bien décidée à le persuader, mais mieux valait peut-être éviter de se mettre à dos le redoutable Fouché.

— Sire, fit-elle avec un soupir de lassitude, je sais aussi bien que vous, mieux peut-être, combien votre Ministre de la Police se montre vigilant et je n'ai aucune intention de l'incriminer. Mais une chose est certaine : l'homme que j'ai vu était Francis Cranmere et pas un autre !

Napoléon eut un geste irrité mais, se dominant aussitôt, il vint s'asseoir sur le pied de la chaise longue de Marianne et demanda, d'un ton singulièrement radouci :

— Comment peux-tu en être sûre ? Tu m'as dit toi-même avoir peu connu cet homme ?

— On n'oublie pas le visage de celui qui a détruit à la fois votre vie et vos souvenirs. Et puis, l'homme que j'ai vu portait, à la joue gauche, une longue balafre que lord Cranmere n'avait pas au matin de notre mariage.

— En quoi cette balafre est-elle une preuve ?

— En ce que c'est moi qui la lui ai faite, à la pointe de l'épée, pour l'obliger à se battre ! fit Marianne doucement. Je ne crois pas à une ressemblance qui pousserait la fidélité jusqu'à reproduire une blessure qu'ici je suis seule à connaître. Non, c'était bien lui et, désormais, je suis en danger.

Napoléon se mit à rire et, d'un geste plein de tendresse spontanée, il attira Marianne dans ses bras.

— Voilà que tu dis des bêtises ! Mio dolce amor ! Comment pourrais-tu être en danger quand tu as mon amour ? Ne suis-je pas l'Empereur ? Ne connais-tu pas ma puissance ?

Comme par miracle, l'angoisse qui, un instant, avait serré le cœur de Marianne relâcha son étreinte. Elle retrouvait l'extraordinaire impression de sécurité, de sûre protection que lui seul savait lui donner. Il avait raison quand il disait que rien ne pouvait l'atteindre quand il était là. Mais... c'est que, justement, il allait s'éloigner. Dans un mouvement de crainte enfantine, elle s'agrippa à son épaule.

— Je n'ai confiance qu'en vous... qu'en toi ! Mais, dans un instant, tu vas me quitter, quitter Paris, t'éloigner de moi...

Obscurément, elle espéra tout à coup qu'il allait lui proposer de l'emmener avec lui. Pourquoi n'irait-elle pas, elle aussi, à Compiègne ? Certes, la nouvelle impératrice allait arriver dans quelques jours, mais ne pouvait-il la cacher dans une maison de la ville, séparée du palais et cependant proche ?... Elle allait peut-être formuler son désir à haute voix, mais, déjà, il la reposait dans ses coussins, se levait en jetant un vif regard à la pendule en bronze doré de la cheminée :

— Je ne serai pas absent longtemps. Et puis, en rentrant au palais, je vais convoquer Fouché. Il recevra des ordres très sévères concernant cette maison. De toute façon, il devra faire fouiller Paris à la recherche de ce Cranmere. Tu lui en donneras, demain matin, un signalement précis.

— La duchesse de Bassano dit avoir aperçu, dans la loge, à ce moment, un certain vicomte d'Aubécourt, un Flamand. Peut-être Francis se cache-t-il sous ce nom.

— Eh bien, on recherchera le vicomte d'Aubécourt ! Et Fouché devra m'en rendre un compte précis ! Ne te tourmente pas, carissima mia, même de loin je veillerai sur toi. Maintenant, il faut que je te quitte.

— Déjà ! Ne puis-je au moins te garder encore cette nuit ?

A peine l'eut-elle formulée que Marianne se reprocha cette prière. Puisqu'il était si pressé de la quitter qu'avait-elle besoin de s'abaisser à implorer sa présence ? Comme s'il n'était pas suffisamment sûr de lui et sûr d'elle alors qu'au fond du cœur de Marianne tous les démons de la jalousie étaient déchaînés. N'était-ce pas pour aller attendre une autre femme qu'il partirait dans un instant ? Les larmes aux yeux, elle le regarda aller vers le fauteuil sur lequel, en entrant, il avait jeté sa redingote grise et s'en revêtir. C'est seulement quand il fut habillé qu'il la regarda et répondit :

— Je l'avais espéré, Marianne. Mais, en rentrant du théâtre, j'ai trouvé une foule de dépêches auxquelles il faut que je donne une réponse avant de partir. Sais-tu que, pour venir jusqu'ici, j'ai laissé six personnes dans mon antichambre ?

— A cette heure ? fit Marianne sceptique.

Rapidement il revint à elle et d'un geste preste lui tira l'oreille.

— Retiens ceci, petite fille : les visiteurs des

audiences officielles du jour ne sont pas toujours les plus importants ! Et je reçois la nuit beaucoup plus souvent que tu n'imagines. Adieu, maintenant !

Il se penchait pour poser un baiser léger sur les lèvres de la jeune femme, mais elle ne répondit pas à ce baiser. Glissant de la bergère, elle se leva et alla prendre un flambeau sur sa table à coiffer.

— Je raccompagne Votre Majesté, fit-elle avec un tout petit peu trop de respect. A cette heure, tous les domestiques sont couchés, à l'exception du portier.

Elle ouvrait déjà la porte pour le précéder sur le palier, mais ce fut lui qui la retint.

— Regarde-moi, Marianne ! Tu m'en veux, n'est-ce pas ?

— Je ne me le permettrais pas, Sire ! Ne suis-je pas déjà trop heureuse que Votre Majesté ait pu distraire quelques minutes d'un temps si précieux à une heure si importante de sa vie pour se souvenir de moi ! Et je suis son humble servante.

La protocolaire révérence qu'elle ébauchait n'alla pas jusqu'au bout. Napoléon l'interrompit à mi-course, prit le flambeau qu'il reposa sur un meuble et forçant Marianne à se relever la tint fermement serrée contre lui, puis se mit à rire.

— Ma parole, mais tu me fais une scène ? Tu es jalouse, mon cher amour, et cela te va bien ! Je t'ai déjà dit que tu mériterais d'être Corse ! Dieu que tu es belle ainsi ! Tes yeux étincellent comme des émeraudes au soleil ! Tu meurs d'envie de me dire des choses affreuses, mais tu n'oses pas et cela te rend toute frémissante. Je te sens trembler...

Tout en parlant il avait cessé de rire. Marianne le vit pâlir, serrer les mâchoires et comprit que son désir d'elle le reprenait. Soudain, il enfouit sa tête contre le cou de la jeune femme et se mit à couvrir de baisers rapides ses épaules et sa gorge. C'était lui maintenant qui tremblait tandis que Marianne, la tête renversée et les yeux clos, écoutait s'affoler son cœur et savourait chacune de ses caresses. Une joie sauvage, faite d'orgueil autant que d'amour, l'envahissait à constater que son pouvoir sur lui demeurait entier. Finalement, il la fit basculer dans ses bras et l'emporta jusqu'au grand lit sur lequel il la déposa sans trop de ménagements. Quelques minutes plus tard, l'admirable robe blanche, chef-d'œuvre de Leroy, qui avait un peu plus tôt ébloui tout Paris, n'était plus, sur le tapis, qu'un monceau de soie lacérée et parfaitement importable. Mais, dans les bras de Napoléon, Marianne regardait chavirer au-dessus de sa tête les moires couleur de mer de son baldaquin.

— J'espère, chuchota-t-elle entre deux baisers, que ceux qui vous attendent aux Tuileries ne trouveront pas le temps trop long... et ne sont pas trop importants ?

— Un courrier du Tzar et un envoyé du Pape, jeune démon ! Tu es contente ?

Pour toute réponse, Marianne noua ses bras plus étroitement autour du cou de son amant et ferma les yeux avec un soupir de bonheur. Des minutes comme celles-là payaient de toutes les angoisses, de tous les déboires et de toutes les jalousies. Quand elle l'entendait, comme à cet instant, délirer dans un paroxysme de passion, Marianne se prenait à se rassurer. Il n'était pas possible que l'Autrichienne, cette Marie-Louise qu'il allait mettre dans son lit à la place de Joséphine, sût tirer de lui autant d'amour. Ce n'était sans doute qu'une bécasse terrifiée qui devait recommander son âme à Dieu durant chaque minute de ce voyage qui la rapprochait de l'ennemi des siens. Napoléon ne pouvait être pour elle qu'une sorte de Minotaure, un parvenu méprisable qu'elle traiterait du haut de son sang impérial si elle ressemblait un tant soit peu à sa tante Marie-Antoinette, ou qu'elle subirait passivement si elle n'était, comme on le chuchotait dans les salons, qu'une fille molle, aussi dépourvue d'intelligence que de beauté.

Mais quand, une heure plus tard, elle regarda, par

une fenêtre du vestibule, son portier refermer le lourd portail sur la berline impériale, Marianne retrouva d'un seul coup ses craintes et ses incertitudes : ses craintes parce qu'elle ne reverrait l'Empereur que marié à l'archiduchesse, ses incertitudes parce que, sous un nom ou sous un autre, Francis Cranmere courait Paris en toute liberté. Les argousins de Fouché ne pourraient quelque chose pour elle que lorsqu'ils auraient retrouvé sa trace. Et ce n'était peut-être pas pour tout de suite. Paris était si grand !

Frissonnant dans le saut de lit de dentelle qu'elle avait revêtu en hâte, Marianne reprit son flambeau et remonta chez elle avec un désagréable sentiment de solitude. Le roulement de la voiture qui emportait Napoléon résonnait encore dans le lointain, contrepoint mélancolique des mots d'amour qu'elle entendait encore. Mais, si tendre qu'il se fût montré, si précises et formelles qu'eussent été ses promesses, Marianne était trop fine pour se dissimuler qu'une page venait d'être tournée et que, si grand que puisse être l'amour qui la liait à Napoléon, les choses ne pourraient plus jamais être ce qu'elles avaient été.

En rentrant dans sa chambre, Marianne eut la surprise d'y trouver sa cousine. Drapée dans une confortable douillette de velours amarante, le chef orné d'un grand bonnet tuyauté, Mlle Adélaïde d'Asselnat, debout au milieu de la pièce, examinait avec intérêt, mais sans se montrer autrement surprise, les glorieuses déchirures de la robe blanche abandonnée sur le tapis.

— Comment, Adélaïde, vous étiez là ? s'étonna Marianne. Je vous croyais endormie depuis longtemps.

— Je ne dors jamais que d'un œil et puis quelque chose me disait que vous auriez besoin d'un peu de compagnie, après « son » départ ! Voilà un homme qui sait parler aux femmes ! soupira la vieille demoiselle en laissant retomber le vestige de satin nacré. Je comprends que vous en soyez folle ! Je l'ai bien été, moi qui vous parle, quand il n'était qu'un petit général miteux et sous-alimenté. Mais puis-je savoir comment il a pris la subite résurrection de feu monsieur votre époux ?

— Mal, fit Marianne en fourrageant dans le lit dévasté pour y retrouver sa chemise de nuit qu'Agathe, sa femme de chambre, avait dû disposer sur la couverture en rentrant du théâtre. Il n'est pas très certain que je n'aie pas eu de visions.

— Et... vous n'en avez pas eu ?

— Bien sûr que non ! Pourquoi aurais-je, tout à coup, évoqué le fantôme de Francis alors qu'il était à cent lieues de mon esprit et que je le croyais mort ? Ma pauvre Adélaïde, le doute n'est malheureusement pas possible : c'était bien Francis... et il souriait, il souriait en me regardant d'un sourire qui m'a épouvanté ! Dieu sait ce qu'il me réserve encore !

— Qui vivra verra ! fit tranquillement la vieille demoiselle en se dirigeant vers la petite table nappée de dentelle sur laquelle un souper froid avait été préparé à l'intention de Marianne, souper auquel d'ailleurs ni elle ni l'Empereur n'avaient touché. Avec beaucoup de sang-froid, Adélaïde déboucha la bouteille de champagne, emplit deux flûtes, en vida une d'un trait, la remplit de nouveau et porta la seconde à Marianne. Après quoi elle revint chercher la sienne, pêcha dans un plat une aile de poulet et s'installa commodément sur le pied du lit dans lequel sa cousine venait de se glisser.

Bien calée dans ses oreillers, Marianne accepta le verre et regarda Mlle d'Asselnat avec un sourire indulgent. L'appétit d'Adélaïde avait quelque chose de fabuleux. La quantité de nourriture que pouvait absorber cette petite femme mince et frêle était proprement effarante. A longueur de journée, Adélaïde grignotait, suçait, croquait ou avalait « une goutte de quelque chose » ce qui ne l'empêchait nullement, le moment venu, de se mettre à table avec enthousiasme. Le tout, d'ailleurs, sans grossir d'une ligne et sans perdre un pouce de sa dignité.

16

Évidemment, l'étrange créature grise, affolée et hargneuse, que Marianne avait découvert une nuit dans le salon et sur le point d'incendier sa maison n'existait plus. Elle avait fait place à une femme d'âge respectable, mais pleine de tenue et dont l'épine dorsale avait retrouvé toute sa raideur naturelle. Bien habillée, ses cheveux d'un joli gris doux et soyeux sagement rangés en longues anglaises à l'ancienne mode, dépassant la dentelle de ses bonnets ou le velours de ses capotes, l'ex-révolutionnaire poursuivie par la police de Fouché et astreinte à résidence surveillée, était redevenue la haute et noble demoiselle Adélaïde d'Asselnat. Mais, pour le moment, les yeux mi-clos, les ailes de son nez arrogant palpitant de gourmandise, elle dégustait son poulet et son champagne avec une mine de chatte gourmande qui amusait beaucoup Marianne, malgré son actuel désenchantement. Elle n'était pas très sûre que la conspiratrice fût définitivement éteinte chez sa cousine, mais telle qu'elle était, Marianne aimait beaucoup Adélaïde.

Pour ne pas troubler son recueillement gastronomique, elle but lentement le contenu de sa flûte, attendant que la vieille demoiselle parlât, car elle devinait qu'elle avait quelque chose à lui dire. Et, en effet, l'aile de poulet réduite à sa seule charpente et le champagne bu jusqu'à la dernière goutte, Adélaïde s'essuya les lèvres, ouvrit les yeux et posa sur sa cousine un regard bleu plein de satisfaction.

— Ma chère enfant, commença-t-elle, je crois qu'en ce moment vous prenez votre problème à l'envers. Si j'ai bien compris, la résurrection inopinée de votre défunt mari vous a plongée dans un grand désarroi et, depuis que vous l'avez reconnu, vous vivez dans la simple terreur de le voir surgir tout à coup, de nouveau devant vous. C'est bien cela ?

— Naturellement, c'est bien cela ! Mais je ne comprends pas où vous voulez en venir, Adélaïde. Est-ce que, d'après vous, je devrais me réjouir d'avoir vu réapparaître un homme que j'avais justement puni de son crime ?

— Mon Dieu... oui, en quelque sorte !

— Et pourquoi donc ?

— Mais parce que, si cet homme est vivant, vous n'êtes plus une meurtrière et vous n'avez plus à craindre que la police anglaise vous fasse rechercher, en admettant qu'elle osât, en temps de guerre, adresser pareille requête à la France !

— Je ne craignais plus beaucoup la police anglaise, fit Marianne en souriant. Outre le fait que nous sommes en guerre, la protection de l'Empereur est plus qu'il n'en faut pour que je ne craigne plus rien au monde ! Mais, dans un sens, vous avez raison. Après tout, il est agréable de me dire que je n'ai plus de sang sur les mains.

— En êtes-vous sûre ? Il reste la belle cousine que vous aviez si proprement assommée...

— Je ne l'avais certainement pas tuée et, si Francis a pu être sauvé, je gagerais bien qu'Ivy St. Albans est vivante elle aussi. D'ailleurs, je n'ai plus aucune raison de souhaiter sa mort puisque Francis ne m'est plus rien...

— ... qu'un époux dûment béni par l'église, ma chère ! Voilà pourquoi je dis qu'au lieu de vous tourmenter, de fuir l'image de votre fantôme et d'essayer de lui échapper, vous devez l'affronter. Si j'étais à votre place, je ferais au contraire tout au monde pour le rencontrer. Aussi, quand le citoyen Fouché viendra vous voir demain matin...

— Comment savez-vous que j'attends le duc d'Otrante ?

— Je ne m'habituerai jamais à l'appeler ainsi, ce défroqué ! Mais, de toute façon, il ne peut pas ne pas venir demain... Ne me regardez donc pas ainsi ! Bien sûr, il m'arrive d'écouter aux portes quand je m'intéresse à quelque chose.

— Adélaïde ! s'écria Marianne scandalisée.

Mlle d'Asselnat allongea le bras et tapota gentiment la main de Marianne :

— Ne soyez donc pas si conformiste ! Même une d'Asselnat peut écouter aux portes ! Vous découvrirez combien cela peut être utile quelquefois. Où en étais-je avec tout cela ?

— A la visite de... du ministre de la Police.

— Ah oui ! Donc, au lieu de le prier de mettre la main sur votre délicieux mari et de le réexpédier en Angleterre par la première frégate venue, demandez-lui, au contraire, de vous l'amener afin que vous puissiez lui faire connaître votre décision.

— Ma décision ? Parce que j'ai pris une décision ? souffla Marianne qui comprenait de moins en moins.

— Mais bien sûr ! Je m'étonne même que vous n'y ayez pas encore pensé. Pendant que vous tiendrez le ministre, demandez-lui donc d'essayer de savoir ce qu'est devenu votre saint homme de parrain, ce touche-à-tout de Gauthier de Chazay ! En voilà un dont nous pourrions avoir le plus grand besoin dans les plus brefs délais ! Ce n'était encore qu'un petit prêtre de rien du tout qu'il avait déjà le Pape dans sa manche. Et pour faire annuler un mariage, vous n'avez pas idée de ce que le Pape peut être utile ! Est-ce que vous commencez à comprendre ?

Oui, Marianne commençait à comprendre. L'idée d'Adélaïde était si simple, si lumineuse qu'elle s'en voulait de n'y avoir pas songé plus tôt ! Il devait être possible, facile même, de faire annuler son mariage puisqu'il n'avait pas été consommé et qu'il avait été contracté avec un protestant. Dès lors, elle serait libre, entièrement et merveilleusement libre, puisqu'elle n'aurait même plus à répondre de la mort de son époux ! Mais, à mesure qu'elle évoquait la petite silhouette grave de l'abbé de Chazay, Marianne sentait un malaise s'emparer d'elle.

Tant de fois, depuis qu'à l'aube d'un jour d'automne elle avait regardé avec désespoir, sur le quai de Plymouth, un petit voilier disparaître dans le vent, tant de fois elle avait pensé à son parrain ! D'abord avec regret, avec espoir mais, à mesure que le temps passait, avec un peu d'inquiétude. Que dirait l'homme de Dieu, si intransigeant sur le chapitre de l'honneur, si aveuglément fidèle à son roi exilé, en retrouvant sa filleule sous le personnage de Maria Stella, chanteuse d'Opéra et maîtresse de l'Usurpateur ? Saurait-il comprendre combien il avait fallu à Marianne de souffrance et de déboires pour en arriver là... et pour en être heureuse ? Certes, si elle avait pu joindre l'abbé sur le *Barbican* de Plymouth, son destin eût été tout autre. Elle aurait sans doute, sur sa recommandation, reçu asile en quelque couvent où, dans la prière et la méditation, tout loisir lui eût été accordé de se faire oublier et d'expier ce qu'elle n'avait jamais cessé d'appeler une juste exécution... mais, si elle avait souvent évoqué avec regret la bonté et la tendresse de son parrain, Marianne reconnaissait franchement qu'elle ne regrettait aucunement le genre de vie qu'il eût offert à la veuve de lord Cranmere.

Finalement, Marianne traduisit pour sa cousine les doutes qui l'assaillaient en hasardant :

— Je serais infiniment heureuse de retrouver mon parrain, ma cousine, mais ne pensez-vous pas que ce serait bien égoïste de le faire rechercher dans le seul but de l'annulation ? Il me semble que l'Empereur...

Adélaïde battit des mains.

— Mais quelle bonne idée ! Comment n'y ai-je pas songé plus tôt ? L'Empereur, voyons, c'est l'Empereur la solution ! – Puis, changeant de ton : – l'Empereur qui a fait arrêter le Pape par le général Radet, l'Empereur qui le tient prisonnier à Savone, l'Empereur que Sa Sainteté, dans l'admirable bulle « Quum memoranda... » a si magistralement excommunié en juin dernier, c'est l'Empereur qu'il nous faut pour présenter au Pape une demande d'annulation... alors qu'il n'est même pas parvenu à faire annuler son propre mariage avec la pauvre et délicieuse Joséphine !

— C'est vrai, fit Marianne atterrée. J'avais oublié ! Et vous pensez que mon parrain... ?

— Vous aura l'annulation haut la main pour peu qu'il la demande ? Je n'en doute pas un seul instant ! Retrouvons le cher abbé et vogue la galère ! A nous la liberté !

Le subit enthousiasme d'Adélaïde inclina Marianne à mettre sur le compte du champagne ce bel optimisme, mais il était bien certain que la vieille demoiselle avait raison et que, dans cette conjoncture, nul ne serait d'un meilleur secours que l'abbé de Chazay... même s'il était désagréable de découvrir qu'il était un point sur lequel Napoléon n'était pas tout-puissant. Mais retrouverait-on l'abbé de Chazay rapidement ?

D'un coup de doigt sec, Fouché rabattit le couvercle de sa tabatière, la remit dans sa poche puis chiquenauda sa cravate de mousseline et les volants de sa chemise empesée avec des grâces très dix-huitième siècle.

— Si cet abbé de Chazay évolue dans l'entourage de Pie VII, comme vous semblez le penser, il doit être à Savone et je pense que nous n'aurons pas de peine à le retrouver, ni à l'amener à Paris. Mais, en ce qui concerne votre époux, il semble que les choses se présentent moins aisément.

— Est-ce si difficile ? fit Marianne vivement. S'il ne forme qu'une seule et même personne avec ce vicomte d'Aubécourt.

Le ministre de la Police s'était levé et, les mains au dos, s'était mis à marcher lentement à travers le salon. Sa promenade, à lui, n'avait pas le caractère nerveux et saccadé de celle qu'affectionnait l'Empereur. Elle était lente, réfléchie, mais Marianne ne s'en demanda pas moins pourquoi les hommes éprouvaient un tel besoin d'arpenter une pièce dès qu'ils entamaient une discussion. Était-ce Napoléon qui avait mis cette manie à la mode ? Arcadius de Jolival, lui-même, le cher, fidèle et indispensable Arcadius, en était atteint.

Les réflexions ambulatoires de Fouché s'arrêtèrent devant le portrait du marquis d'Asselnat qui régnait avec arrogance sur la symphonie jaune et or du salon. Il le regarda comme s'il attendait une réponse puis, finalement, se retourna vers Marianne qu'il enveloppa d'un regard lourd.

— En êtes-vous si sûre ? fit-il lentement. Il n'y a aucune preuve que lord Cranmere et le vicomte d'Aubécourt ne soient qu'un !

— Je le sais bien. Mais je voudrais au moins le voir, le rencontrer.

— C'était facile hier encore. Le beau vicomte, qui logeait jusque-là rue de la Grange-Batelière, à l'hôtel Plinon, fréquentait avec quelque assiduité, depuis son arrivée, le salon de Madame Edmond de Périgord, chez qui l'avait recommandé une lettre du comte de Montrond, actuellement à Anvers comme vous le savez sans doute.

Marianne fit signe que oui, mais fronça les sourcils. Un doute lui venait. Depuis la veille, elle était partie du principe que Francis était le vicomte d'Aubécourt. Elle s'était raccrochée à cette suggestion comme pour se prouver à elle-même qu'elle n'avait pas été victime d'une hallucination. Mais comment imaginer Francis chez la nièce de Talleyrand ? Mme de Périgord, bien qu'elle fût née princesse de Courlande et la plus riche héritière européenne, s'était montrée plus qu'amicale envers Marianne, alors même que, simple lectrice de Mme de Talleyrand, elle se faisait appeler Mlle Mallerousse. Bien sûr Marianne ignorait le nombre et l'étendue des relations d'une amie qu'elle ne fréquentait d'ailleurs pas assidûment, mais il semblait à la jeune femme que si lord Cranmere était entré dans le salon de Dorothée de Périgord, elle en eût été prévenue par quelque voix mystérieuse.

— Et c'est à Anvers, dit-elle enfin, que le vicomte d'Aubécourt aurait connu M. de Montrond ? Cela ne prouve pas qu'il soit réellement du pays. Les relations ont toujours été étroites entre les Flandres et l'Angleterre.

— J'en demeure d'accord, mais je me demande si, en sa qualité d'exilé surveillé par la police impériale, le comte de Montrond aurait l'audace de se faire le garant d'un anglais déguisé en flamand, donc d'un espion. Ne serait-ce pas prendre un grand risque ? Notez, je crois Montrond capable de tout, mais à condition que cela lui rapporte et, si j'ai bonne mémoire, l'homme que vous aviez épousé n'avait vu en vous qu'une dot respectable, dot qu'il s'est empressé de dilapider. Donc, je crois mal aux complaisances de Montrond non déterminées par un appât financier.

Tout cela était la logique même et Marianne, à regret, était bien obligée de l'admettre. Soit, Francis n'était peut-être pas caché sous le nom de ce vicomte flamand, mais il était à Paris, voilà qui était sûr. Elle soupira de lassitude et dit enfin :

— Avez-vous eu connaissance d'une arrivée de navire venu en contrebande des côtes d'Angleterre ?

Fouché fit signe que oui et ajouta :

— Voici une semaine, un cutter anglais a touché terre nuitamment, à l'île d'Hoedic, pour y prendre l'un de vos bons amis, le baron de Saint-Hubert, que vous avez connu dans les carrières de Chaillot. Je n'ai, bien entendu, appris la chose que lorsque le cutter eut remis à la voile, mais qu'il ait emmené quelqu'un ne signifie pas qu'il n'ait pas, auparavant, débarqué quelqu'un d'autre en provenance de l'Angleterre.

— Comment le savoir ? Est-ce que...

Marianne s'arrêta, traversée par une idée soudaine qui fit briller ses yeux verts. Puis elle reprit, plus bas :

— Est-ce que Nicolas Mallerousse est toujours à

Plymouth ? Lui saurait peut-être quelque chose concernant ces mouvements de navires.

Le ministre de la Police fit une affreuse grimace et esquissa une révérence comique.

— Faites-moi la grâce, ma chère, de croire que j'ai pensé, bien avant vous, à notre extraordinaire Black Fish... Mais il se trouve que, pour le moment, j'ignore où se trouve exactement ce digne fils de Neptune. Depuis un mois, il a disparu.

— Disparu ? protesta Marianne indignée et inquiète. Un de vos agents ! Et vous ne vous en inquiétez pas ?

— Non. Parce que s'il eût été pris ou pendu, je l'aurais su. Black Fish a disparu parce qu'il a dû découvrir quelque chose d'intéressant. Il suit une piste et voilà tout ! Ne vous tourmentez donc pas ainsi ! Morbleu, ma chère amie, je finis par croire que vous éprouvez vraiment de l'affection pour votre pseudo-oncle !

— Croyez-le sans hésiter ! coupa-t-elle sèchement. La main de Black Fish est la première qui se soit tendue vers moi avec amitié quand j'étais dans la détresse, et qui n'a rien cherché à me prendre en échange. Je ne peux oublier cela !

L'allusion n'était même pas voilée. Fouché toussota, se moucha, prit une pincée de tabac dans sa boîte d'écaille et, pour finir, déclara sur un tout autre ton, rompant les chiens :

— De toute façon, vous pensez bien, ma chère, que j'ai mis sur la trace de votre fantôme en habit bleu mes meilleurs limiers : l'inspecteur Pâques et l'agent Desgrée. Ils enquêtent à cette heure sur tous les étrangers actuellement à Paris.

Avec une toute légère hésitation, Marianne demanda, en rougissant un peu de se montrer si obstinée :

— Est-ce... qu'ils sont allés chez le vicomte d'Aubécourt ?

Fouché demeura impassible. Pas un muscle de son pâle visage ne bougea.

— Ils ont même commencé par lui. Mais, depuis hier soir, le vicomte a quitté l'hôtel Plinon avec ses bagages, sans dire où il se rendait... et vous n'imaginez pas à quel point sont étendus les états de Sa Majesté l'Empereur et Roi !

Marianne soupira. Elle avait compris. A moins que Francis ne se manifestât il était à peu près aussi facile à trouver qu'une aiguille dans une botte de foin... Et pourtant, il fallait, à tout prix, qu'on le lui retrouvât... Mais à qui s'adresser si Fouché s'avouait vaincu ?

Comme s'il avait lu dans la pensée de la jeune femme, le ministre eut un mince sourire en s'inclinant, pour prendre congé, sur les doigts qu'elle lui avait offerts :

— Ne soyez donc pas aussi pessimiste, ma chère Marianne, vous me connaissez tout de même suffisamment pour savoir que, quelles que soient les difficultés, je n'aime pas m'avouer vaincu. Aussi, sans vous dire comme M. de Calonne à Marie-Antoinette : « Si c'est possible, c'est fait, impossible, cela se fera », je me contenterai plus modestement de vous conseiller d'espérer.

Malgré les paroles apaisantes de Fouché, malgré les baisers et les promesses de Napoléon, Marianne vécut les quelques jours suivants dans une mélancolie fortement teintée de mauvaise humeur. Elle n'était satisfaite de rien, ni de personne et d'elle-même encore moins que de tout autre. En proie, de jour comme de nuit, aux mille démons de la jalousie elle étouffait dans le cadre élégant de son hôtel où elle tournait en rond comme une bête en cage, mais craignait encore plus de sortir car, pour l'heure présente, elle haïssait Paris.

En l'attente du mariage impérial, la capitale s'affairait dans ses préparatifs. Un peu partout s'accrochaient guirlandes, banderoles et lampions. Sur tous les monuments publics, l'aigle noire autrichienne s'installait auprès des aigles dorées de l'Empire avec une familiarité qui faisait bougonner les grognards d'Austerlitz et de Wagram, tandis qu'à grand renfort de seaux d'eau et de balais vigoureusement maniés, Paris faisait sa toilette de gala. L'événement survolait la ville, palpitait aux creux de ses innombrables rues, chantait dans les casernes où répétaient les fanfares comme dans les salons où s'accordaient les violons, encombrait boutiques et magasins où portraits impériaux trônaient aussi noblement sur des flots de soieries et de dentelles que sur des montagnes de victuailles, s'affolait chez les tailleurs sur les dents et les coiffeurs sur les genoux, s'attardait avec les badauds tout au long des quais de la Seine où se préparaient illuminations et feux d'artifice et rêvait enfin au cœur des grisettes pour qui l'Empereur avait cessé tout à coup d'être l'invincible dieu des batailles pour se muer en une assez bonne imitation de l'éternel Prince Charmant. Bien sûr, cette atmosphère de fête était vivante, joyeuse mais, pour Marianne, ce tintamarre, organisé autour d'un mariage qui la blessait au cœur, était déprimant et scandaleux. A voir Paris, ce Paris qui venait de l'acclamer follement, qui s'était, un instant, roulé à ses pieds, s'apprêter à ronronner comme un gros félin dressé pour cette Autrichienne détestée, la jeune femme se sentait trompée doublement. Aussi préférait-elle encore demeurer chez elle, attendant Dieu seul savait quoi. Peut-être les volées de cloches et les salves d'artillerie qui lui annonceraient que son malheur était irrémédiable et que l'ennemie entrait dans la ville ?

La Cour était partie pour Compiègne où l'archiduchesse Marie-Louise était attendue le 27 ou le 28, mais dans les salons les réceptions se succédaient. Réceptions pour lesquelles, Marianne, désormais l'une des femmes les plus en vue de Paris, recevait force invitations, mais auxquelles pour rien au monde elle ne se fut rendue, même chez Talleyrand, surtout chez Talleyrand, tant elle craignait le sourire finement ironique du Vice Grand Électeur. Aussi, bien à l'abri d'un fallacieux refroidissement, Marianne restait-elle obstinément chez elle.

Aurélien, le portier de l'hôtel d'Asselnat, avait reçu de sévères consignes : hormis le ministre de la Police ou ses émissaires et Mme Hamelin, sa maîtresse ne recevait pas.

Fortunée Hamelin, pour sa part, désapprouvait fortement cette manière d'agir. La créole, toujours si ardente au plaisir, n'était pas loin de trouver ridicule la claustration que s'imposait son amie sous prétexte que son amant était parti contracter un mariage de raison. Cinq jours après la fameuse représentation, elle vint chapitrer à nouveau son amie :

— Ne croirait-on pas que tu es veuve ou abandonnée ! s'indigna-t-elle. Alors que, justement, tu te trouves dans la plus enviable situation : tu es la maîtresse adorée, toute-puissante, de Napoléon sans pour autant en être l'esclave. Ce mariage te libère en quelque sorte du joug de la fidélité. Et, morbleu ! tu es jeune, incroyablement belle, tu es célèbre... et Paris est plein d'hommes séduisants qui ne demanderaient qu'à t'aider à charmer tes solitudes ! J'en sais au moins une douzaine qui sont follement amoureux de toi. Veux-tu que je te les nomme ?

— C'est inutile, protesta Marianne que la morale fort libre de l'ancienne merveilleuse choquait tout en l'amusant. C'est inutile parce que je n'ai pas envie de rencontrer d'autres hommes. Si je le voulais, il me suffirait de répondre à l'une de ces lettres, ajouta-t-elle en désignant un petit secrétaire en bois de rose où s'entassaient les nombreuses missives que, chaque jour, lui apportait le courrier, en même temps que de multiples envois de fleurs.

— Et tu ne les ouvres même pas ?

Fortunée s'était précipitée. Armée d'un mince stylet

italien en guise de coupe-papier, elle avait décacheté quelques lettres, parcouru quelques lignes, cherché les signatures et finalement soupiré :

— Si ce n'est pas triste de voir ça ! Mais, malheureuse, la moitié de la Garde Impériale est amoureuse de toi ! Regarde cela : Canouville... Tobriant... Radziwill... même Poniatowski ! Toute la Pologne est à tes pieds ! Sans compter les autres ! Flahaut, le beau Flahaut lui-même, ne rêve que de toi ! Et tu restes là, au coin de ta cheminée, à soupirer en regardant les nuages, le ciel bas et la pluie pendant que Sa Majesté galope au-devant de son archiduchesse ! Tiens, sais-tu à qui tu me fais penser ? A Joséphine !

Le nom de l'impératrice répudiée qui, pour Fortunée, était celui d'une vieille amie en même temps que d'une compatriote parvint tout de même à percer le mur de mauvaise humeur obstinée derrière lequel s'abritait Marianne. Elle leva sur son amie un vert regard incertain.

— Pourquoi dis-tu cela ? Est-ce que tu l'as vue ? Que fait-elle ?

— Je l'ai vue hier soir ! Et, en vérité, elle fait encore peine à voir. Voici plusieurs jours déjà qu'elle aurait dû quitter Paris. Napoléon lui a donné le titre de duchesse de Navarre et le domaine qui va avec, une immense terre auprès d'Évreux... en y joignant, bien entendu, le conseil discret, mais ferme, de s'y rendre au moment du mariage. Mais elle s'accroche à l'Élysée, où elle est revenue ces jours-ci, comme à une ultime branche de salut. Les jours passent, les uns après les autres et Joséphine est encore à Paris... Il faudra bien qu'elle parte pourtant ! Alors, à quoi bon prolonger ?

— Je crois que je peux la comprendre, coupa Marianne avec un triste sourire. N'est-ce pas cruel, aussi, de l'arracher à sa maison pour l'envoyer dans une autre, inconnue, comme un objet que l'on relègue ?

Ne pouvait-il au moins la laisser à Malmaison qu'elle aime tant ?

— Trop près de Paris ! Surtout pour l'arrivée de la fille de l'Empereur d'Autriche ! Quant à la comprendre, ajouta Fortunée en allant mirer dans une glace sa polonaise de velours bordeaux et les plumes d'autruche couleur de flamme de son immense capote, je ne suis pas si sûre que tu le pourrais ! Joséphine se cramponne à l'ombre de ce qu'elle fut... mais elle a déjà trouvé une consolation pour son cœur meurtri.

— Que veux-tu dire ?

Mme Hamelin éclata de rire, ce qui eut l'avantage de faire étinceler ses petites dents blanches et aiguës, après quoi elle revint se jeter dans un fauteuil auprès de son amie qu'elle enveloppa de son intense parfum de rose.

— Mais qu'elle a fait ce que tu devrais faire, ma toute belle, ce que ferait toute femme sensée dans son cas... et dans le tien : elle a pris un amant !

Trop abasourdie par la nouvelle pour trouver quoi que ce soit à répondre, Marianne se contenta d'ouvrir des yeux immenses qui firent épanouir d'aise la bavarde créole.

— Ne prends pas cette mine scandalisée ! s'écria-t-elle, Joséphine a eu, selon moi, tout à fait raison. Pourquoi donc se condamnerait-elle aux nuits solitaires... qui d'ailleurs étaient déjà son lot la plupart du temps aux Tuileries ? Elle a perdu un trône et retrouvé l'amour. Ceci compense cela et, si tu veux mon avis, ce n'est que justice !

— Peut-être ! Qui est-ce ?

— Un garçon de trente ans, blond et vigoureux, bâti comme un dieu romain ; le comte Lancelot de Turpin-Crissé, son chambellan, ce qui est tout à fait commode !

Marianne ne put s'empêcher de sourire, plus au souvenir de ses anciennes lectures de jeune fille qu'à la faconde de son amie.

— Ainsi, fit-elle lentement, la reine Guenièvre a enfin trouvé le bonheur auprès du chevalier Lancelot ?

— Tandis que le roi Arthur s'apprête à batifoler avec une plantureuse Germaine ! acheva Fortunée. Tu vois, les romans n'ont pas toujours raison. Qu'attends-tu pour en faire autant ? Choisis un consolateur ! Tiens, je vais t'aider.

Fortunée retournait déjà vers le secrétaire. Marianne l'arrêta du geste :

— Non. C'est inutile ! Je n'ai pas envie d'entendre les fadaises du premier beau garçon venu. Je l'aime trop, tu comprends ?

— Cela n'empêche pas ! insista Fortunée têtue. J'adore Montrond, mais si j'avais dû lui rester fidèle depuis qu'il est exilé à Anvers, je serais devenue folle.

Marianne renonça une bonne fois à faire admettre son point de vue à son amie. Fortunée était douée d'un tempérament exigeant et, contrairement à ce qu'elle pensait, aimait l'amour plus qu'elle n'aimait les hommes. Ses amants ne se comptaient plus, le dernier en date étant le financier Ouvrard qui, s'il était bien moins beau que l'irrésistible Casimir de Montrond, compensait cette infériorité par une énorme fortune dans laquelle les petites dents de Mme Hamelin trouvaient grand plaisir à croquer, le tout de la meilleure foi du monde. Néanmoins, et pour en finir, Marianne soupira :

— Malgré son mariage, je ne veux pas manquer à l'Empereur. Il le saurait immanquablement et ne me le pardonnerait pas, ajouta-t-elle très vite, pensant que Fortunée pouvait comprendre cet argument-là. Et puis, je te rappelle que j'ai, quelque part, un authentique époux qui peut ressurgir d'une minute à l'autre.

Tout son enthousiasme envolé, Fortunée revint s'asseoir auprès de Marianne et, soudain grave, demanda :

— Tu n'as aucune nouvelle ?

— Aucune. Simplement, hier soir, un mot de Fouché me disant que l'on n'a encore rien trouvé... et que même ce vicomte d'Aubécourt demeure invisible. Je crois pourtant que notre ministre cherche activement. D'ailleurs, Arcadius de son côté passe ses jours et ses nuits à courir Paris dont il connaît les recoins aussi bien qu'un policier professionnel.

— C'est tout de même étrange...

A cet instant, et comme pour matérialiser les paroles de Marianne, la porte du salon s'ouvrit et Arcadius de Jolival apparut, une lettre à la main, saluant les deux femmes avec grâce. Comme toujours, son élégance était irréprochable : symphonie vert olive et grise rehaussée par l'éclat neigeux de la chemise de batiste sur laquelle ressortait la brune figure de souris, les yeux vifs, la barbiche et la moustache noires de l'homme de lettre-impresario et indispensable compagnon de Marianne.

— Notre amie me dit que vous passez votre temps dans les bas-fonds de Paris et cependant vous avez l'air de sortir d'une boîte ! lui lança Fortunée avec bonne humeur.

— Pour aujourd'hui, répondit Arcadius, je n'étais pas dans un si mauvais lieu, mais bien chez Frascati où j'ai dégusté force glaces en écoutant bavarder quelques jolies filles. Et je n'ai pas couru de risque plus grave qu'un sorbet à l'ananas échappé à Mme Récamier et qui a manqué de fort peu mon pantalon.

— Toujours rien ? demanda Marianne dont le visage soudain tendu formait un contraste profond avec les mines souriantes de ses compagnons.

Mais Jolival ne parut pas remarquer l'angoisse dans la voix de la jeune femme. Jetant, d'un geste négligent, la lettre qu'il tenait sur le tas de celles qui attendaient déjà, il se mit à contempler avec attention la sardoine gravée qu'il portait à la main gauche.

— Rien ! fit-il avec insouciance. L'homme à l'habit bleu semble s'être dissous en fumée comme le génie des contes persans. Par contre, j'ai vu le directeur du théâtre Feydeau, ma chère ! Il s'étonne de n'avoir plus de vos nouvelles depuis la mémorable soirée de lundi.

— J'ai fait prévenir que j'étais souffrante, coupa Marianne avec humeur. Cela devrait lui suffire.

— Malheureusement cela ne lui suffit pas ! Mettez-vous à sa place : il a trouvé une étoile de première grandeur, cet homme-là, et elle s'éclipse sitôt apparue. Or, justement, il déborde de projets pour vous, des projets tous plus autrichiens les uns que les autres, bien entendu : il envisage de monter « l'Enlèvement au Sérail », puis un concert composé uniquement de lieder et...

— Il ne peut pas en être question ! s'écria Marianne avec impatience. Dites à cet homme que d'abord je n'appartiens pas à la troupe régulière de l'Opéra Comique. J'étais seulement en représentation à la salle Feydeau.

— Et notre homme le sait bien, soupira Arcadius, et d'autant plus que d'autres propositions sont arrivées et qu'il ne l'ignore pas. Picard voudrait vous voir jouer, à l'Opéra, les fameux « Bardes » qui plaisent tant à l'Empereur et Spontini, pour sa part, alléguant votre... dirai-je italianité ? vous réclame pour donner avec les Italiens « Le Barbier de Séville » de Paesiello. Ensuite, les salons...

— Assez ! coupa Marianne agacée. Je ne veux pas entendre parler de théâtre en ce moment. Je suis incapable du moindre travail convenable... et puis je me cantonnerai peut-être dans les concerts.

— Je crois, intervint Fortunée, qu'il vaut mieux la laisser tranquille. Elle n'est pas à toucher avec des pincettes !

Elle se leva, embrassa affectueusement son amie, puis ajouta :

— Tu ne veux vraiment pas venir souper chez moi ce soir ? Ouvrard m'amène quelques bons convives... et quelques beaux garçons.

— Non, vraiment ! A part toi, je n'ai envie de voir personne et surtout pas des gens drôles. A bientôt.

Tandis qu'Arcadius accompagnait Mme Hamelin à sa voiture, Marianne, avec un soupir de lassitude, alla s'asseoir devant le feu, sur un coussin qu'elle jeta à terre. Elle se sentait frissonner. Peut-être qu'à force de se prétendre malade elle l'était devenue réellement ? Mais non, c'était seulement son cœur qui était malade, assailli qu'il était par le doute, l'inquiétude et la jalousie. Dehors, la nuit venait, froide et pluvieuse, tellement accordée à son humeur qu'un instant la jeune femme contempla avec sympathie les fenêtres noires entre leurs rideaux de damas doré. Que venait-on lui parler de travail ? Comme les oiseaux, elle ne pouvait chanter vraiment bien que lorsque son cœur était léger. De plus, elle n'avait pas envie de se couler dans le moule étroit, souvent si conventionnel, des personnages d'opéra. Peut-être qu'après tout, elle n'avait pas une vraie vocation artistique ? Les propositions qu'on lui faisait ne la tentaient pas... ou bien était-ce uniquement l'absence de l'homme aimé qui lui valait cette curieuse répugnance ?

Quittant la fenêtre, son regard remonta vers la cheminée, s'arrêta sur le grand portrait qui en faisait l'ornement et, à nouveau, la jeune femme frissonna. Dans les yeux sombres du bel officier de Mestre-de-Camp-Général, il lui semblait tout à coup découvrir une sorte d'ironie teintée de pitié méprisante pour la créature désabusée assise à ses pieds. Dans la lumière chaude des bougies, le marquis d'Asselnat avait l'air de surgir du fond brumeux de sa toile pour faire honte à sa fille de se montrer si peu digne de lui, comme d'ailleurs d'elle-même. Et si clair était le langage muet du portrait que Marianne se sentit rougir. Comme malgré elle, la jeune femme murmura :

— Vous ne pouvez pas comprendre ! Votre amour, à vous, a été si simple que la mort partagée vous a paru sans doute la suite logique et l'accomplissement même de cet amour dans sa forme la plus parfaite. Mais moi...

Le pas léger d'Arcadius sur le tapis interrompit le plaidoyer de Marianne. Un instant, il contempla la jeune femme, tache de velours noir sur le décor lumineux du salon, plus ravissante peut-être dans sa mélancolie que dans l'éclat de la joie. La proximité du feu mettait une teinte chaude à ses hautes pommettes et allumait des reflets d'or dans ses yeux verts.

— Il ne faut jamais regarder en arrière, dit-il doucement, ni prendre conseil du passé. Votre empire, à vous, c'est l'avenir.

Vivement, il alla jusqu'au secrétaire, reprit la lettre qu'il avait apportée en arrivant et la tendit à Marianne.

— Vous devriez au moins lire celle-là ! Un courrier crotté jusqu'aux yeux la remettait à votre portier lorsque j'arrivais, en mentionnant que c'était urgent... un courrier qui avait dû fournir une longue course par mauvais temps.

Le cœur de Marianne manqua un battement. Se pouvait-il que ce fût, enfin, des nouvelles de Compiègne ? Elle saisit la lettre, regarda la suscription qui ne lui apprit rien car elle ne connaissait pas l'écriture, puis le cachet noir sans aucun relief. D'un doigt nerveux, elle le fit sauter, ouvrit le pli qui ne portait pas non plus de signature, mais simplement ces quelques mots :

« Un fervent admirateur de la signorina Maria-Stella serait au comble de la joie si elle acceptait de le rencontrer ce mardi 27 au château de Braine-sur-Vesle, à la nuit close. Le domaine se nomme La Folie, mais c'est sans doute le nom qui convient à la prière de celui qui attendra... Prudence et discrétion. »

Le texte était étrange, le rendez-vous plus encore. Sans un mot Marianne tendit la lettre à Arcadius. Elle le vit parcourir rapidement le message puis relever un sourcil.

— Curieux ! fit-il. Mais à tout prendre compréhensible.

— Que voulez-vous dire ?

— Que l'archiduchesse foule désormais le sol de France, que l'Empereur est tenu, en effet, à une grande discrétion... et que le village de Braine-sur-Vesle se trouve sur la route de Reims à Soissons. A Soissons où la nouvelle impératrice doit faire halte ce même 27 au soir.

— Ainsi, selon vous, cette lettre est de « lui » ?

— Qui d'autre pourrait vous donner pareil rendez-vous dans semblable région ? Je pense que... – Arcadius hésita devant le nom que l'on cachait si soigneusement, puis enchaîna : – qu'il souhaite vous donner une ultime preuve d'amour en passant quelques instants auprès de vous au moment même où arrive la femme qu'il épouse par raison d'État. Cela devrait répondre à vos angoisses.

Mais Marianne n'avait plus besoin d'être convaincue. Le sang aux joues, les yeux étincelants, reprise tout entière par sa passion, elle ne pensait plus qu'à la minute, proche maintenant, qui la ramènerait dans les bras de Napoléon. Arcadius avait raison : il lui donnait là, malgré les précautions dont il s'entourait, une grande, une merveilleuse preuve d'amour.

— Je partirai dès demain, déclara-t-elle. Dites à Gracchus de me préparer un cheval.

— Vous ne prenez pas la voiture ? Il fait un temps affreux et il y a une trentaine de lieues.

— On me recommande la discrétion, fit-elle avec un sourire. Un cavalier attire moins l'attention qu'une élégante voiture avec cocher et tout le reste. Je monte parfaitement à cheval, vous savez ?

— Moi aussi, répliqua Jolival du tac au tac. Aussi dirai-je à Gracchus de seller deux chevaux. Je vous accompagne.

— Est-ce bien utile ? Vous ne croyez pas que...

— Je crois que vous êtes une jeune femme, que les routes ne sont pas souvent sûres, que Braine n'est qu'une bourgade et qu'on vous y donne rendez-vous à la nuit close dans un domaine que je ne connais pas. N'allez pas vous imaginer que je me méfie de... qui vous savez, mais je ne vous quitterai que lorsque je vous saurai en bonnes mains. Après quoi, j'irai dormir à l'auberge.

Le ton était sans réplique et Marianne n'insista pas. Après tout, la compagnie d'Arcadius était bonne à prendre surtout pour une expédition qui durerait bien trois jours aller et retour. Mais elle ne put s'empêcher de penser que tout cela était un peu compliqué et que les choses eussent été bien plus simples si l'Empereur l'eût emmenée à Compiègne et installée, comme elle le souhaitait, dans une maison de la ville. Il est vrai que, selon les mauvaises langues, la princesse Pauline Borghèse était à Compiègne avec son frère et qu'elle avait auprès d'elle sa dame d'honneur préférée, cette Christine de Mathis qui avait précédé Marianne dans les bonnes grâces de Napoléon.

— Qu'est-ce que je vais imaginer ? songea tout à coup Marianne. Je vois des rivales partout. En vérité, je suis trop jalouse. Il faut que je me surveille davantage.

La porte d'entrée, claquant bruyamment dans le vestibule, vint interrompre à propos son monologue. C'était Adélaïde qui rentrait du salut où elle se rendait presque chaque soir, moins par pitié d'ailleurs, selon Marianne, que pour voir du monde et s'intéresser aux gens du quartier. En effet, Mlle d'Asselnat, curieuse comme une chatte, en ramenait toujours un plein chargement d'anecdotes et d'observations qui prouvaient simplement que l'autel n'avait pas eu le monopole de son attention.

Marianne prit la main que lui tendait Arcadius pour l'aider à se relever et lui sourit.

— Voilà Adélaïde, dit-elle. Allons souper et prendre connaissance des potins du quartier.

CHAPITRE II

UNE PETITE ÉGLISE DE CAMPAGNE...

Dans l'après-midi du surlendemain, Marianne et Arcadius de Jolival mettaient pied à terre devant l'auberge du Soleil d'Or à Braine. Le temps était affreux car, depuis l'aube, une pluie diluvienne noyait la région et les deux cavaliers, malgré leurs épais manteaux de cheval, étaient si mouillés qu'un abri s'imposait d'urgence. Un abri et quelque chose de chaud.

Partis depuis la veille, tous deux avaient fait le trajet aussi vite que possible, sur le conseil d'Arcadius qui souhaitait pouvoir reconnaître les lieux avant l'étrange rendez-vous. Ils prirent deux chambres à l'auberge, qui était l'unique et modeste hôtellerie du village, puis s'installèrent dans la salle basse, vide de consommateurs à cette heure creuse, pour y absorber l'une un bouillon et l'autre un bol de vin chaud. On les laissa d'ailleurs bien tranquilles dans leur coin tant l'agitation était grande dans la bourgade au bord de la Vesle habituellement si paisible. C'est que, dans peu d'instants, dans une heure... deux peut-être, la nouvelle impératrice des Français traverserait Braine, se dirigeant vers Soissons où elle devait souper et coucher.

Et, malgré la pluie, tout le village était dehors, en habits de fête, sous les guirlandes et les lampions qui s'éteignaient petit à petit. Près de l'église, une estrade tendue aux couleurs françaises et autrichiennes avait été installée où les notabilités de l'endroit prendraient place dans un instant sous des parapluies pour haranguer à son passage la nouvelle venue, tandis que, par la porte ouverte de la belle vieille église, on entendait la chorale locale répéter le chant de bienvenue par lequel elle saluerait tout à l'heure le défilé des voitures. Tout cela donnait au pays un air joyeux et coloré qui contrastait étrangement avec la maussaderie du temps. Seule, Marianne se sentait plus mélancolique que jamais, bien qu'une curiosité ardente se mêlât à cette sombre humeur. Tout à l'heure, elle aussi sortirait sous la pluie pour essayer de voir de près celle qu'elle ne pouvait s'empêcher d'appeler sa rivale, cette fille des ennemis qui osait lui ravir la première place auprès de l'homme qu'elle aimait, uniquement parce qu'elle était née sur les marches d'un trône.

Contrairement à son habitude, Arcadius était aussi muet que Marianne. Accoudé à la table de bois grossier, ciré par des générations de coudes, il contemplait sans y toucher le vin violet qui fumait dans son bol de faïence. Il semblait même tellement absent que Marianne ne put s'empêcher de lui demander à quoi il pensait.

— A votre rendez-vous de ce soir, répondit-il avec un soupir. Je le trouve plus étrange encore depuis que nous sommes ici... étrange au point de me demander si c'est bien l'Empereur qui vous l'a donné.

— Et qui d'autre ? Pourquoi ne serait-ce pas lui ?

— Savez-vous ce qu'est le château de la Folie ?

— Bien sûr que non. Je ne suis jamais venue ici.

— Moi si, mais il y a si longtemps que j'avais oublié. L'aubergiste m'a rafraîchi la mémoire tout à l'heure quand j'ai commandé ces boissons. Le château de la Folie, ma chère, c'est cette aimable chose que vous pouvez fort bien apercevoir d'ici... et qui me paraît tout de même un cadre un peu sévère pour un rendez-vous d'amour.

Tout en parlant, le gentilhomme-artiste désignait, sur

le rebord du plateau boisé dominant l'autre rive de la Vesle, la silhouette imposante autant que médiévale d'une forteresse du XIIIe siècle, déjà à demi ruinée. Enveloppées dans la brume grise de la pluie, les murailles noircies par le temps offraient un aspect sinistre contre lequel ne pouvaient rien les tendres pousses vertes des arbres qui les cernaient. Marianne, elle, fronça les sourcils saisie d'un bizarre pressentiment.

— Cette masure féodale ? c'est cela le château où je dois me rendre ?

— Cela et rien d'autre. Qu'en pensez-vous ?

Pour toute réponse, Marianne se leva et remit les gants qu'elle avait posés auprès d'elle sur la table.

— Qu'il pourrait bien y avoir là un piège comme j'en ai déjà connu un. Rappelez-vous les circonstances de notre première rencontre, mon cher Jovial... et les douceurs que nous avons connues aux mains de Fanchon-Fleur-de-Lys dans les carrières de Chaillot. Allez, je vous en prie, chercher les chevaux. Nous allons visiter tout de suite ce curieux nid d'amour. Bien sûr, je souhaite me tromper...

En fait, elle ne le souhaitait qu'à peine car, une fois passée la joie du premier instant, elle traînait depuis Paris un bizarre état d'esprit. Tout au long de ce chemin qui cependant la rapprochait de toute façon de son amant, Marianne n'avait pu se défendre d'une répugnance et d'une inquiétude, dues peut-être au fait que la fameuse lettre n'était pas écrite de « sa » main et que le lieu du rendez-vous était placé sur le chemin même de l'archiduchesse. Il est vrai que cette dernière objection était tombée assez vite quand elle avait appris à Soissons que le point de rencontre prévu par le protocole entre l'Empereur et sa fiancée, pour l'après-midi du 28, se situait à Pontarcher, localité sise à quelque deux lieues et demie de Soissons, sur la route de Compiègne, mais à tout prendre pas très loin de

Braine. La nuit passée, Napoléon aurait tout le temps de retrouver sa suite.

Pour l'heure présente, la pensée d'agir lui faisait du bien et la tirait de l'abîme de perplexité et de vague angoisse où elle se mouvait depuis une semaine. Tandis qu'Arcadius allait chercher les chevaux, elle tira de sa ceinture un pistolet qu'elle y avait passé en quittant Paris par mesure de prudence. C'était l'un de ceux que Napoléon lui-même lui avait donnés, sachant son habileté à manier les armes. Froidement, elle en vérifia la charge. Si Fanchon-Fleur-de-Lys, le chevalier de Bruslart ou quelqu'un de leurs sinistres acolytes l'attendait derrière les vieilles murailles de La Folie, ils trouveraient à qui parler.

Elle allait quitter la table, placée près de l'unique fenêtre de la salle, quand, de l'autre côté de la rue, quelque chose attira son attention. Une grosse berline noire, sans armoirie mais attelée de très beaux chevaux gris, était arrêtée devant la forge d'un maréchal-ferrant. Penché, auprès du cocher engoncé d'un énorme manteau vert, sur le sabot de l'un des chevaux de tête, l'homme de l'art examinait un fer sans doute défaillant. Ce spectacle n'avait rien d'extraordinaire, mais il éveilla l'intérêt de la jeune femme. Ce cocher, elle avait l'impression de le connaître...

Elle essaya de voir qui occupait la berline mais on n'apercevait, à l'intérieur, que deux silhouettes, assez vagues encore que masculines. Mais, soudain, elle étouffa un cri : pour voir, sans doute, où en était le cocher, l'un des hommes pencha un bref instant, derrière la glace, un profil pâle et net sous un grand bicorne noir, un profil trop gravé dans le cœur de Marianne pour qu'elle hésitât un seul instant à le reconnaître. C'était l'Empereur !

Mais que faisait-il dans cette berline ? Se rendait-il déjà au rendez-vous de la Folie ? En ce cas, pourquoi attendre en personne dans cette voiture que le fer du cheval fût remis en état ? Cela semblait si bizarre à

Marianne que sa brusque joie de l'apercevoir, à un moment où elle doutait si fort de la réalité de son rendez-vous, ne dura qu'un instant. Là-bas, dans la voiture, elle l'avait bien vu, Napoléon avait froncé le sourcil et fait un geste qui ordonnait de faire vite. Il était pressé, très pressé... mais d'aller où ?

Marianne eut à peine le temps de se poser davantage de questions. Le forgeron s'écartait, le cocher remontait sur son siège, faisait claquer son fouet. Dans un grand bruit de gourmettes, la berline partit au galop. L'instant suivant Marianne était dehors et se trouvait nez à nez avec Arcadius qui amenait les chevaux.

Sans un mot d'explication, Marianne sauta en selle, enfonça d'un coup de poing, jusqu'aux sourcils, le chapeau taupé qui contenait au mieux la masse de ses cheveux nattés puis, piquant des deux, se lança sur la trace de la berline qui disparaissait déjà dans le brouillard d'eau et de boue soulevée par sa course. Arcadius suivit machinalement mais, comme décidément on tournait le dos au chemin de La Folie, il força l'allure de son cheval pour remonter à la hauteur de la jeune femme :

— Ah ça !... Mais où courons-nous ainsi ?

— Cette voiture, jeta Marianne dans le vent de la course, je veux savoir où elle va.

— Pourquoi ?

— L'Empereur est dedans.

Jolival prit un temps pour assimiler la nouvelle puis, se penchant brusquement sur sa selle, saisit la bride du cheval de Marianne et, tout en retenant sa propre monture, parvint, avec une force surprenante dans un corps si maigre, à freiner son galop.

— Vous êtes fou ? cria Marianne furieuse. Qu'est-ce qui vous prend ?

— Vous tenez beaucoup à ce que Sa Majesté s'aperçoive qu'elle est suivie ? Cela ne saurait manquer sur une route si droite. Par contre, si nous prenons ce sentier que vous voyez à droite, nous couperons au plus court jusqu'à Courcelles où nous arriverons avant l'Empereur.

— Qu'est-ce que Courcelles ?

— Le prochain village simplement. Mais, si je ne me trompe, l'Empereur va tout simplement au-devant de sa fiancée et ne devrait pas tarder beaucoup à la rencontrer.

— Vous croyez ? Oh ! Si j'étais sûre de cela.

La jeune femme avait tout à coup pâli jusqu'aux lèvres. L'affreuse jalousie des derniers jours qui, un instant, l'avait quittée, revenait, plus amère et plus brûlante. Devant son regard douloureux, Arcadius eut un mince sourire triste et hocha la tête.

— Mais... vous en êtes sûre ! Soyez franche envers vous-même, Marianne. Vous savez où il va et vous voulez voir... « la » voir, elle, d'abord, et ensuite observer ce que sera le premier contact.

Marianne serra les dents et détourna les yeux tout en dirigeant son cheval vers le petit sentier. Son visage tout entier se ferma, mais elle avoua :

— Oui, c'est vrai... et rien ni personne ne m'en empêchera.

— Je n'y songe même pas. Venez puisque vous le voulez, mais vous avez tort. De toute façon, vous ne pourrez que souffrir et d'une souffrance tellement inutile !

Au grand galop à nouveau, et sans souci des flaques de boue ni de la pluie qui redoublait, les deux cavaliers se lancèrent dans le sentier. Il rejoignait presque les bords d'une Vesle doublée de volume par les dernières pluies torrentielles et charriant une eau grise, sale, entre des berges inhabituelles. A chaque foulée des chevaux, le temps semblait se faire plus affreux. La pluie, tout à l'heure fine et impalpable bruine, tombait maintenant en lourdes averses d'un ciel bouché qui suait l'ennui et le cafard. Mais le chemin du bord de l'eau était vraiment plus rapide et les quelques maisons de Courcelles furent bientôt atteintes.

Quand Marianne et Arcadius débouchèrent sur la grand-route, ils aperçurent la berline qui arrivait à grande allure, moissonnant de ses hautes roues de véritables gerbes d'eau.

— Venez, dit Arcadius, il ne faut pas rester là si vous ne voulez pas être vue.

Il cherchait à l'entraîner vers l'abri de la petite église toute proche, mais Marianne résista. De tous ses yeux, elle regardait venir la voiture, prise d'un terrible désir de rester là, de se faire voir, de croiser le regard du maître pour y lire... quoi au juste ? Mais elle n'eut pas le temps de s'interroger davantage. A cause peut-être du cheval mal ferré, la berline avait fait un léger écart, en pleine course, et était venue heurter de sa roue avant gauche les marches du petit calvaire érigé à l'entrée de Courcelles. La roue se brisa net et Marianne ne put retenir un cri, mais déjà la maîtrise du cocher avait fait merveille. Après une courte embardée, il avait retenu ses chevaux et arrêté la voiture.

Deux hommes en sortirent aussitôt, l'un grand et empanaché de curieuse façon, surtout par un temps pareil, l'autre trop reconnaissable, mais tous deux furieux. Marianne vit le plus grand désigner l'église et tous deux se mirent à courir sous la pluie.

— Allons, venez, ordonna Arcadius en saisissant Marianne par le bras, sinon vous allez vous trouver nez à nez. De toute évidence, ils vont venir s'abriter ici tandis que le cocher se mettra à la recherche d'un charron.

Cette fois, elle se laissa emmener sans résistance. Rapidement, Jolival lui fit faire le tour de l'église afin d'être hors de vue. Quelques arbres l'entouraient. Les deux cavaliers allèrent attacher leurs chevaux à l'un deux. Puisque l'Empereur s'arrêtait là, le compagnon de Marianne savait bien qu'il n'était pas question d'aller plus loin. La jeune femme, d'ailleurs, avait déjà avisé une petite porte latérale.

— Entrons dans l'église dit-elle. Nous pourrons voir et entendre sans être vus nous-mêmes.

Tous deux pénétrèrent dans le petit sanctuaire dont l'air humide et froid, sentant fortement le moisi, tomba sur leurs épaules mouillées comme une chape de plomb.

— Nous allons attraper la mort, là-dedans ! grommela Jolival sans que Marianne jugeât bon de répondre.

Il régnait là une demi-obscurité. L'église était presque à l'abandon. Nombre de vitraux, cassés, étaient remplacés par du papier huilé. Des débris de statues formaient, dans un coin, un grand tas de décombres et il n'y avait plus que deux ou trois bancs tandis que les toiles d'araignée drapaient en abondance la chaire à prêcher et le banc d'œuvres. Mais, sous la petite tribune, la grande porte, entrouverte, permettait de voir ce qui se passait sous le porche où, justement, l'Empereur et son compagnon arrivaient en courant. Une voix mordante, impatiente et trop reconnaissable, troubla le silence du sanctuaire.

— Nous attendrons ici. Crois-tu qu'ils soient encore loin ?

— Certainement pas, répondit l'autre personnage, un grand gaillard brun aux cheveux frisés et à la mise avantageuse qui faisait de son mieux pour abriter sous son grand manteau un gigantesque bicorne empanaché. Mais pourquoi attendre ici, sous cette voûte campagnarde où, en plus de la pluie qui nous arrive dessus, nous bénéficions de l'eau des gouttières. Ne pouvons-nous demander asile dans l'une de ces fermes ?

— Le séjour de Naples ne te vaut rien, Murat, ricana l'Empereur. Voilà que tu crains quelques gouttes d'eau à présent ?

— Je ne les crains pas pour moi mais bien pour mon costume. Mes plumes vont être perdues et j'aurai l'honneur de saluer l'Impératrice avec à peu près autant d'allure qu'un palmier découragé !

— Si tu t'habillais plus simplement, cela ne t'arriverait pas. Imite-moi !

— Oh, vous, Sire, je vous l'ai toujours dit, vous vous habillez trop « à la papa » et on ne va pas audevant d'une archiduchesse d'Autriche habillé comme un bourgeois.

Cette étrange discussion vestimentaire avait eu au moins l'avantage de permettre à Marianne de retrouver le plein contrôle d'elle-même. Son cœur avait cessé de battre à ce rythme étouffant de l'instant précédent et sa jalousie se teintait d'une bien féminine curiosité. Ainsi c'était là le fameux Murat, beau-frère de l'Empereur et roi de Naples ? Malgré le superbe costume bleu et or qui se dissimulait à peine sous le grand manteau noir, et malgré sa haute stature, elle lui trouvait une physionomie assez vulgaire et la mine trop conquérante. C'était peut-être le plus grand cavalier de l'Empire mais, dans ce cas, il n'aurait jamais dû se montrer sans son cheval. Tel que, il semblait incomplet. Cependant, Napoléon expliquait :

— Je veux faire une surprise à l'archiduchesse, je te l'ai déjà dit et me montrer à elle sans apparat, de même que je veux la voir dans le simple costume du voyage. Nous sortirons sur la route quand le cortège sera en vue.

Un soupir, si fort qu'il parvint jusqu'à Marianne, donna seul la mesure de ce que pensait Murat de ce projet, puis il ajouta résigné :

— Attendons !

— Allons ! Ne fais pas cette mine ! Tout ceci est extrêmement romantique, voyons ! Et je te rappelle que ta femme est auprès de Marie-Louise ! N'es-tu pas heureux de revoir Caroline ?

— Si bien sûr ! Mais nous sommes mariés depuis assez longtemps pour que l'effet de surprise ne joue plus tellement. Et d'ailleurs...

— Tais-toi ! Est-ce que tu n'entends rien ?

Tous les occupants de l'église, observateurs et

observés, tendirent l'oreille. En effet, dans le lointain, une sorte de grondement se faisait entendre, pareil à l'approche d'un orage faible et encore très éloigné, mais qui se rapprochait peu à peu.

— En effet, dit Murat avec un visible soulagement. Ce sont sûrement les voitures ! D'ailleurs... – et le roi de Naples quittant courageusement l'abri du porche s'avança sur la route puis revint en courant et en criant : – Voilà les premiers hussards de l'escorte ! Votre épouse arrive, Sire !

L'instant suivant Napoléon l'avait rejoint, tandis que Marianne, poussée par une irrépressible curiosité, s'avançait jusqu'à la porte de l'église. Elle ne courait pas le moindre risque d'être aperçue. Toute l'attention de l'Empereur était tendue vers cette longue file de voitures qui, au bout de la route, s'avançait à vive allure, précédée de cavaliers bleus et mauves et Marianne ressentit cette tension jusqu'au fond du cœur. Elle comprit d'un seul coup avec quelle ardeur il attendait celle dont il espérait un héritier, cette fille des Habsbourg grâce à laquelle, enfin, il atteindrait le sang royal traditionnel. Pour lutter contre le chagrin qui montait, elle s'efforça de se rappeler ses paroles désinvoltes : « J'épouse un ventre... » Ce fut dérisoire. Tout dans le comportement de son amant – ne disait-on pas qu'il avait voulu apprendre à danser en l'honneur de sa fiancée ? – lui criait avec quelle impatience il avait attendu le moment où sa future femme lui serait remise, tout jusqu'à cette escapade de collégien romantique en compagnie de son beau-frère ! Il n'avait pas eu le courage de patienter jusqu'au lendemain et jusqu'à l'entrevue, officiellement réglée, de Pontarcher.

Maintenant, Napoléon était au milieu de la route et les hussards bleus, retenant leurs montures devant cette silhouette si connue, criaient : « L'Empereur ! Voilà l'Empereur ! » Le cri fut repris par le chambellan, M. de Seyssel, qui suivait immédiatement. Mais Napoléon n'écoutait pas, ne voyait pas. Sans se soucier de la pluie qui redoublait, il courut comme un jeune homme jusqu'à une grande voiture, tirée par huit chevaux, ouvrit la portière sans attendre qu'on le fît pour lui. Marianne vit que deux femmes étaient à l'intérieur. L'une s'écria en s'inclinant :

— Sa Majesté l'Empereur !

Mais Napoléon, c'était évident, ne voyait que sa compagne ; une grande fille blonde et rose, aux yeux bleus, un peu globuleux et à fleur de tête qui, d'ailleurs, avait l'air passablement effrayée. Ses lèvres, lourdement ourlées, tremblaient bien qu'elle s'efforçât de sourire. Elle était vêtue d'un manteau de velours vert, mais portait sur la tête une affreuse toque garnie de plumes de perroquet multicolores qui lui donnait l'air d'un plumeau.

Marianne, qui, à quelques pas de l'archiduchesse, la dévorait des yeux, éprouva une joie féroce à la découvrir sinon laide, du moins quelconque. Certes, Marie-Louise était fraîche, mais ses yeux bleus étaient sans expression et, sous le nez un peu long, la fameuse lèvre Habsbourg n'avait rien de gracieux. Et qu'elle était donc mal habillée ! Et puis, pour une jeune fille, elle était vraiment un peu trop potelée. Avant dix ans, elle serait grosse, car elle donnait déjà une impression de lourdeur.

Avidement, la jeune femme guettait les réactions de l'Empereur qui, les pieds dans l'eau, contemplait son épouse. Certainement, il devait être déçu, il allait saluer, protocolairement, baiser la main de sa femme et regagner ensuite sa voiture que l'on réparait déjà un peu plus loin... Mais non ! Sa voix joyeuse claironnait :

— Madame, j'éprouve à vous voir un grand plaisir !

Après quoi, escaladant le marchepied, sans se soucier du fait qu'il était mouillé comme un barbet, il prit la grande blonde dans ses bras et l'embrassa à plusieurs reprises avec un enthousiasme qui arracha un sourire crispé à l'autre dame de la voiture, une jolie blonde à la peau nacrée dodue et charmante, malgré une tête trop grosse et un cou trop court, mais dont l'œil sarcastique démentait la naïveté de l'expression et déplut aussitôt à Marianne. C'était sans doute la fameuse Caroline Murat, sœur de Napoléon, et l'une des plus redoutables chipies du régime. L'homme qui avait accompagné l'Empereur l'embrassait d'ailleurs après avoir baisé la main de l'archiduchesse, mais se retirait aussitôt pour regagner solitaire la berline sans armoiries, tandis que Napoléon radieux s'installait en face des deux femmes et criait au chambellan demeuré debout auprès de la voiture :

— Maintenant, vite à Compiègne ! Et que l'on brûle les étapes.

— Mais, Sire, protesta la reine de Naples, nous sommes attendues à Soissons où les notabilités ont préparé un souper, une réception...

— Ils mangeront leur souper sans nous ! Je désire que Madame soit, dès ce soir, chez elle ! En route !

Ainsi rabrouée, Caroline pinça les lèvres et se réfugia dans son coin tandis que la voiture s'ébranlait. Marianne, les yeux pleins de larmes, put voir encore le sourire ravi dont Napoléon enveloppait sa fiancée. Un bref commandement claqua et remit au trot les chevaux de l'escorte. L'une après l'autre, les quatre-vingt-trois voitures du cortège commencèrent à défiler devant l'église. Appuyée d'une épaule à la pierre humide du porche gothique, Marianne les regardait passer sans même les voir, emportée dans une rêverie si douloureuse qu'il fallut qu'Arcadius la secouât doucement pour qu'elle parût s'éveiller.

— Que faisons-nous maintenant ? demanda-t-il. Nous devrions retourner à l'auberge. Vous êtes trempée... et moi aussi.

Mais la jeune femme l'enveloppa d'un regard farouche.

— Nous allons à Compiègne, nous aussi.

— Mais... pour quoi faire ? s'étonna Jolival. J'ai

peur que vous ne méditiez une folie. Qu'avez-vous à voir avec ce cortège ?

— Je veux aller à Compiègne vous dis-je, insista la jeune femme en frappant du pied. Et ne me demandez pas pourquoi, je n'en sais rien. Ce que je sais seulement, c'est qu'il faut que j'y aille.

Elle était si pâle qu'Arcadius fronça les sourcils. Toute vie paraissait s'être retirée d'elle pour ne laisser qu'un automate. Tout doucement, pour l'arracher à cette douleur glacée et comme paralysante, il objecta :

— Et... le rendez-vous de ce soir ?

— Il ne m'intéresse plus puisque ce n'est pas lui qui me l'a donné. Vous l'avez entendu ? Il rentre à Compiègne. Ce n'est pas pour revenir ici. A quelle distance sommes-nous de Compiègne.

— Une quinzaine de lieues !

— Vous voyez bien ! A cheval maintenant et coupons au plus court ! Je veux être à Compiègne avant eux.

Elle courait déjà vers les arbres où étaient attachés les chevaux. Sur ses talons, Arcadius tentait encore de la raisonner.

— Ne soyez pas folle, Marianne ! Rentrons à Braine et laissez-moi aller voir qui vous attend ce soir.

— Cela ne m'intéresse pas, vous dis-je ! Quand donc aurez-vous compris qu'il n'y a qu'un être au monde qui importe ? D'ailleurs, ce rendez-vous ne pouvait être qu'un piège ! Maintenant j'en suis sûre... Mais je ne vous oblige pas à me suivre ! lança-t-elle cruellement. Je peux très bien aller seule.

— Ne dites donc pas de sottises ! fit Arcadius avec un haussement d'épaules.

Se penchant calmement, il offrit à la jeune femme ses mains croisées afin qu'elle y posât le bout de sa botte pour remonter en selle. Il ne lui en voulait pas de son humeur noire parce qu'il comprenait ce qu'elle endurait à cette minute. Simplement, il déplorait de la voir se meurtrir à plaisir au contact d'une fatalité contre laquelle ni elle, ni personne, ne pouvaient rien.

— Allons, puisque vous y tenez ! fit-il seulement en reprenant sa propre monture.

Sans répondre, Marianne serra des talons les flancs de son cheval. L'animal partit à un train d'enfer en direction du chemin au bord de l'eau. Courcelles, où seulement quelques visages s'étaient montrés, retomba au silence et à l'abandon. La berline accidentée, pourvue d'une roue neuve prise dans un fourgon, avait, elle aussi, disparu.

Malgré le retard qu'ils avaient pris sur la tête du cortège, Marianne et Arcadius arrivèrent à la sortie de Soissons juste à temps pour voir passer la voiture impériale qui, brûlant l'étape, avait traversé la ville en trombe sous l'œil ébahi et quelque peu scandalisé du Sous-Préfet, du Conseil Municipal et des autorités militaires qui avaient attendu des heures sous la pluie pour le seul plaisir de voir leur empereur leur filer sous le nez.

— Mais pourquoi donc est-il si pressé ? fit Marianne entre ses dents. Qu'est-ce qui l'oblige à être à Compiègne ce soir ?

Incapable de donner une réponse valable à cette question, elle allait reprendre sa course après avoir relayé à l'hôtel des Postes, quand elle vit soudain s'arrêter la voiture impériale. La portière s'ouvrit et la reine de Naples, que Marianne reconnut aux plumes d'autruche mauves et roses qui ornaient sa capote de velours gris perle, sauta sur la route. D'un pas énergique et la mine offensée, elle marcha vers la seconde voiture. Le chambellan, trottant sur ses talons, s'en fit abaisser le marchepied et, avec la mine d'une reine en exil, Caroline Murat disparut à l'intérieur, tandis que le cortège reprenait sa route.

Marianne tourna vers Arcadius des yeux interrogateurs.

— Qu'est-ce que cela veut dire ?

Pour dissimuler l'embarras de sa physionomie, Arcadius se pencha sur l'encolure de son cheval et fit mine de vérifier quelque chose au mors de l'animal, mais ne répondit pas. Ce silence exaspéra Marianne.

— Ayez au moins le courage de me dire la vérité, Arcadius. Est-ce que vous pensez qu'il a voulu rester seul avec cette femme ?

— C'est possible, concéda Jolival prudent. A moins que la reine de Naples n'ait fait l'un de ces caprices dont elle est malheureusement coutumière.

— En présence de l'Empereur ? Je n'en crois rien. Au galop, mon ami, je veux les voir descendre de cette voiture.

Et la course infernale, à travers les rafales d'eau glacée, la boue et les branches basses, qui meublaient trop souvent les chemins de traverse empruntés par les deux cavaliers, reprit de plus belle.

En entrant dans Compiègne à la nuit noire, Marianne exténuée et transie, claquait des dents mais tenait à cheval par un prodige de volonté. Tout son corps était moulu comme si elle avait reçu une volée de bois vert, mais pour rien au monde elle ne l'eût avoué. L'avance que l'on avait sur le cortège n'était d'ailleurs que minime car, sur cette interminable route, le grondement lointain des quatre-vingt-trois voitures n'avait quitté les oreilles de la jeune femme, sauf lorsque l'on s'était enfoncé au cœur de la forêt.

Maintenant, en chevauchant le long des rues illuminées, pavoisées depuis les ruisseaux jusqu'aux faîtes des toits, Marianne clignait des yeux comme un oiseau de nuit jeté brusquement dans la lumière. La pluie avait cessé. La nouvelle avait couru la ville que l'empereur, dès ce soir, ramenait à Compiègne la fiancée attendue seulement le lendemain. Aussi malgré le temps et la nuit, tous les habitants étaient-ils répandus dans les rues ou dans les auberges, une masse importante de peuple battant déjà les grilles du grand palais blanc.

Celui-ci brillait dans la nuit comme toute une colonie de lucioles. Dans la cour, un régiment de grenadiers de la Garde manœuvrait, prêt à sortir pour effectuer le service d'ordre. Dans un instant, les gigantesques soldats aux bonnets poilus allaient fendre la foule comme un irrésistible bélier, ouvrir un passage que nul n'aurait l'idée de leur refuser. Marianne essuya machinalement l'eau qui dégouttait des bords de son chapeau.

— Quand les soldats sortiront, nous nous lancerons en avant, dit-elle, afin de profiter de la trouée. Je veux arriver jusqu'à la grille.

— C'est de la folie, Marianne ! Nous allons être piétinés, écrasés. Ces gens n'ont aucune raison de nous faire place.

— Ils ne s'en apercevront même pas. Allez attacher les chevaux et rejoignez-moi. Il faut faire vite.

En effet, comme Arcadius s'éloignait en courant vers l'entrée d'une grande auberge bien éclairée, toutes les cloches de la ville se mirent à sonner. Le cortège devait entrer dans Compiègne. En même temps, une énorme acclamation monta vers le ciel noir. Les grilles du palais s'ouvrirent et laissèrent passer le bloc puissant des grenadiers qui, l'arme au bras, s'avancèrent en bon ordre et fendirent la foule en deux, formant une double haie au milieu de laquelle allaient passer les voitures. Marianne alors s'élança, Jolival sur ses talons. Profitant du reflux de la foule, elle parvint, en se glissant derrière le dos des grenadiers, jusqu'aux grilles du château. Il y eut bien quelques protestations, quelques horions même pour ce jeune homme insolent qui osait vouloir la première place, mais elle était insensible à tout. D'ailleurs, les premiers hussards débouchaient en trombe sur la place, retenant à pleins poings leurs montures écumantes. La foule hurla, d'une seule voix :

— Vive l'Empereur !...

Marianne grimpa sur le mur bas où s'enchassaient les lances dorées des grilles, s'agrippant au fer mouillé. Entre elle et le grand perron sur lequel s'alignaient des laquais en livrée verte portant des torches dont les flammes s'effilochaient dans l'air froid, il n'y avait plus qu'un vaste espace vide. En un instant, les fenêtres du château se peuplèrent d'une foule brillante, les terrasses des toits furent envahies, un orchestre s'installa sur la galerie qui dominait les grilles, un autre quelque part sur la place, un autre encore aux fenêtres d'une maison patricienne. Partout jaillissaient des torches. Il y eut un grand bruit qu'enfla jusqu'à l'assourdissement un vigoureux roulement de tambour.

Entre la haie de grenadiers, des pages, des écuyers, des officiers et des maréchaux, parurent au grand galop un carrosse, puis un autre, et encore un autre. Le cœur de Marianne battait à se rompre sous le drap mouillé de son habit. Elle regardait, avec des yeux agrandis, le large perron garni de tapis, sous le grand fronton triangulaire, se couvrir de femmes en robes à traîne, dont les diadèmes jetaient des feux multicolores, d'hommes en grands costumes, rouges et or ou bien bleus et argent. Elle aperçut même quelques officiers autrichiens, en grande tenue blanche, la poitrine constellée de décorations. Quelque part, une horloge sonna dix heures.

Alors, dans un grand tumulte de cris et de vivats, apparut enfin la berline à huit chevaux que Marianne connaissait si bien déjà. Les cuivres, sur la galerie, attaquèrent : « Veillons au salut de l'Empire ! », tandis que la voiture, comme portée par l'enthousiasme populaire, franchissait enfin les grilles larges ouvertes et décrivait une courbe pleine d'élégance. Les valets de pied se précipitèrent, les porteurs de torches descendirent jusqu'au pavé de la cour, les tambours battirent tandis que, sur le perron, les révérences courbaient jusqu'au sol les satins et les brocards des robes de cour. Les yeux noyés de larmes qu'elle ne pouvait plus retenir, Marianne vit Napoléon sauter à terre puis se tourner, rayonnant, vers celle qui était encore dans la voiture et l'aider à descendre avec tous les soins et toutes les tendres précautions d'un amant attentif. Une brusque fureur sécha les larmes de Marianne à constater que l'archiduchesse était toute rouge et que son absurde chapeau à plumes de perroquet donnait fortement de la bande. De plus, elle avait une attitude curieuse, plutôt gênée.

Debout, Marie-Louise avait une demi-tête de plus que son fiancé. Ils formaient un couple bizarrement discordant, elle avec sa lourde mollesse germanique, lui avec son teint pâle, son profil romain et toute la vitalité nerveuse, à fleur de peau, qu'il devait à son sang méditerranéen. La seule chose peut-être qui ne choquât pas, c'était la différence d'âge, la carrure de Marie-Louise lui ôtant toute la fragilité de la grande jeunesse. De toute façon, ni l'un ni l'autre ne semblait s'en apercevoir. Ils se contemplaient d'un air ravi qui donna soudain à Marianne des envies de meurtre. Comment cet homme qui, voici peu de jours, l'avait aimée avec tant de passion, lui avait juré, avec l'accent même de la sincérité, qu'elle seule régnait sur son cœur, pouvait-il regarder cette grande génisse blonde, avec cette mine d'enfant à son premier cadeau de Noël ? Furieusement, la jeune femme enfonça ses ongles dans la paume de sa main et grinça des dents pour ne pas hurler de douleur et de rage.

Là-bas, la nouvelle venue embrassait les femmes de la famille impériale : la ravissante Pauline, qui ne cachait qu'à peine son envie de rire en contemplant le fameux chapeau, la sage Élisa et son sévère profil de Minerve, la brune beauté de la reine d'Espagne, la grâce blonde de la reine Hortense dont la robe de soie blanche, les perles au doux éclat et l'élégance sans défaut rappelaient le fantôme de sa mère et juraient effroyablement avec la vêture de Marie-Louise.

Un instant, Marianne s'oublia elle-même pour se

demander quels pouvaient être au juste les sentiments de la douce fille de Joséphine, en face de cette femme qui osait venir s'asseoir sur le trône, encore chaud, de sa mère ? N'était-ce pas une bien inutile cruauté de la part de Napoléon que de l'avoir obligée à se trouver là pour accueillir cette étrangère au seuil d'un palais français ? Bien inutile... mais bien dans la manière de l'Empereur. Ce n'était pas la première fois que Marianne constatait combien sa bonté naturelle pouvait se teinter d'une sorte de froide inhumanité.

— Me laisserez-vous enfin vous conduire à la chaleur, dans une auberge ? fit tout près d'elle la voix amicale d'Arcadius, ou bien souhaitez-vous passer la nuit accrochée à cette grille ? Il n'y a plus rien à voir.

Avec un frisson, Marianne constata qu'en effet, hormis les voitures, les valets et les palefreniers, qui déjà entraînaient les attelages vers les écuries, la cour était vide, les fenêtres refermées. Sur la place, la foule se retirait des grilles, presque à regret, avec la lenteur d'une marée descendante. Elle tourna vers Arcadius un visage où les larmes n'avaient pas encore séché.

— Vous pensez que je suis folle, n'est-ce pas ? murmura-t-elle.

Il eut un bon sourire et glissa un bras fraternel autour des épaules de la jeune femme.

— Je pense que vous êtes jeune, merveilleusement... cruellement jeune ! Vous vous jetez sur tout ce qui peut vous blesser avec l'aveuglement d'un oiseau affolé. Quand vous serez plus âgée, vous apprendrez à éviter les griffes de fer que la vie sait si bien disposer au long des routes humaines pour meurtrir et déchirer, vous apprendrez à fermer les yeux, les oreilles pour au moins préserver vos illusions et votre paix intérieure. Mais il est encore trop tôt.

L'hôtellerie du Grand-Cerf était pleine à craquer lorsque Marianne et Jolival y pénétrèrent et, tout d'abord, l'hôte qui courait dans tous les sens avec des allures de poule affolée ne voulut même pas les écouter. Il fallut qu'Arcadius se fâchât, arrêtât le bonhomme en plein vol en empoignant la serviette nouée qu'il portait autour du cou et l'immobilisât d'une main ferme :

— Pas tant de précipitations, mon ami ! Il y a un temps pour chaque chose et je vous serais reconnaissant de m'écouter. Madame que voici, ajouta-t-il en désignant Marianne qui, d'un geste las avait ôté son chapeau et libérait ses cheveux, est, comme vous pouvez le voir, recrue de fatigue, affamée et trempée. Et... comme elle tient de fort près à Sa Majesté, vous allez tout de suite vous montrer aimable et lui trouver un endroit où se reposer, se restaurer et se sécher, fût-ce votre propre chambre.

Entre les doigts minces mais plutôt durs d'Arcadius, le bonhomme était passé par toutes les couleurs de l'arc-en-ciel. Le mot « Sa Majesté » lui avait arraché un gémissement terrifié. Ses petits bras courts battirent dans l'air une mesure désespérée, tandis qu'il tournait vers la jeune femme un regard de noyé.

— Mais je n'ai même plus de chambre, mon prince ! J'ai dû donner la mienne à l'aide de camp du duc de Rovigo. A l'heure présente, Mme Robineau, mon épouse, doit être occupée à me dresser un lit dans l'office. Je ne peux décemment pas l'offrir à Madame... ou bien dois-je dire Son Altesse ? acheva-t-il avec une angoisse qui arracha un sourire à Jolival.

Visiblement, le bonhomme se demandait fébrilement si cette ravissante femme brune ne serait pas, par hasard, quelque sœur mal connue de l'Empereur. Les Bonaparte étaient une si vaste famille !

— Dites simplement Madame, mais trouvez quelque chose !

Au moment où Robineau se demandait s'il ne serait pas plus simple de s'évanouir pour échapper à cette mise en demeure, un officier autrichien, portant avec élégance l'uniforme brun clair de la Landwehr et qui, depuis un moment, observait avec un intérêt croissant le beau visage pâle de Marianne, s'approcha et s'inclina en claquant légèrement les talons devant la jeune femme. Celle-ci, les yeux clos, s'était adossée à un mur, totalement indifférente au débat.

— Permettez que je me présente : prince Clary und Aldringen, envoyé extraordinaire de Sa Majesté l'Empereur d'Autriche ! J'ai deux chambres à ma disposition dans cette auberge ; que Madame veuille bien me faire la grâce d'en accepter...

Une exclamation de Robineau lui coupa la parole en même temps que le salut compassé de Jolival.

— Mon Dieu ! Monseigneur est déjà rentré ? Mais je n'avais pas prévu Monseigneur ! Est-ce que Monseigneur ne devait pas souper au Palais ?

Le prince autrichien, un grand garçon d'une trentaine d'années, à la physionomie fine et spirituelle sous un chaume épais de cheveux blonds, se mit à rire avec bonne humeur.

— Eh bien, mon cher hôte, il va vous falloir me trouver de quoi me nourrir. Je ne soupe pas au palais parce que personne n'y soupera.

— Est-ce que le cuisinier s'est passé son épée en travers du corps ? demanda Jolival avec un sourire.

— Non pas. En fait, la Cour était réunie dans le grand salon attendant de passer à table, quand le Grand Maréchal Duroc est venu nous dire que Leurs Majestés s'étaient retirées dans leur appartement... et qu'il n'y aurait pas de souper. Mais je bénis maintenant ce retour inopiné que je maudissais voici un instant puisqu'il me permet, Madame, de vous être bon à quelque chose.

Les derniers mots, bien entendu, s'adressaient à Marianne qui, insensible à leur intention galante, n'eut même pas l'idée de remercier. Dans le discours de l'Autrichien, elle avait seulement retenu une chose et le doute qu'elle soulevait en elle était si impérieux qu'elle ne put se retenir de demander :

— Leurs Majestés se sont retirées ? Cela ne veut pas dire, je pense...

Elle n'osa pas achever. Clary s'était mis à rire de nouveau.

— Je crains que si. Il paraîtrait que l'Empereur, à peine arrivé, a demandé au cardinal Fesch, son oncle, s'il était vraiment marié... ou, tout au moins, si le mariage par procuration de Vienne faisait bien de l'archiduchesse sa femme.

— Et alors ? demanda Marianne la gorge sèche.

— Et alors, l'Empereur a fait dire à... l'Impératrice qu'il aurait l'honneur de lui rendre visite dans sa chambre quelques instants plus tard : juste le temps de prendre un bain.

La brutalité de ce qu'évoquaient ces paroles poliment ironiques fit pâlir Marianne jusqu'aux lèvres.

— De sorte..., fit-elle d'une voix si enrouée que l'Autrichien la regarda avec surprise et Arcadius avec inquiétude.

— De sorte... que Leurs Majestés se sont retirées... et que me voilà juste à propos pour vous servir, Madame... Mais, vous êtes bien pâle ! Vous sentez-vous souffrante ? Holà ! Robineau, que votre femme vienne sur l'heure conduire Madame à ma chambre, c'est la meilleure de la maison. Mon Dieu !

Cette dernière exclamation angoissée était justifiée. Brusquement, vidée de ses dernières forces par le coup qu'il venait, sans le vouloir, de lui assener, Marianne avait vacillé sur ses jambes et fut tombée si Jolival ne l'avait retenue à temps. Un instant plus tard, portée par Clary qui avait tenu à décharger Jolival d'un fardeau peut-être trop lourd pour lui et précédée d'une Mme Robineau en robe de soie puce et bonnet de mousseline, armée d'un grand bougeoir de cuivre, Marianne inconsciente escaladait l'escalier bien ciré du Grand-Cerf.

Quand elle émergea, une quinzaine de minutes plus tard, de la bienheureuse inconscience qui l'avait terrassée, Marianne vit, côte à côte, la figure de souris moustachue d'Arcadius et un visage de femme haut en couleur surmonté d'une chevelure brune, dont les boucles lâches pendaient quelque peu d'un bonnet aérien. Voyant qu'elle ouvrait les yeux, la dame cessa de lui bassiner les tempes avec du vinaigre et constata avec satisfaction que « ça allait mieux maintenant ».

A vrai dire, Marianne, en dehors du fait qu'elle avait retrouvé ses esprits, ne se sentait pas tellement mieux, au contraire. Elle était glacée jusqu'à la moelle des os avec de grandes bouffées de chaleur, ses dents claquaient et un étau lui serrait les tempes. Néanmoins, retrouvant du même coup le souvenir de ce qu'elle venait d'entendre, elle voulut s'arracher du lit où on l'avait étendue tout habillée.

— Je veux m'en aller ! fit-elle en tremblant si fort que les mots eurent peine à se faire entendre. Je veux rentrer chez moi, tout de suite !

A deux mains, Arcadius pesa sur ses épaules pour l'obliger à s'étendre de nouveau.

— Il n'en est pas question ! Rentrer à Paris, à cheval et par ce temps ? Vous n'arriveriez pas vivante, ma chère. Je ne suis pas grand médecin, mais j'ai quelques connaissances du sujet et, à voir vos pommettes trop rouges, je peux vous dire que vous avez de la fièvre.

— Qu'importe ! Je ne peux pas rester ici ! Est-ce que vous n'entendez pas ?... Ces musiques... ces chants... Ces pétards qui éclatent ! Est-ce que vous n'entendez pas la joie de cette ville à moitié folle de bonheur parce que l'Empereur a mis dans son lit la fille de son pire ennemi ?

— Marianne ! supplia Arcadius alarmé devant les yeux hagards de son amie. Je vous en supplie...

La jeune femme éclata d'un rire discordant qui faisait mal à entendre. Malgré Arcadius, elle se jeta à bas du lit, courut jusqu'à une fenêtre à laquelle elle s'agrippa, rejetant les rideaux avec rage. Au-delà de la place mouillée et vide, le palais illuminé se dressait en face d'elle comme un défi, ce palais au cœur duquel Napoléon tenait l'Autrichienne dans ses bras, la possédait comme il avait possédé Marianne, lui murmurait peut-être les mêmes mots d'amour... Dans la tête brûlante de la jeune femme, la fureur et la jalousie se mêlaient à la fièvre et faisaient jaillir les flammes même de l'enfer. L'impitoyable mémoire lui restituait chacun des gestes de son amant dans l'amour, chacune de ses expressions... Oh ! pouvoir percer le secret de ces blanches murailles insolentes ! Savoir derrière laquelle de ces fenêtres closes se perpétrait le crime d'amour dans lequel le cœur de Marianne jouait la victime expiatoire !

— Mio dolce amore !... gronda-t-elle entre ses dents serrées. Mio dolce amore !... Est-ce qu'il lui dit cela à elle aussi ?

Arcadius, qui, craignant que du fond de sa folie Marianne ne se mit à hurler, n'avait pas osé s'approcher, ni la toucher, ordonna tout bas à l'hôtelière abasourdie :

— Elle est très malade ! Trouvez un médecin... vite !

Sans se le faire répéter, la femme s'engouffra dans le couloir dans un grand bruit de jupons amidonnés tandis que doucement, un pas après l'autre, Jolival s'avançait vers Marianne. Elle ne le voyait même pas. Tendue comme une corde d'arc, dévorant de ses prunelles dilatées l'énorme et blanche demeure, il lui semblait tout à coup que ces murs étaient devenus de verre, qu'elle pouvait voir, avec cette terrible clairvoyance de la jalousie poussée au paroxysme, jusqu'au fond d'une chambre où, sous le velours pourpre et or d'un immense ciel de lit, un corps couleur d'ivoire en étreignait un autre, dont la chair dodue avait des tons d'aurore. Et Marianne, déchirée, crucifiée, avait tout oublié de ce qui l'entourait pour ne plus voir que la scène d'amour trop facilement imaginée pour l'avoir trop souvent vécue. Tout proche, maintenant, à la toucher, Arcadius l'entendit murmurer :

— Comment peux-tu lui donner les mêmes baisers qu'à moi ?... Ce sont tes lèvres, pourtant ! Est-ce que tu ne te souviens de rien, dis ?... Tu ne peux pas... tu ne peux pas l'aimer comme tu m'aimais ! Oh ! non... je t'en supplie... ne la tiens pas comme cela !... Rejette-la... Elle te portera malheur ! Je le sais... je le sens ! Rappelle-toi la roue brisée aux marches du calvaire ! Tu ne peux pas l'aimer... Non, non... NON !

Elle avait poussé un cri bref, un seul, mais c'était un cri d'agonie. Et, brusquement, elle se laissa glisser à genoux contre la fenêtre, secouée de sanglots désespérés qui, malgré tout, relâchaient la dangereuse tension nerveuse dont Arcadius, un instant épouvanté, tremblait encore.

Il sentit qu'alors il pouvait la toucher, qu'elle ne se défendrait plus. Il se pencha vers elle et, avec des gestes d'une infinie douceur, presque des gestes de miséricorde, il la releva, osant à peine serrer le mince corps tremblant qui s'appuyait à lui et, à très petits pas, la ramena jusqu'au lit. Elle se laissait faire, sans plus de résistance qu'un enfant épuisé, trop absorbée dans sa douleur pour garder encore conscience de son être. Bien près de pleurer lui-même sur cette souffrance imméritée quoique trop cherchée, Jolival achevait d'étendre Marianne sur le lit quand la porte se rouvrit devant Mme Robineau ramenant le médecin. En constatant que ledit médecin n'était autre que Corvisart lui-même, le médecin de l'Empereur, Arcadius ne fut qu'à peine surpris. Une journée comme celle-là était capable de mettre un homme au-delà de toute surprise et, après tout, qu'y avait-il d'étonnant que le médecin impérial fût lui aussi dans cette auberge bourrée de grands personnages. Ce n'en était pas moins un fameux soulagement.

— J'étais en bas, dit-il, à boire un punch avec des

camarades quand j'ai entendu notre hôtesse réclamer un médecin à cor et à cri. Le prince de Clary qui la suivait pas à pas l'accablait de questions. C'est lui qui m'a appris qui était la malade. Voulez-vous me dire ce que fait ici et dans cet état la signorina Maria-Stella ?

Examinant d'un œil sévère Marianne qui sanglotait toujours, le médecin, les bras croisés, dominait Arcadius de sa lourde silhouette vêtue de noir. C'était une force de la nature que cet homme et Jolival était trop las pour une discussion. Il se contenta d'un geste d'impuissance.

— Elle est votre patiente, fit-il avec un haussement d'épaules, vous devriez déjà la connaître un peu, docteur. Elle a voulu venir à tout prix.

— Il ne fallait pas la laisser faire.

— J'aurais voulu vous y voir. Savez-vous que nous avons suivi le cortège de l'archiduchesse depuis bien au-delà de Soissons ? Quand Marianne a appris ce qui se passait au palais, elle a fait une crise de nerfs.

— Tout ce chemin, et sous une pluie battante ! Mais c'est de la démence. Quant à ce qui se passe au palais, il n'y a pas de quoi en faire une maladie ! Juste ciel ! Une crise de nerfs parce que Sa Majesté a voulu juger sans tarder du marché conclu ?

Pendant que les deux hommes échangeaient ces propos, Mme Robineau, avec l'aide d'une servante, avait prestement déshabillé une Marianne aussi docile qu'un bébé et l'avaient installée dans le grand lit que la servante avait hâtivement réchauffé à l'aide d'une grande bassinoire de cuivre. Les sanglots s'étaient calmés progressivement, mais la fièvre qui brûlait maintenant la jeune femme semblait croître de minute en minute. Pourtant, son esprit était plus calme. La violente crise de désespoir qui l'avait secouée avait apaisé la trop grande tension de son esprit et ce fut avec une sorte d'indifférence et les yeux mi-clos qu'elle écouta la grosse voix de Corvisart la tancer d'importance sur ce que l'on risque à courir les routes pendant des heures sous une averse glaciale.

— Vous avez une voiture, il me semble, et d'excellents chevaux ? Quelle mouche vous a piquée de faire tout ce trajet à cheval par un temps pareil ?

— J'aime le cheval ! fit Marianne butée et bien décidée à ne rien donner de ses raisons profondes.

— Mais voyons ! ricana le médecin. Que croyez-vous que dira l'Empereur quand il aura connaissance de votre exploit et que...

Vivement, la main de Marianne jaillit de sous le drap et se posa sur celle de Corvisart.

— Mais il ne le saura pas ! Docteur, je vous demande de ne rien lui dire ! D'ailleurs... il est probable que cela n'intéresserait nullement Sa Majesté.

Du coup, Corvisart éclata d'un rire homérique.

— Je vois : vous ne voulez pas que l'Empereur sache, mais, si vous étiez certaine qu'il piquerait une bonne colère en apprenant ce que vous avez fait, vous m'enverriez le lui dire tout de suite ? Eh bien, rassurez-vous, je le lui dirai et il sera furieux.

— Je n'en crois rien ! fit Marianne avec agacement. L'Empereur est...

— ... occupé à essayer de se donner un héritier ! coupa le médecin brutalement. Ma chère amie, je ne vous comprends pas : vous saviez pourtant que ce genre... d'activité était inéluctable puisque l'Empereur ne s'est marié que pour cela.

— Il aurait pu être moins pressé ! Pourquoi, dès ce soir...

— ... avoir mis l'archiduchesse dans son lit ? ajouta Corvisart qui semblait décidé à jouer aux propos interrompus. Mais parce qu'il est pressé, tout simplement. Il est marié, il veut un héritier, il se met tout de suite à la besogne. Rien de plus naturel !

— Mais il n'est pas vraiment marié ! Le vrai mariage doit avoir lieu dans quelques jours, à Paris. Pour cette nuit, l'Empereur aurait dû...

— ... aller coucher à la Chancellerie, je sais ! C'est un simple coup de canif au contrat. Et il n'y a aucune raison de vous mettre dans un état pareil. Bon sang ! Regardez-vous dans une glace, même en ce moment où vous ressemblez plus à un barbet qu'à une cantatrice adulée, et jetez un coup d'œil à cette bonne grosse fille, bien fraîche, il est vrai, qui va devoir nous donner un prince héritier. Vous avez à vos pieds tous les hommes, ou presque tous ! Tenez, jusqu'à cet Autrichien qui, à peine débarqué, trépigne au bas de l'escalier dans l'attente de vos nouvelles ! Alors, laissez donc l'Empereur faire son métier de mari. Cela ne nuira nullement à votre amant, si vous me permettez cette brutalité.

Marianne ne répondit pas. A quoi bon ? Aucun homme n'était capable de la comprendre à cette minute et, en vérité, c'était demander l'impossible car cela tenait à la nature profonde des hommes. Elle n'était pas assez sotte, et Fortunée Hamelin pas assez discrète, pour s'imaginer qu'elle était la première femme à avoir su émouvoir le maître de l'Europe. Napoléon avait adoré sa première épouse et l'avait abondamment trompée. C'était cela l'essence même de l'homme : ce besoin de changement, cette irrésistible tendance à la polygamie, même lorsqu'il était profondément amoureux. Pourtant, alors même qu'elle s'efforçait de philosopher ainsi, Marianne n'arrivait pas à calmer la sourde douleur de son cœur. La forme physique de la femme qu'il étreignait avait-elle donc si peu d'importance à ses yeux ? En ce cas, pourquoi l'avait-il choisie, elle, Marianne ? Jusqu'à quel point avait-elle su toucher les fibres profondes de son âme ? Quelle place y tenait-elle entre le souvenir de Joséphine, celui de la blonde Marie Walewska dont, à ce que l'on disait, il avait été si follement épris à Varsovie et les autres maîtresses ?

Pensant qu'elle s'endormait, Corvisart tira doucement les rideaux du lit et se retira accompagné d'Arcadius. Il lui avait fait prendre une potion, prescrit des sinapismes, du repos au chaud. Marianne l'entendit murmurer au seuil de la porte :

— La crise de nerfs est bien calmée et le refroidissement ne sera rien, je pense. Elle sera certainement un peu abattue mais, dans le cas présent, je considère cela comme une bonne chose. Au moins elle se tiendra tranquille.

Du fond de ses couvertures, Marianne se surprit tout à coup à rire tout bas ! Calmée, elle ? Tranquille, alors qu'elle sentait bouillonner en elle de nouvelles forces combatives, aiguisées peut-être par la fièvre ? Elle n'était pas femme à se lamenter longuement sur son sort. Elle aimait la lutte et, dans cette nuit, nuptiale pour une autre, elle découvrait tout à coup, pour elle-même, de nouvelles raisons d'être : l'aversion, d'abord, une aversion amère, violente, bien proche de la haine, qu'elle éprouvait maintenant pour cette Autrichienne blonde et rose comme un grand poupon indolent. Ensuite, et tout naturellement, le besoin d'entrer en lutte avec elle, de mesurer sa puissance sur l'esprit, le cœur et les sens de Napoléon.

Pourquoi donc ne pas essayer de rendre coup pour coup à son amant volage ? Pourquoi ne pas expérimenter sur lui le plus vieux moyen que le diable ait mis dans l'arsenal féminin : cette jalousie qui, depuis une semaine, l'avait torturée, elle, si férocement. Elle était déjà célèbre. Tout Paris connaissait maintenant son nom, sa voix, son visage même. Elle avait, à sa disposition, tous les moyens de faire parler d'elle, depuis Fouché devenu en quelque sorte son serviteur, jusqu'aux articles de journaux et aux subtils potins de Fortunée. Si l'on associait assez fréquemment son nom à celui d'un autre homme, comment réagirait l'Empereur ? Il serait peut-être intéressant de le savoir.

« Toute la Garde Impériale est amoureuse de toi ! » avait dit Fortunée. Quant à Corvisart, il venait de remarquer qu'à peu près tous les hommes s'intéressaient à sa beauté. Il serait stupide de ne pas se servir de cet engouement pour tenter de voir plus clair dans ce mystère qu'était pour elle le cœur secret de Napoléon. Mais, bien sûr, il ne pouvait être question que d'apparence et non d'une réalité.

Quand Arcadius, sur la pointe des pieds, rentra dans la chambre pour voir si tout allait bien, elle braqua soudain sur lui le feu vert de son regard.

— Cet Autrichien... ce prince, est-ce qu'il est encore là ?

— Mais... oui ! Il m'a prié instamment de remonter voir si vous n'aviez besoin de rien et, pour le moment, il fait subir au docteur un interrogatoire serré. Pourquoi demandez-vous cela ?

— Parce qu'il s'est montré fort aimable et que je ne l'ai pas remercié comme il convenait. Voulez-vous le faire pour moi ce soir, Arcadius, et lui dire que, demain, je serai charmée de le recevoir.

Visiblement, Jolival s'attendait peu à cette demande. Il ouvrit de grands yeux.

— Je le ferai sans doute mais...

Marianne ne lui laissa pas le temps d'achever. Elle s'enfonça plus profondément dans ses draps et se tourna sur le côté, bâillant ostensiblement.

— Bonne nuit, mon ami. Allez vous reposer, vous en avez besoin. Il est très tard.

En effet, minuit sonnait à l'église voisine. Et l'envie de dormir de Marianne n'était pas tout à fait feinte. La fièvre qui battait dans ses veines apportait peu à peu son engourdissement, prélude à l'oubli miséricordieux du sommeil. Demain, elle recevrait cet Autrichien, elle serait aimable avec lui. Peut-être même serait-il trop heureux de lui offrir sa propre voiture pour rentrer à Paris ? A Paris où Marianne se sentirait mieux assurée pour livrer, aux deux hommes qui occupaient sa vie, la bataille qu'elle entendait gagner : bataille de la liberté, sur Francis Granmere, bataille de l'amour sur Napoléon.

Forte de cette résolution, Marianne ferma les yeux

et sombra dans un sommeil agité, coupé de rêves incohérents. Pourtant, chose étrange, ni l'Empereur, ni Francis ne s'y montrèrent. Tandis qu'au creux d'un songe étouffant, Marianne se débattait dans l'enfer vert d'une sorte de jungle qui jetait sur elle d'étranges tentacules argentés, de lianes fleuries dont les corolles s'enflaient au point de devenir des gueules monstrueuses, elle voulut crier, mais aucun son ne sortit de ses lèvres. Et plus elle cherchait de l'aide, plus la sensation d'étranglement s'accentuait. En même temps, la jungle verte s'enflait, montait à l'assaut de sa bouche, la submergeait pour se changer l'instant suivant en un océan déchaîné dont les vagues géantes se gonflaient au-dessus de sa tête. Marianne n'avait plus de forces, Marianne allait se noyer quand, des profondeurs glauques, une main surgit qui, grandit, grandit et, l'enveloppant d'une chaude étreinte, la ramena soudain dans une grande lumière. Une silhouette d'homme apparut soudain qui paraissait venir d'un horizon fulgurant. Et, tout à coup, Marianne reconnut Jason Beaufort. Elle vit aussi qu'il la regardait avec une pitié mêlée de colère.

— Pourquoi aimez-vous à ce point le malheur, dit-il, pourquoi ?... pourquoi ?... pourquoi ?...

La voix baissa de ton, décrut dans le lointain jusqu'à n'être plus qu'un souffle tandis que la silhouette, enveloppée d'une cape noire, tourbillonnante, rétrécissait, se changeait en un oiseau filant à travers un ciel pourpre.

Avec un cri d'appel et un sanglot, Marianne se réveilla. La chambre, dont le feu était éteint, n'était plus éclairée que par une veilleuse. Au-dehors, on n'entendait plus rien. Seulement le crépitement rageur d'une pluie torrentielle sur les vitres et sur les pavés. Dans son lit, Marianne frissonna. Elle était trempée de sueur, mais la fièvre semblait tombée.

Incapable de se rendormir dans ce lit mouillé, elle se leva, ôta vivement ses draps humides et la chemise de nuit qui collait à son corps puis, nue, elle s'enroula dans les couvertures et, se glissant sous l'énorme édredon rouge, s'étendit à même le matelas. Elle n'avait même pas tourné la tête vers la forme blanche du palais. L'étrange rêve qu'elle venait de faire l'habitait encore et lui laissait un regret. Il y avait longtemps qu'elle n'avait pensé à l'Américain. Et il lui semblait, tout à coup, qu'elle eut supporté plus aisément son épreuve actuelle s'il avait été là, car, malgré tout ce qui les avait séparés, elle avait appris à aimer le climat qu'il apportait avec lui : cette force tranquille, ce goût de l'aventure et de la bagarre, jusqu'à cette logique froidement réaliste qui l'avait tant blessée jadis. Avec un sourire amer, elle songea que le seul homme avec lequel elle eût peut-être trouvé un vrai plaisir à éveiller la jalousie de Napoléon, c'était justement Jason. Mais le reverrait-elle jamais ? Qui pouvait dire sur quel point du globe voguait à cette heure son beau navire neuf... un navire dont elle ne savait même pas le nom.

Le mieux était d'essayer de n'y plus penser. D'ailleurs, pour ce qu'elle voulait en faire, le comte autrichien ferait aussi bien l'affaire... ou n'importe lequel de ses admirateurs.

Avec un soupir, Marianne se rendormit. Et, cette fois, elle rêva d'un grand navire qui, sous toutes ses voiles blanches, fuyait sur une mer grise. Un navire dont la figure de proue avait le profil de faucon de Jason Beaufort.

CHAPITRE III

MARIAGE IMPÉRIAL

Le lendemain soir, Marianne rentrait chez elle dans la voiture du prince Clary und Aldringen, laissant en arrière Arcadius de Jolival pour s'occuper des chevaux. Elle était encore mal remise du violent accès de fièvre qui l'avait secouée à la suite de sa chevauchée, mais une hâte fébrile la possédait de fuir Compiègne. La simple vue du palais lui était si insupportable qu'elle fût repartie, au besoin, à cheval et sous la pluie pour échapper à l'atmosphère d'une ville où, dès l'aube, il n'avait été bruit que de l'accroc sans précédent fait par Napoléon au protocole.

Devant son agitation, Arcadius, au petit matin, s'était mis en quête d'une voiture et, à dire vrai, n'avait pas eu à aller plus loin que la cour de l'auberge. Léopold Clary, que l'Empereur avait gardé près de lui jusqu'à l'arrivée de sa nouvelle épouse, devait gagner Paris au plus vite pour remettre à son ambassadeur, le prince de Schwartzenberg, quelques dépêches de son Souverain. En apprenant que la belle cantatrice, dont il avait tant admiré la beauté la veille au soir, cherchait une voiture pour rentrer chez elle, le jeune Autrichien avait été transporté de joie.

— Dites à Mademoiselle Maria-Stella que mes biens et moi-même sommes tout à sa disposition. Qu'elle veuille seulement en user comme il lui plaira.

Une heure plus tard, Marianne quittait Compiègne aux côtés du jeune diplomate tandis que Jolival s'acheminait avec quelque mélancolie vers les écuries. A dire vrai, le fidèle mentor de Marianne était perplexe. La soudaine amabilité montrée par la jeune femme à cet Autrichien dont, hier encore, elle ignorait jusqu'au nom, ne lui disait rien qui vaille. C'était tellement peu conforme aux réactions habituelles de son amie qu'il ne pouvait s'empêcher de se demander ce que cela cachait au juste.

Pendant ce temps, à travers la forêt humide, la berline de Clary roulait vers Paris à grande allure et, de nouveau sous la pluie. Celle-ci avait repris dans la nuit et ne paraissait aucunement décidée à céder la place. Le ciel était bas et pesant, d'un gris jaune décourageant, mais aucun des occupants de la voiture ne semblait s'en apercevoir. Marianne, lasse encore, s'était enveloppée dans la grande mante noire à capuchon que Jolival lui avait procurée dès le matin et, accotée à l'épais capitonnage de drap rouge, elle regardait la pluie sans la voir, l'esprit occupé par les souvenirs de la veille. Elle revoyait la mine émerveillée de Napoléon quand il avait ouvert la portière de la voiture et découvert les joues rebondies de l'archiduchesse sous ses absurdes plumes d'ara. Elle revoyait aussi cette façon qu'il avait eue de lui tendre les bras pour l'aider à descendre dans la cour de Compiègne. La pluie aussi a ses fantômes. Celle de ce matin en reformait continuellement deux, toujours les mêmes... Quant à Clary, il contemplait en silence le fin profil de sa compagne, pâli par la fatigue, les larges cernes qui marquaient ses yeux verts et sur lesquels ses grands cils noirs mettaient une ombre si émouvante, enfin, la beauté parfaite de ses mains dont l'une dégantée reposait comme une fleur blanche sur le tissu sombre du manteau. Et le diplomate ne pouvait s'empêcher d'être surpris par le caractère si visiblement aristocratique de cette chanteuse. Une Italienne de rien, une simple fille de théâtre, avec cette allure de duchesse, ces mains de reine ? Et si triste, si secrète, comme si elle portait au fond du cœur le poids d'un mystère ? A d'autres !... Ce mystère, pressenti, intriguait Clary autant que la beauté de Marianne l'émouvait. Cela l'incita à garder, envers sa belle compagne, la plus grande discrétion. Pendant les vingt lieues qu'ils parcoururent ainsi l'un près de l'autre, il ne lui parla que pour s'assurer qu'elle n'avait pas froid ou ne souhaitait pas s'arrêter un moment, heureux seulement, et presque au-delà de l'absurde, quand elle lui souriait.

En vérité, Marianne appréciait cette attitude et lui en était reconnaissante. Enfermée dans son chagrin nuancé de colère, elle était reconnaissante à Clary de cette extrême discrétion. Elle n'avait d'ailleurs aucun besoin qu'il conversât pour mesurer l'effet qu'elle produisait sur lui. Les yeux gris du jeune homme parlaient éloquemment si sa bouche demeurait muette.

Quand on pénétra dans Paris, par la barrière Saint-Denis, la nuit était tombée depuis longtemps, mais Clary regardait toujours Marianne, alors même que son visage ne formait plus qu'une tache pâle dans l'obscurité de la voiture. Il brûlait de savoir où habitait sa belle compagne, mais, fidèle à son parti pris de discrétion, il se contenta de déclarer :

— Notre chemin passe par l'ambassade. Je vous demanderai, Madame, la permission de vous quitter alors. Ma voiture vous mènera ensuite où vous le souhaiterez.

Le regard disait si bien ce que la bouche taisait que Marianne en comprit le muet langage et sourit avec un brin de malice.

— Je vous rends grâce, Prince, pour tant de courtoisie. J'habite l'hôtel d'Asselnat, rue de Lille... et je serais heureuse de vous y recevoir s'il vous plaît de me rendre visite.

La voiture s'arrêtait devant l'ambassade autrichienne, située à l'angle de la rue du Mont-Blanc[1] et de la rue de Provence. Rouge d'émotion, le diplomate s'inclina sur la main qu'on lui tendait et y posa ses lèvres.

— Dès demain, j'aurai la joie d'aller vous offrir mes devoirs et mes services, Madame, puisque vous voulez bien m'y autoriser. Je souhaite vous trouver parfaitement remise.

A nouveau, Marianne sourit. Les lèvres du jeune homme avaient tremblé sur sa main. Elle était certaine, désormais, de son pouvoir sur lui et, ce pouvoir, elle entendait en user à sa fantaisie. Aussi fût-ce avec infiniment plus d'optimisme qu'elle regagna sa maison. Ce fut pour y retrouver Adélaïde en compagnie de Fortunée Hamelin.

Installées dans le salon de musique, les deux femmes bavardaient avec animation quand Marianne entra. Visiblement, elles ne l'avaient pas entendue venir et elles la regardèrent avec une égale stupeur, mais ce fut Mme Hamelin qui se ressaisit la première.

— Ah ça, mais d'où sors-tu ? s'écria-t-elle en courant embrasser son amie. Est-ce que tu sais qu'on te cherche depuis vingt-quatre heures ?

— On me cherche ? fit Marianne ôtant sa mante qu'elle jeta sur la crosse dorée de la grande harpe. Mais qui donc ? Et pourquoi ? Vous saviez bien, Adélaïde, que j'avais à faire en province.

— Justement ! s'écria la vieille demoiselle avec indignation, vous avez gardé envers moi une remarquable discrétion, motivée d'ailleurs par le fait que vous étiez appelée hors de Paris pour le service de l'Empereur. Mais vous admettrez que j'aie pu montrer quelque surprise quand un messager de ce même empereur est venu ici, hier, vous demander de la part de Sa Majesté !

Les jambes coupées, Marianne se laissa tomber sur

1. Actuelle Chaussée d'Antin.

la banquette du piano et leva sur sa cousine un regard abasourdi.

— Un messager de l'Empereur ?... Vous voulez dire qu'il m'a demandée ? Mais pourquoi ?

— Pour chanter, bien sûr ! Est-ce que vous n'êtes pas « cantatrice », Marianne d'Asselnat ? lança Adélaïde avec un ressentiment qui arracha un sourire à Fortunée.

Dans la nouvelle vie de Marianne c'était de toute évidence ce qui passait le moins bien auprès de l'aristocratique demoiselle : que sa cousine chantât pour gagner sa vie. Gentiment, pour couper court aux revendications de la vieille fille, la créole alla s'asseoir sur la banquette et entoura de son bras les épaules de son amie.

— J'ignore ce que tu as été faire, dit-elle, et je ne te demande pas tes secrets. Mais une chose est certaine : hier, le Grand Maréchal du Palais t'a fait prier, officiellement, de te rendre à Compiègne pour y chanter aujourd'hui devant la Cour...

Aussitôt, Marianne fut debout sous l'impulsion d'une brusque colère.

— Devant la Cour, vraiment ? Ou devant l'Impératrice... ? car elle est l'Impératrice, tu sais ? très réellement l'Impératrice, avant même que les cérémonies du mariage ne se soient déroulées et depuis cette nuit !

— Que veux-tu dire ? demanda Mme Hamelin inquiète d'une fureur aussi soudaine que mal contenue.

— Que Napoléon a mis cette nuit l'Autrichienne dans son lit ! Qu'il a couché avec, tu entends ? Il n'a pas pu attendre le mariage civil ni la bénédiction du cardinal ! Elle lui a tellement plu qu'il n'a pas su se retenir, à ce que l'on m'a dit ! Et il ose... il ose m'ordonner de venir chanter devant cette femme ! Moi, qui, hier encore, étais sa maîtresse !

— Qui es toujours sa maîtresse, corrigea placidement Fortunée. Ma chère enfant, mets-toi bien dans la tête que, pour Napoléon, mettre face à face la maîtresse et l'épouse légitime n'a rien de choquant, ni même d'anormal. Je te rappelle qu'il a plusieurs fois choisi ses belles compagnes parmi les lectrices de Joséphine, que notre impératrice a été contrainte nombre de fois d'aller applaudir Mlle George... à qui d'ailleurs Napoléon avait offert des diamants qui plaisaient à sa femme et qu'avant ton arrivée il n'y avait pas de bon concert à la Cour sans la Grassini. Il y a du sultan chez notre Majesté corse. Il devait aussi, secrètement, avoir envie d'observer ton comportement en face de sa Viennoise. Il faudra qu'il se contente de celui de la Grassini !

— La Grassini ?

— Eh oui, la Grassini. L'envoyé de Duroc avait ordre, au cas où la grande Maria-Stella ne serait pas disponible, d'aller récupérer la cantatrice à tout faire de la Cour. Tu n'étais pas là : c'est donc la plantureuse Giseppina qui a dû chanter aujourd'hui à Compiègne. Remarque, à mon avis, cela vaut mieux dans un certain sens : il s'agissait d'un duo avec l'affreux Crescentini, le castrat favori de Sa Majesté. Tu détesterais d'emblée ce muguet peinturluré tandis que la Grassini l'adore ! Je dirais même plus, elle l'admire comme elle admire de confiance tout ce que Napoléon honore et il a décoré Crescentini !

— Je me demande bien pourquoi ? fit Marianne l'esprit ailleurs.

Fortunée éclata de rire, ce qui eut au moins l'avantage de détendre l'atmosphère.

— C'est là que cela devient drôle ! Ladite Grassini devant qui l'on posait cette question a répondu, sans rire : « Vous oubliez sa blessure !... »

Adélaïde, sans rancune, fit écho à la gaieté de la créole, mais Marianne se contenta de sourire. Elle réfléchissait et, tous comptes faits, elle n'était pas mécontente d'avoir été absente. Elle ne se voyait vraiment pas faisant la révérence devant l'« Autre », et donnant la réplique, pour quelque duo d'amour, à un semblant d'homme qui, mise à part sa voix exceptionnelle, n'aurait pu que la couvrir de ridicule. Et puis, elle était trop femme pour ne pas espérer que Napoléon se demanderait, au moins quelques secondes, où elle avait bien pu se rendre pour ne pas obéir. Au fond, tout était très bien ainsi. Quand celui qu'elle aimait la reverrait, ce serait, du moins elle l'espérait, à côté d'un homme susceptible de lui donner quelque inquiétude... en admettant qu'elle eût réellement le pouvoir de lui en inspirer. Malgré elle, Marianne sourit à cette idée, ce qui arracha à Fortunée une remarque désenchantée.

— Ce qu'il y a d'agréable avec toi, Marianne, c'est que l'on peut te raconter n'importe quoi sans parvenir à retenir ton attention. A quoi pensais-tu encore ?

— Pas à quoi : à qui ? Et, bien sûr, à lui ! Asseyez-vous toutes les deux, je vais vous raconter ce que j'ai fait depuis deux jours. Mais, pour l'amour du ciel, Adélaïde, faites-moi servir quelque chose : je meurs de faim.

Tout en attaquant, avec une étrange vigueur pour une femme si malade la veille au soir, le plantureux repas qu'Adélaïde fit sortir des cuisines comme par magie, Marianne raconta son aventure, prenant soin, toutefois, de lui enlever tout ce qui pouvait être sombre ou attristant. Elle narra son équipée avec un humour cruel pour elle-même, et qui ne fit pas rire ses deux auditrices. Fortunée, même, était très sombre quand elle acheva.

— Mais enfin, remarqua-t-elle, ce rendez-vous était peut-être important ? Tu aurais pu, au moins, y envoyer Jolival.

— Je sais, mais je n'avais pas envie de me séparer de lui. Je me sentais... si malheureuse, si abandonnée. Et puis je demeure persuadée que c'était un piège.

— Raison de plus pour s'en assurer. Et si c'était ton... ton mari ?

Il y eut un silence. Marianne reposa le verre qu'elle venait de vider, mais si maladroitement qu'elle en brisa le pied. Elle était devenue si pâle tout à coup que Fortunée eut pitié d'elle.

— Ce n'est qu'une hypothèse, ajouta-t-elle gentiment.

— Mais qui aurait pu se vérifier ! Toutefois, je ne vois pas bien pourquoi il m'aurait fait venir là-bas, dans un château en ruine, et j'avoue que je n'ai pas pensé à lui. Plutôt à ces gens qui, une fois déjà, m'avaient enlevée. Que puis-je faire, maintenant ?

— Ce que tu aurais dû faire tout de suite ; prévenir Fouché et attendre. Quelle que soit la nature de la tentative que l'on pensait faire sur toi, piège ou véritable rendez-vous, il y a tout à parier que l'on recommencera. Mais permets-moi, en tout cas, de te féliciter.

— De quoi ?

— De ta nouvelle conquête autrichienne. Tu t'es enfin décidée à suivre mes conseils et j'en suis ravie. Tu verras comme il est plus facile de supporter l'infidélité d'un homme quand on en a un autre sous la main.

— Ne va pas trop vite, protesta Marianne en riant. Je n'ai pas du tout l'intention d'offrir au prince Clary une place de remplaçant, mais simplement de me montrer avec lui. Vois-tu ce qui m'intéresse le plus, en lui, c'est sa qualité d'Autrichien. Cela me paraît amusant de mener en laisse un compatriote de notre nouvelle souveraine !

Fortunée et Adélaïde se mirent à rire avec un bel ensemble.

— Est-elle vraiment aussi laide qu'on le suppose ? demanda avec animation Mlle d'Asselnat tout en picorant les fruits confits servis pour sa cousine.

Marianne prit un temps, ferma les paupières à demi comme pour mieux revoir le visage de l'intruse. Un dédain cruel courba l'arc tendre de sa bouche en un sourire qui était l'essence même de sa féminité.

— Laide ? Non pas. A dire vrai, je ne saurais vous

dire avec exactitude comment elle est. Elle est... quelconque !

— Pauvre Napoléon, soupira Fortunée avec une parfaite hypocrisie. Il n'avait pas mérité cela !... Une femme quelconque pour lui qui n'aime que l'exceptionnel !

— Ce sont les Français, si vous voulez mon avis, qui n'ont pas mérité cela, s'écria Adélaïde. Une Habsbourg ne peut leur amener que des catastrophes.

— Eh bien, ils n'ont pas l'air de s'en douter, fit Marianne avec un petit rire. Vous auriez dû entendre les acclamations dans les rues de Compiègne !

— A Compiègne, peut-être, répondit Fortunée songeuse. Ils sont assez privés des grands spectacles de la cour, à l'exception des chasses. Mais quelque chose me dit que Paris ne sera pas si chaleureux. L'arrivée de cette Autrichienne n'enthousiasme guère que les salons irréductibles qui voient en elle la Némésis du Corse et l'ange vengeur de Marie-Antoinette. Mais le peuple est loin d'être ravi. D'abord il adorait Joséphine et ensuite il n'aime pas l'Autriche. Et ne crois pas que ce soit parce qu'il a des remords !

Le lundi suivant, 2 avril, en contemplant la foule qui encombrait la place de la Concorde, Marianne songeait que Fortunée pourrait bien avoir raison. C'était une foule endimanchée, pimpante et quelque peu agitée, mais ce n'était pas une foule joyeuse. Attendant le passage du cortège nuptial de son empereur, elle s'étirait tout au long des Champs-Élysées, se massait entre les huit pavillons d'angle de la place, battait les murs du Garde-Meuble et de l'Hôtel de la Marine, mais on n'y sentait pas la fièvre joyeuse des grands jours.

Pourtant, il faisait beau. D'un seul coup, la pluie désespérante, qui semblait installée à jamais sur la France, avait cessé à l'aube. Un soleil printanier avait balayé les nuages et brillait d'un éclat neuf dans un ciel bien lavé sur le bleu duquel tranchaient les tendres bourgeons des marronniers. Cela avait permis la subite éclosion des capotes de paille et des chapeaux fleuris sur la tête des Parisiennes, des habits aux couleurs tendres et des pantalons clairs sur leurs compagnons. Marianne sourit devant cette débauche d'élégance. C'était comme si le peuple de Paris avait tenu à montrer à la nouvelle venue qu'on savait s'habiller, en France.

Installée dans sa voiture arrêtée près de l'un des chevaux de Marly, en compagnie d'Arcadius, Marianne dominait l'ensemble du décor. Il y avait des drapeaux et des lampions partout, jusqu'au bras du télégraphe de M. Chappe, installé sur le toit de l'hôtel de la Marine. Les grilles des Tuileries avaient été dorées à neuf, les fontaines laissaient jaillir du vin et, pour que chacun put prendre sa part de la noce impériale, d'immenses buffets gratuits avaient été dressés à l'abri de grandes tentes rayées de rouge et de blanc, sous les arbres du cours La Reine. Tout autour de la vaste place, des caisses d'orangers portant des fruits rutilants étaient tout prêts pour l'illumination du soir. Tout à l'heure, quand la cérémonie nuptiale aurait été célébrée dans le grand salon carré du Louvre, les bons sujets de l'Empereur pourraient y dévorer à loisir 4 800 pâtés, 1 200 langues, 1 000 épaules de mouton, 250 dindes, 360 chapons, autant de poulets, quelques 3 000 saucissons et une foule d'autres choses.

— Ce soir, soupira Jolival en humant délicatement une prise de fin tabac, Leurs Majestés régneront sur un peuple d'ivrognes et on ne comptera même plus les indigestions.

Marianne ne répondit pas. Cette atmosphère de kermesse la distrayait et l'irritait en même temps. Un peu partout, sur les Champs-Élysées, se dressaient des mâts de cocagne, des attractions de tous genres, des petits théâtres en plein vent, des bals, des jeux de bagues ou de casse-cou dans lesquels, depuis la veille, les Parisiens essayaient d'oublier qu'on leur donnait une impératrice qui ne leur convenait guère. Un peu partout, d'ailleurs, autour de sa voiture, comme autour des autres voitures venues là pour voir, on entendait fuser ces solides plaisanteries qui traduisent si bien l'état d'âme secret des Parisiens. Nul, en effet, n'ignorait plus ce qui s'était passé à Compiègne et l'on savait que, tout à l'heure, Napoléon allait mener à l'autel une femme avec laquelle il dormait depuis une semaine, bien que le mariage civil ait seulement eu lieu la veille, à Saint-Cloud.

Il était midi et le canon tonnait depuis une bonne demi-heure. Tout au bout de la longue perspective, encore presque vierge, des Champs-Élysées, le long desquels foisonnaient, en mousse vert pâle, les tendres feuilles neuves des marronniers, le soleil tombait d'aplomb sur l'énorme arc de triomphe de bois et de toile peinte que l'on avait bâti à grand-peine pour suppléer à la construction, encore loin d'être achevée, du monument à la gloire de la Grande Armée. Et, sous les rayons printaniers, il avait assez bon air, le simulacre, avec ses drapeaux neufs, le gros bouquet dont l'avaient orné les charpentiers, les hauts reliefs en trompe l'œil de ses flancs et l'inscription qui proclamait « À NAPOLÉON ET À MARIE-LOUISE, LA VILLE DE PARIS ». Ce naïf enthousiasme était d'ailleurs assez drôle, songea Marianne, quand on savait le nombre de grèves, de revendications et de mouvements divers dont sa construction avait été émaillée. Mais là s'arrêtait l'amusant de la chose. La jeune femme n'éprouvait aucun plaisir à voir ainsi rapprochés les noms de Napoléon et de Marie-Louise.

Tout au long du parcours tremblaient les plumets rouges sur les hauts bonnets poilus des Grenadiers de la Garde, relayés aux carrefours par les chapskas noires à panache vert et rouge des Chasseurs. Une chanson voltigeait sur Paris, reprise incessamment par les orchestres disséminés un peu partout. C'était « Où peut-on être mieux qu'au sein de sa famille » et

Marianne en fut vite agacée. Le jour où Napoléon épousait la nièce de Marie-Antoinette, c'était un drôle de choix. Et le canon lui donnait un bien étrange contrepoint.

Soudain, la main d'Arcadius, gantée de chamois clair, se posa sur celle de Marianne.

— Ne bougez pas et surtout ne vous retournez pas brusquement, souffla-t-il. Mais je voudrais que vous regardiez discrètement la voiture qui vient de se ranger à côté de la nôtre. Il y a dedans une femme et un homme. Comme moi, vous reconnaîtrez aisément la femme, mais l'homme m'est inconnu. J'ajoute qu'il est de haute mine, très beau... malgré une cicatrice qui lui coupe la joue gauche, une cicatrice mince comme une lame d'épée...

Au prix d'un gros effort, Marianne parvint à ne pas tressaillir mais, sous celle de Jolival, sa main avait tremblé. Elle bâilla avec quelque affectation, sous l'autre, comme si la longue attente imposée par le cortège nuptial l'ennuyait. Puis, très lentement, très naturellement, elle tourna la tête, juste ce qu'il fallait pour prendre la voiture voisine dans son champ de vision.

C'était un cabriolet jaune et noir, tout neuf et très élégant, qui portait la griffe de Keller, le maître-carrossier des Champs-Élysées. Deux personnes l'occupaient. Dans la femme âgée, superbement vêtue de velours noir et de martre, Marianne fut à peine surprise de reconnaître sa vieille ennemie Fanchon-Fleur-de-Lys, parce que son compagnon attira aussitôt son regard, et si, à le reconnaître, son cœur manqua un battement, ce ne fut pas de surprise mais bien d'une désagréable émotion, bien proche de la répulsion. Elle s'attendait, en effet, depuis que Jolival l'avait décrit à identifier Francis Cranmere.

Cette fois, il n'y avait aucun doute : c'était bien lui et pas un fantôme né de son imagination bouleversée par le trac d'un soir de première. Marianne retrouvait les traits presque trop purs, figés par un perpétuel ennui, le front têtu, le menton un peu lourd dans les plis de la haute cravate de mousseline, l'irréprochable élégance d'un corps puissant mais sauvé, jusque-là, de l'épaisseur par une intense pratique du sport. Le costume était une admirable symphonie gris tourterelle sur laquelle tranchait la note sombre d'un col de velours noir.

— Ils ont dû nous suivre, souffla Jolival. Je jurerais qu'ils ne sont là que pour nous ! Voyez donc comme cet homme vous regarde ? C'est lui, n'est-ce pas ?... C'est... votre mari ?

— C'est bien lui, admit-elle d'une voix curieusement calme si l'on tenait compte de la tempête qu'abritait sa poitrine.

Le regard vert, hautain et méprisant de Marianne accrocha le regard gris de Francis et le soutint sans faiblir. Elle découvrait avec satisfaction qu'en se trouvant en face de lui, réellement, la vague angoisse qui l'avait habitée depuis son apparition au théâtre s'évanouissait. Elle ne craignait rien tant qu'un danger imprécis, sournois et fuyant. L'inconnu la mettait mal à l'aise, alors qu'un combat face à face la laissait en pleine possession de ses moyens. Elle avait trop de courage naturel pour ne pas choisir, en toutes choses et en tous lieux, l'affrontement.

Elle ne sourcilla même pas en observant le sourire moqueur dont l'enveloppaient Francis et sa compagne. Elle n'était qu'à peine étonnée de les voir ensemble et de retrouver, vêtue comme une duchesse, l'affreuse vieille du caveau de l'Homme Armé. Depuis longtemps Arcadius lui avait décrit les différents avatars de l'ancienne pensionnaire du Parc-aux-Cerfs. Elle la savait rouée, dangereuse, bien armée : une sorte de Protée femelle qu'elle n'eût pas été autrement surprise de rencontrer dans un salon des Tuileries. Mais elle n'entendait pas discuter ses affaires en présence de Fanchon-Fleur-de-Lys. Encore qu'elle ignorât par quelle alchimie Francis était entré en relation avec la

Desormeaux et jusqu'à quel point il lui avait fait ses confidences en ce qui concernait leurs relations passées. Marianne avait trop d'amour-propre pour accepter l'ingérence dans sa vie privée d'une femme jadis flétrie par la main du bourreau. Et comme, avec ce genre de créature, on ne pouvait jamais deviner quelles allaient être leurs réactions, la jeune femme décida de céder la place, si grand que fût son désir d'en finir une bonne fois avec lord Cranmere.

Elle se penchait déjà pour ordonner à Gracchus-Hannibal, qui, dans sa livrée neuve, prenait sur son siège des airs de tête superbes, de rebrousser chemin et de la ramener à la maison, quand la portière s'ouvrit tout à coup et Francis lui-même apparut. Le chapeau à la main, il saluait avec une insolente affectation de respect.

— Puis-je réclamer le bonheur d'offrir mes hommages à la reine de Paris ? fit-il d'un ton léger.

Francis souriait mais le sourire n'atteignait pas ses yeux, durs comme pierre, qui dévisageaient la jeune femme, devenue très pâle sous la capote de soie lilas voilée de chantilly blanc assortie à l'élégante toilette qu'elle portait.

D'un geste vif de sa main gantée, elle retint Arcadius qui s'élançait déjà pour repousser le visiteur :

— Laissez, mon ami ! Ceci me regarde.

Puis, d'une voix dont le léger enrouement trahit seul son émotion, elle demanda, durement :

— Que voulez-vous ?

— Je vous l'ai dit : offrir mes devoirs à la plus belle, causer un moment, s'il lui plaît.

— Il ne me plaît pas, coupa Marianne avec arrogance. Si vous estimez avoir quelque chose à me dire, écrivez à Monsieur de Jolival qui veut bien se charger de mon courrier et de mes rendez-vous. Il vous dira quand je peux vous recevoir. On ne cause pas au milieu d'une foule. Mon adresse est...

— Je connais votre adresse et je suis flatté que vous

préfériez les charmes d'un tête à tête, mais je vous rappelle, ma chère, ironisa Francis, que l'on n'est jamais mieux isolés qu'au milieu d'une grande foule et celle-ci augmente à chaque instant. Elle nous presse tant qu'il ne sera pas possible de bouger avant qu'elle ne consente à se disperser. Je crains qu'il ne vous faille me supporter, bon gré, mal gré. Autant causer de nos affaires, n'est-il pas vrai ?

La foule, en effet, était devenue si dense qu'elle interdisait tout mouvement à la voiture comme à toutes celles qui s'étaient hasardées sur la place. Elle entretenait un brouhaha, dominé de loin en loin par les échos des orchestres, mais qui permettait tout de même la conversation. Francis, resté debout auprès de la portière avança la tête à l'intérieur de la voiture et désigna Jolival :

— Si ce gentilhomme voulait être assez bon pour me céder quelques instants sa place auprès de vous... commença-t-il, – mais Marianne coupa sèchement, sans retirer la main qu'elle avait posée sur celle de son ami :

— Je n'ai rien à cacher au vicomte de Jolival qui sait tout de moi, je vous l'ai dit, et qui est plus qu'un ami. Vous pouvez parler devant lui.

— Grand merci ! fit Francis avec un sourire agacé. Vous n'avez peut-être rien à lui cacher, mais il n'en est pas de même pour moi. Au surplus, ajouta-t-il en replaçant son chapeau sur sa tête et en l'enfonçant d'une légère tape, si vous ne voulez pas que nous causions, libre à vous... mais je ne vous donne pas une heure pour le regretter. Serviteur, ma chère.

Il allait s'écarter. Une impulsion plus forte que sa volonté jeta Marianne en avant. Après tout, autant en finir tout de suite.

— Restez.

Elle tourna vers Arcadius un regard suppliant, serra légèrement la main de son ami.

— Laissez-moi lui parler quelques instants, Arcadius. Je crois que c'est préférable. De toute façon, il ne peut plus rien contre moi.

Avec un soupir, Jolival entreprit de s'extraire des profondeurs moelleuses des coussins.

— C'est bon, je descends ! Mais je ne vous perds pas de l'œil. Au moindre geste, au moindre appel, je suis là avec Gracchus.

Il ouvrit la portière du côté opposé, descendit tandis que Francis montait de son côté. Lord Cranmere se mit à rire.

— Je vois qu'en effet, votre ami nourrit contre moi des préventions qui ne peuvent venir que de vos confidences, ma chère. Ma parole, il me prend pour une sorte de bandit de grand chemin.

— Mon opinion n'a rien à faire ici, Monsieur, riposta Arcadius très raide. Mais sachez du moins qu'il ne vous appartient plus de m'en faire changer.

— Comme vous dites, jeta l'Anglais en haussant les épaules, elle n'a rien à faire ici. Mais si vous craignez de vous ennuyer, mon cher monsieur, qui vous empêche d'aller tenir compagnie à la dame qui m'accompagne ? Je sais qu'elle serait fort désireuse de vous rencontrer ! Voyez, elle vous sourit.

Machinalement, Marianne tourna les yeux vers la voiture jaune et noire et fronça les sourcils en constatant qu'en effet, Fanchon souriait, aussi agréablement que le permettait son physique, en regardant Jolival. Celui-ci se contenta d'un haussement d'épaules et se glissa le long de la voiture pour causer un moment avec Gracchus mais sans quitter des yeux les occupants de l'intérieur. Cependant, Marianne remarquait sèchement :

— Si, comme vous le dites, vous prétendez « causer » avec moi, mylord, vous pourriez vous y prendre autrement qu'en attaquant mon plus fidèle ami. Tout le monde n'a pas votre goût pour les relations douteuses. Et, en employant ce terme envers la dame à la fleur de lys, je fais preuve de beaucoup d'indulgence !

Sans répondre, Francis se laissa tomber lourdement sur les coussins de velours vert auprès de la jeune femme qui, instinctivement, recula pour éviter son contact. Un instant il lui offrit son profil immobile et il y eut un silence meublé seulement par la respiration un peu forte de l'Anglais. Marianne pensa, non sans une secrète et cruelle satisfaction, que c'était peut-être là un souvenir du coup d'épée qui lui avait traversé la poitrine, mais c'était vraiment une bien mince compensation au chagrin de le retrouver vivant. Pendant un instant, avec curiosité, comme s'il se fut agi d'un étranger, elle étudia l'homme qu'elle avait aimé, en qui elle avait cru comme en Dieu lui-même, auquel avec tant de joie elle avait juré obéissance, fidélité... C'était la première fois, depuis la terrible nuit, qu'elle se retrouvait seule avec lui. Et tant de choses avaient changé ! Elle était alors une enfant froidement sacrifiée, désespérée, perdue, aux prises avec un homme sans scrupules et sans cœur. Aujourd'hui, l'amour de l'Empereur la faisait forte, la protégeait... C'était elle qui, cette fois, imposerait sa volonté.

Elle nota que Francis, par contre, n'avait guère changé à l'exception, peut-être, de ce pli d'amer scepticisme qui, au coin des lèvres fortes, avait remplacé celui de l'ennui. Lord Cranmere était toujours aussi beau malgré la mince balafre qui coupait sa joue et ne faisait qu'ajouter une touche de romantisme tragique à la perfection de ses nobles traits. Et Marianne s'étonnait, après l'avoir tant aimé, de ne plus éprouver auprès de cet homme superbe qu'une antipathie bien proche de la répulsion. Mais, comme il s'obstinait dans son silence et se bornait à regarder avec attention le bout étincelant de ses bottes vernies, elle prit le parti d'ouvrir le feu. Il fallait en finir et en finir vite, sa seule présence ayant apporté dans l'étroit espace de la voiture une atmosphère de gêne pénible.

— Vous avez désiré me parler, fit-elle froidement,

et vous me feriez plaisir en commençant. Je n'ai aucune intention d'éterniser cette rencontre.

Il tourna vers elle un regard endormi et un sourire ambigu.

— Pourquoi donc ? N'est-il pas délicieux le moment où deux époux se retrouvent après une aussi longue absence... et surtout après s'être cru à jamais séparés ? N'êtes-vous pas heureuse, chère Marianne, de revoir à vos côtés l'homme que vous aimiez ? Car vous m'aimiez, ma chère... je dirais même que vous étiez folle de moi au jour bienheureux de notre mariage. Je revois encore vos grands yeux humides lorsque le cher vieil abbé...

La patience de Marianne diminuait rapidement.

— Assez ! coupa-t-elle. Vous êtes, en vérité, d'une impudence confondante ! Est-ce de l'inconscience ou bien avez-vous perdu le souvenir des agréables circonstances qui ont entouré notre mariage ? Dois-je vous rappeler que, à peine aviez-vous juré devant Dieu de me chérir et de me protéger votre vie durant, vous vous êtes hâté de jouer et de perdre non seulement le peu qui vous restait, mais la respectable fortune que je vous apportais... et pour laquelle vous m'aviez épousée ? Et comme ce n'était pas encore suffisant vous avez osé jeter sur un tapis de cartes l'amour qu'en effet je vous portais si naïvement, ma pudeur de jeune fille, ma virginité, mon honneur enfin. Et vous avez le front de persifler agréablement sur cette nuit où vous avez détruit ma vie comme s'il ne s'agissait que d'une de ces joyeuses aventures que les hommes aiment à se raconter, le soir, autour d'un flacon de vieux brandy ?

Lord Cranmere haussa les épaules avec mécontentement, mais détourna les yeux pour éviter le regard étincelant de Marianne.

— Si vous aviez été moins sotte, bougonna-t-il, cela n'aurait pu être, en effet, qu'une joyeuse histoire. C'est vous qui en avez fait un drame.

— Vraiment ! Voulez-vous m'expliquer ce que,

selon vous, j'aurais dû faire ? Accueillir, j'imagine, le remplaçant que vous vous étiez trouvé.

— Sans aller jusque-là ! Une femme vraiment femme aurait su trouver les mots qui font tout espérer et emmènent les hommes au bout des plus longues patiences. Cet imbécile était fou de vous...

— Balivernes ! lança Marianne traversée d'une brusque émotion à l'évocation de Jason Beaufort. Il me voyait, ce jour-là, pour la première fois.

— Si vous croyez que cela ne suffit pas pour désirer une femme ! Il fallait l'entendre chanter votre grâce, le charme de votre visage, la splendeur de vos yeux. « S'il existe des sirènes, disait-il, lady Marianne ne peut être que leur reine... » Bon dieu ! gronda Francis avec une soudaine rage, vous pouviez en faire ce que vous vouliez ! Il aurait été capable de tout vous rendre en échange d'une heure d'amour ! Peut-être même d'un seul baiser. Au lieu de cela vous en avez fait une tragédie, vous avez chassé l'homme qui tenait toute notre fortune entre ses mains...

— « Notre fortune », ironisa Marianne.

— Votre fortune, si vous y tenez ! C'est bien la raison pour laquelle vous auriez dû la défendre un peu plus âprement, essayer au moins d'en rattraper quelques bribes...

Marianne avait cessé d'écouter. A quoi bon ? Elle connaissait déjà la profonde amoralité de Francis et elle n'avait même plus à s'étonner de la dépravation mentale qui le poussait à cette indécence : lui reprocher de n'avoir pas su duper Jason et lui arracher ses gains. Elle n'entendait même plus... Brusquement, le souvenir lui revenait des derniers instants passés auprès de Jason, dans sa chambre de Selton. Ce baiser, elle ne l'avait pas donné, mais il l'avait pris tout de même et, avec un immense étonnement, Marianne découvrait qu'après tout ce temps elle en retrouvait encore la saveur violente et douce, inconnue et bouleversante malgré la colère qui l'habitait alors. C'était le premier baiser qu'elle eût jamais reçu... quelque chose d'inoubliable !

Marianne, qui, sur ce souvenir, avait un instant fermé les yeux, les rouvrit soudain. Que disait Francis à cet instant ?

— Ma parole... vous ne m'écoutez pas ?

— C'est que vous ne m'intéressez pas non plus ! Je n'ai pas l'intention de perdre mon temps à vous expliquer comment réagissent, en certains cas, les gens soucieux de leur honneur et, si vous voulez le fond de ma pensée, je vous dirai que je ne comprends même pas comment vous avez eu le front d'oser m'aborder. Je croyais bien vous avoir tué, Francis Cranmere, mais que le Diable votre maître vous ait ressuscité ou non, vous êtes mort pour moi et vous le demeurerez !

— Je conçois que cette attitude soit des plus confortables pour vous, mais le fait n'en demeure pas moins que je suis vivant et que j'entends le rester.

Marianne haussa les épaules et détourna la tête.

— Alors éloignez-vous de moi et tâchez d'oublier que l'on a uni un jour Marianne d'Asselnat et Francis Cranmere. Tout au moins si vous voulez rester, sinon vivant, du moins libre.

Francis regarda la jeune femme avec curiosité.

— Vraiment ? Je crois déceler une menace dans votre voix, ma chère, qu'entendez-vous par là ?

— Ne vous faites pas plus stupide que vous n'êtes. Vous le savez très bien : nous sommes en France, vous êtes un Anglais, un ennemi de l'Empire. Je n'ai qu'un geste à faire, qu'un mot à dire pour vous faire arrêter. Et, une fois arrêté, vous faire disparaître à jamais serait un jeu d'enfant. Croyez-vous que l'Empereur me refuserait votre tête si je la lui demandais ? Allons, soyez beau joueur, pour une fois. Admettez que vous avez perdu et retirez-vous sans plus chercher à me revoir. Vous savez très bien que vous ne pouvez plus rien contre moi.

Elle avait parlé doucement, mais fermement et avec

une grande dignité. Elle n'aimait pas faire ostentation de sa puissance sur le maître de l'Europe mais, dans le cas présent, il était bon de mettre tout de suite les choses au point. Que Francis disparût de sa vie pour toujours et elle était certaine de parvenir un jour à lui pardonner... Mais, au lieu de méditer, comme il eut été convenable, les paroles qu'elle venait de prononcer, lord Cranmere se mit à rire à grands éclats... et Marianne sentit sa belle assurance fléchir un peu. Sèchement, elle demanda :

— Puis-je savoir ce que j'ai dit de si drôle ?

— Ce que... oh, ma chère, vous êtes tout simplement impayable ! Ma parole, vous vous prenez pour l'impératrice ! Dois-je vous rappeler que ce n'est pas vous, mais une malheureuse archiduchesse que Boney vient d'épouser ?

L'ironie de Francis jointe à l'injurieux diminutif dont les Anglais se servaient pour qualifier Bonaparte fouettèrent la colère de Marianne.

— Impératrice ou pas, gronda-t-elle entre ses dents, je vais vous montrer non seulement que je ne vous crains pas, mais que l'on ne m'insulte pas en vain.

Elle se pencha vivement en avant pour appeler Arcadius qui devait être près de la voiture. Elle voulait lui demander d'appeler l'un des policiers dont les silhouettes noires, en longues redingotes et chapeau taupé, un solide gourdin au poing, émaillaient la foule endimanchée. Mais elle n'eut même pas le temps d'ouvrir la bouche. Francis l'avait saisie par l'épaule et, brutalement, l'avait rejetée dans le fond de la voiture.

— Restez tranquille, petite sotte ! Outre que vous perdriez votre temps, vous voyez bien que cette foule nous assiège. Personne ne peut plus ni entrer ni sortir de cette voiture. Même si je voulais m'en aller, je ne pourrais pas.

C'était vrai. La foule serrait la voiture de si près que l'on n'apercevait plus, aux portières, qu'un moutonnement de têtes. Arcadius lui-même avait dû se réfugier sur le siège du cocher avec Gracchus pour ne pas être étouffé. On entendait au loin, dominant le brouhaha de la multitude, comme un roulement de tonnerre sur lequel flottait l'écho d'une musique encore vague. Le cortège, peut-être, qui s'annonçait enfin ? Mais pour Marianne, tout l'intérêt de cette journée s'était enfui. Dans cette voiture, la sienne pourtant, elle avait tout à coup l'impression d'étouffer. Elle se sentait mal à l'aise sans pouvoir préciser d'où cela lui venait. Peut-être du contact de cet homme détesté ? Il empoisonnait tout.

Rejetant la main qui s'attardait sur son épaule, elle lui décocha un regard plein de haine.

— Vous ne perdrez rien pour attendre ! Vous ne sortirez de cette voiture que pour prendre le chemin de Vincennes ou de la Force.

Mais, à nouveau, Francis se mit à rire et, à nouveau, Marianne sentit un frisson glacé parcourir sa peau.

— Si vous aimiez le jeu autant que je l'aime, fit-il avec une inquiétante douceur, je vous parierais qu'il n'en sera rien.

— Et qui m'en empêchera ?

— Vous-même, ma chère ! Outre qu'une dénonciation ne servirait à rien car je serais bien vite relâché avec des excuses, vous n'aurez plus aucune envie de me faire arrêter lorsque vous m'aurez entendu.

Marianne se raidit contre la peur insidieuse qu'elle sentait se glisser en elle, essayant de réfléchir. Comme il semblait sûr de lui ! Était-ce le nom d'emprunt sous lequel il se cachait qui lui donnait cette assurance ? Que lui avait dit Fouché, un jour ? Que le vicomte d'Aubécourt fréquentait chez Dorothée de Périgord ? Mais ce n'était pas suffisant pour le mettre à l'abri des griffes dudit Fouché toujours sur la piste d'espions ou de conspirateurs éventuels. Alors ?... Mon Dieu, si seulement elle pouvait dissiper cette angoisse qui lui venait !

Une fois de plus, la voix narquoise de Francis la

rappela à la réalité. Elle murmurait, chargée d'une douceur à faire frémir :

— Savez-vous que vous me donnez des regrets ? Vous êtes admirablement belle, ma chère. En vérité, il faudrait n'être point homme pour ne pas vous désirer. La colère vous sied. Elle fait étinceler ces magnifiques yeux verts, palpiter cette gorge...

Son regard appréciateur enveloppait le ravissant visage sur lequel la capote mousseuse mettait une ombre rose, caressait le long cou gracieux, la gorge fière, largement découverte dans son écrin de dentelles et de soie. C'était un regard avide et sans tendresse, celui d'un maquignon devant une belle pouliche. Il évaluait et déshabillait tout à la fois, montrant un désir si nu, si brutal, que les joues de Marianne s'empourprèrent. Comme hypnotisé par cette beauté si proche l'Anglais se penchait vers elle, prêt peut-être à la saisir. Elle s'aplatit contre la paroi de la voiture, gronda entre ses dents serrées :

— N'approchez pas ! Ne me touchez pas ! Sinon, quoi qu'il puisse arriver, je hurle, vous entendez ! Je crierai si fort qu'il faudra bien que cette foule s'écarte.

Il tressaillit, se redressa. Son regard, si ardent l'instant précédent, retrouva son expression ennuyée. Il reprit sa place à l'autre bout de la voiture, se tassa dans son coin, ferma les yeux et soupira :

— Dommage !... Dommage surtout que tant de trésors ne soient réservés qu'aux plaisirs du seul Boney ! Ou bien lui donnez-vous quelques coadjuteurs ? On dit qu'une bonne moitié des hommes de cette ville sont amoureux de vous.

— Allez-vous cesser ? gronda Marianne. Dites une bonne fois ce que vous avez à dire et finissons-en. Que voulez-vous ?

Il ouvrit un œil, la regarda et sourit.

— La galanterie voudrait que je vous réponde : « Vous ! » et ce serait à la fois justice et vérité, mais nous en reparlerons plus tard... à loisir. Non, j'ai pour le moment des préoccupations infiniment plus terre à terre : j'ai besoin d'argent.

— Encore ! s'écria Marianne. Et vous vous imaginez peut-être que je vais vous en donner ?

— Je ne l'imagine pas : j'en suis sûr ! L'argent a toujours joué un grand rôle entre nous, chère Marianne, fit-il cyniquement. Je vous ai épousée à cause de votre fortune. Je l'ai dilapidée un peu vite, j'en suis assez navré, mais comme vous êtes toujours ma femme et que vous roulez visiblement sur l'or, il me semble tout naturel de vous en demander.

— Je ne suis plus votre femme, dit Marianne en qui la lassitude étouffait peu à peu la colère. Je suis la cantatrice Maria-Stella... et vous êtes le vicomte d'Aubécourt !

— Ah ! vous savez cela ? Au fond j'en suis ravi. Cela vous donne une idée de la position que j'occupe dans la société parisienne. On m'apprécie beaucoup.

— On vous appréciera moins lorsque j'en aurai fini avec vous ! On saura qui vous êtes : un espion anglais.

— Peut-être, mais, par la même occasion, on saura aussi votre véritable identité et, comme vous êtes très légitimement mon épouse, vous redeviendrez lady Cranmere, Anglaise... et pourquoi donc pas espionne ?

— Personne ne vous croira ! fit Marianne en haussant les épaules et quant à l'argent...

— Vous vous arrangerez pour trouver aussi rapidement que possible cinquante mille livres, coupa Francis sans s'émouvoir. Sinon...

— Sinon ? fit Marianne avec hauteur.

Sans se presser, lord Cranmere fouilla dans l'une de ses poches, en tira un papier jaune plié en quatre, le déplia et le posa sur les genoux de la jeune femme en concluant :

— Sinon, dès demain, Paris tout entier sera inondé de papiers semblables à celui-ci.

La brise qui entrait par les glaces baissées fit trembler le papier jaune, imprimé de gros caractères noirs que Marianne lut avec épouvante : « L'Empereur aux mains de l'ennemi ! La trop belle maîtresse de Napoléon, la cantatrice Maria-Stella, est en réalité une meurtrière anglaise à la solde de la police du Royaume-Uni... »

Un instant, Marianne crut qu'elle devenait folle. Un voile rouge passa devant ses yeux tandis qu'au fond de son âme se levait une terrible tempête, une fureur telle qu'elle n'en avait jamais éprouvé et qui étouffa l'écœurante peur.

— Meurtrière ! gronda-t-elle. Je n'ai tué personne. Vous êtes vivant, hélas !

— Lisez plus avant, ma chère, souffla Francis suave, vous verrez que ce libelle n'exagère rien. Vous êtes, bel et bien, une meurtrière... celle de ma délicieuse cousine Ivy St. Albans que vous avez si proprement assommée à l'aide d'un lourd chandelier auprès de ce que vous croyiez être mon cadavre. Pauvre Ivy ! Elle a eu moins de chance que moi, qui grâce à mon ami Stanton suis encore de ce monde. Mais elle était si fragile, si délicate. Malheureusement pour vous, elle a repris un moment connaissance avant d'expirer, un très court moment... juste le temps de vous accuser. Votre tête est mise à prix en Angleterre, belle Marianne !

Un goût de cendres emplit la bouche de la jeune femme. Elle avait oublié l'odieuse Ivy et, retrouvant Francis vivant, n'avait pas songé à sa cousine. D'ailleurs, jusque-là, elle avait toujours considéré comme une sorte de jugement de Dieu le duel et ce qui avait suivi... Mais, malgré son angoisse, elle fit front une fois encore.

— Nous ne sommes pas en Angleterre, mais en France. J'imagine cependant que c'est pour m'y ramener, afin de toucher cette prime, que vous êtes venu jusqu'ici.

— Ma foi, j'avoue y avoir songé un instant, répondit lord Cranmere sans se démonter. Les temps sont durs. Mais en vous retrouvant si bien installée au cœur de l'Empire français, mes pensées ont changé d'orientation. Vous pouviez me rapporter infiniment plus que quelques centaines de guinées.

Cette fois, Marianne ne releva pas le propos infâme. Elle avait atteint les limites les plus ultimes du dégoût et regardait toujours le libelle jaune... où elle était accusée d'avoir, dans une crise de dépit, froidement assassiné la douce et jolie cousine de son époux dont elle était follement jalouse... Allons, rien n'avait été laissé au hasard et la boue qui la menaçait était aussi nauséabonde, aussi ignoble que possible.

— Ensuite, dit Francis sans paraître s'apercevoir de son silence, j'ai songé à vous enlever purement et simplement. Je vous avais donné rendez-vous dans une vieille ruine appartenant à un ami et j'espérais que vous y viendriez, mais vous avez dû vous méfier, ce dont je me félicite d'ailleurs. Pressé par la nécessité, j'avais imaginé que Boney paierait un joli prix pour récupérer en bon état sa belle maîtresse, mais c'était un calcul un peu hâtif et, comme tel, un mauvais calcul... Il y a tellement mieux à faire !

Ainsi, c'était lui le rendez-vous de la Folie ? Marianne s'en étonna à peine. Elle était au-delà de toute sensation, de toute pensée claire. Une fanfare de trompettes éclata tout près de l'endroit où était arrêtée la voiture, emplit l'air ensoleillé, soutenue par un roulement de tambours qui parut partir des profondeurs même de Paris et accourir à la vitesse d'un roulement de tonnerre. Le cortège nuptial avait dû faire du chemin, mais, emportée par ses propres problèmes, Marianne avait cessé de prêter attention aux bruits extérieurs et à l'agitation grandissante de la foule. Un peu volontairement, d'ailleurs ; il y avait un contraste si poignant entre ces gens endimanchés, rieurs et agités et le duel, plus cruel, peut-être, que celui de Selton, dont la voiture était le théâtre.

— Voilà le cortège ! Nous causerons plus tard !

C'est impossible avec ce vacarme, commenta Francis en s'installant plus commodément, en homme qui n'en a pas encore fini. Nous terminerons cet entretien quand ce flot sera passé !

En effet, un fleuve étincelant, un étonnant chatoiement de couleurs avait envahi les Champs-Élysées et roulait majestueusement vers les Tuileries sous le fracas des cuivres, les roulements des tambours, les grondements du canon, salué par des rafales de « Vive l'Empereur ». L'énorme place, si bondée que les couleurs gaies des costumes s'y noyaient en une sorte de grisaille, parut se soulever. Autour de Marianne, le public commentait l'ordre du cortège.

— Les Chevau-légers polonais marchent en tête !

— Ces Polonais ! C'qu'ils sont beaux ! Il doit bien y en avoir quelques-uns qui pensent à Marie Walewska !

En effet, rouges, bleus, blancs et or, un plumet neigeux tremblant au bord de la chapska carrée, les flammes blanches et rouges dansant à la pointe de leurs longues lances, les soldats du prince Poniatowski défilaient dans un ordre admirable, retenant sur des lignes sans défaut leurs puissants chevaux blancs habitués à galoper sur tous les chemins d'Europe. Ensuite venaient les Chasseurs de Guyot, pourpres et or, mêlés aux pelotons de Mamelucks bardés de poignards étincelants, apportant avec leurs peaux basanées, leurs turbans blancs crêtés d'une aigrette noire, et leur selle en peau de panthère, les couleurs violentes et chaudes de l'Orient. Puis les Dragons, commandés par le comte de Saint-Sulpice, vert profond et blanc, superbement moustachus sous leurs casques à longues crinières noires auxquels le soleil arrachait des éclairs. Ensuite, vert, rouge et argent, les Gardes d'Honneur précédant une longue file de trente-six voitures à fond d'or, somptueuses, dans lesquelles avaient pris place les grands officiers de la Cour et la famille impériale.

Dans l'étonnant kaléidoscope de couleurs et d'or que

formaient l'État-Major de l'Empereur, ses maréchaux, ses aides de camp, ses écuyers, Marianne, comme du fond d'un rêve, reconnut Duroc, doré comme un missel, Masséna, Lefebvre, Bernadotte qu'elle avait plusieurs fois aperçus chez Talleyrand. Elle vit Murat, sanglé dans un uniforme pourpre rutilant de dorures, la hongroise doublée de zibeline à l'épaule, fulgurant comme un feu d'artifice sous une aigrette de diamants. Il éclatait d'orgueil, mais forçait l'admiration car, avec une science de cavalier consommé, il maîtrisait un admirable étalon noir visiblement à peine dressé. Le peuple l'acclama, partageant son enthousiasme avec le prince Eugène, en grande tenue de Chasseur de la Garde, magnifique et souriant sur un cheval blanc. Par affection envers l'Empereur, son père adoptif, le Vice-Roi d'Italie avait repris pour ce jour son grade et sa place à la tête de la Garde Impériale.

Marianne reconnut aussi, toutes couvertes de joyaux, les sœurs de l'Empereur : la brune Pauline, ravissante, ironique et tout de blanc vêtue, la blonde Caroline en rose tendre qui laissait peser sur la foule un regard olympien allant mal à sa fraîche et ronde personne, Élisa, princesse de Piombino, grave et belle comme une médaille.

Dans une voiture précédant juste celle de l'Empereur, la jeune femme aperçut la reine Hortense, fille de Joséphine. Accompagnée de l'épouse de Joseph Bonaparte, la brune Julie, reine d'Espagne, et du duc de Wurtzbourg, la reine de Hollande, couverte de ces perles qu'elle aimait et qui lui allaient si bien, offrait à la foule un sourire charmant mais voilé de tristesse. Marianne songea qu'elle ressemblait davantage à quelque belle captive traînée au char du vainqueur qu'à l'invitée heureuse d'un mariage princier. Certainement, la pensée d'Hortense ne quittait guère sa mère, reléguée avec son chagrin dans le lointain domaine de Navarre qu'elle n'appréciait pas.

Derrière toutes ces voitures venait, attelé de huit

chevaux blancs, un grand carrosse tout doré, sommé d'une grosse couronne impériale mais absolument vide. Aucune silhouette n'apparaissait derrière ses glaces brillantes. C'était la voiture de l'Impératrice qui, aujourd'hui, ne servirait pas, le couple impérial ayant choisi de se montrer dans le même équipage. Ce monument doré précédait immédiatement la calèche découverte dans laquelle avaient pris place Napoléon et Marie-Louise... et les yeux de Marianne s'agrandirent de stupeur tandis que les vivats de la foule subissaient une baisse sensible. Ni Paris, ni Marianne n'avaient imaginé ce qu'ils voyaient.

Dans la voiture, agitant gauchement la main d'un geste mécanique, Marie-Louise, très rouge sous une lourde couronne de diamants, souriait d'un air un peu niais dans une magnifique robe en tulle d'argent, chef-d'œuvre de Leroy, littéralement couverte de diamants. Quant à Napoléon, assis auprès d'elle dans la voiture, il était tellement différent de ce qu'il était d'habitude que Marianne consternée en oublia momentanément Francis.

Accoutumée à l'extrême simplicité de ses uniformes de colonel des Chasseurs ou des Grenadiers, à ses fracs noirs ou gris, Marianne ne pouvait croire que l'étrange personnage qui souriait et saluait de la main dans la calèche fût l'homme qu'elle aimait. Vêtu à l'espagnole, en culotte, habit et manteau court de satin blanc tout givré de diamants, lui aussi, il portait une incroyable toque de velours noir à plumes blanches, ceinturée de huit rangs de diamants, qui ne semblait tenir sur sa tête que par un miracle d'équilibre. Cette toque méritait à elle seule une élégie : elle avait un air improvisé et un aspect vaguement Renaissance, tout à fait saugrenu selon Marianne, et qui convenait aussi peu que possible au visage pâle et au profil net du nouveau César... Comment avait-il pu accepter de s'affubler de la sorte et comment...

Un éclat de rire coupa le fil de ses pensées. Avec

indignation mais, au fond, trop contente d'avoir une occasion de traduire sa colère et sa déception, Marianne se tourna vers Francis qui riait à gorge déployée, à demi renversé sur les coussins, sans la moindre pudeur ni la plus petite retenue.

— Puis-je savoir ce que vous trouvez si drôle ? demanda-t-elle sèchement.

— Ce que... oh non ! ma chère, ne me dites pas que vous ne trouvez pas follement amusant le déguisement de Boney ? Il est tellement grotesque qu'il en devient sublime ! C'est, en vérité, à pleurer de rire... et c'est ce que je fais ! Je... Je n'ai jamais rien contemplé d'aussi comique ! Oh ! c'est inouï... inouï !...

D'autant plus furieuse que, dans son for intérieur, elle devait reconnaître qu'il avait raison, que ce costume ahurissant, malgré les gemmes fabuleuses qui l'enrichissaient, faisait une sorte de mirliflore du guerrier qu'elle n'aurait voulu voir, comme le dieu du tonnerre, qu'environné d'éclairs et de nuées d'orage, Marianne retint l'envie sauvage qui lui venait de se jeter sur Francis, toutes griffes dehors, pour déchirer ce visage insolent, faire taire ce rire insultant. Eût-elle eu, à cette minute, une arme à sa disposition, qu'elle s'en fût servie sans plus hésiter que durant la nuit de Selton ! Elle avait souhaité éperdument que Napoléon apparût à l'ennemi dans toute la majesté sévère et sobre de son appareil guerrier afin de le frapper de terreur, ou, tout au moins, de lui inspirer une salutaire crainte de l'attaquer, elle, Marianne, sa maîtresse avouée !... Mais non, il avait fallu que, pour épouser cette grosse fille rougeaude, il s'attifât comme un mignon du roi Henri III !... Pourtant, il fallait faire taire, à tout prix, ce rire qui l'insultait dans ce qu'elle avait de plus cher et de plus précieux : dans son amour même... tout ce qui lui restait au monde.

Livide soudain, si pâle que son visage ne semblait plus contenir de sang mais refléter uniquement ses fulgurants yeux verts, Marianne, se redressant, toisa Francis, encore aux prises avec le fou rire, du haut de sa petite tête arrogante.

— Allez-vous-en ! gronda-t-elle. Nous n'avons plus rien à nous dire. Sortez de ma voiture avant que je ne vous fasse jeter dehors et qu'importe ce que vous pourrez fomenter contre moi ! Tout m'est égal, vous entendez ? Vous pouvez bien jeter à tous les vents votre affreux libelle, je ne tenterai rien pour vous en empêcher ! Faites ce que vous voulez, mais allez-vous-en ! Je ne veux plus vous voir ! Et sachez que vous n'aurez pas un sou !

Elle criait presque et malgré le brouhaha de la place des têtes se tournaient vers eux. Francis Cranmere cessa de rire. Sa main s'abattit sur le bras de Marianne, le serrant à lui faire mal.

— Calmez-vous immédiatement, ordonna-t-il, et cessez de dire des folies ! Cela ne sert à rien, vous ne m'échapperez pas !

— Je n'ai pas peur de vous. Si vous me menacez, devant Dieu qui m'entend, je jure que je vous tuerai, vous entendez lord Cranmere, je vous tuerai et cette fois aucune médecine humaine ne pourra vous sauver ! Et vous me connaissez suffisamment pour savoir que je le ferai.

— Je vous ai déjà dit de vous calmer ! Je sais pourquoi vous parlez ainsi. Vous vous croyez encore très forte, n'est-ce pas ? Vous vous dites qu'« Il » vous aime assez pour vous défendre même de la calomnie, qu'il est assez puissant pour vous protéger contre n'importe quel danger ? Mais regardez-le donc ! Il éclate de joie, d'orgueil satisfait ! Ce moment qu'il vit, c'est le sommet de sa vie, pour lui ! Songez donc : c'est une Habsbourg qu'il épouse, lui, un gentillâtre corse ! La propre nièce de Marie-Antoinette ! Tout ce faste, cet étalage de pierreries qui va jusqu'au ridicule, c'est pour l'éblouir ! C'est son bon plaisir qui va faire la loi de votre Napoléon, parce qu'il espère d'elle le fils qui assoiera sa dynastie ! Et vous croyez encore qu'il accepterait de déplaire à sa précieuse archiduchesse pour protéger une meurtrière ? Il n'aura aucune peine à découvrir, par ses espions en Angleterre, que vous êtes très réellement recherchée par la police pour avoir tué une femme sans défense après m'avoir grièvement blessé moi-même, et alors ? Croyez-moi, la devise de Napoléon, ces temps-ci, sera sûrement « surtout pas de scandale ! ».

A mesure qu'il parlait, une peine amère envahissait Marianne. D'autant plus cruelle que son instinct lui soufflait qu'il pouvait bien avoir raison. A cette minute, toute la belle confiance qu'elle avait gardée en la puissance de son amour, en son ascendant sur Napoléon, bascula et s'effondra pour ne plus jamais revenir. Certes, elle savait qu'elle lui plaisait, qu'il l'aimait autant peut-être qu'il lui était possible d'aimer une femme... mais pas plus. L'amour qu'une femme de chair et de sang pouvait inspirer à l'Empereur ne pouvait entrer en lutte avec celui qu'il portait à son empire et à sa gloire. Il avait aimé Joséphine et cependant épousée, couronnée, Joséphine avait dû redescendre les marches du trône, laisser la place à la rose génisse autrichienne. Il avait aimé la Polonaise, elle portait son enfant... et cependant Marie Walewska avait été contrainte de s'éloigner, de rejoindre sa lointaine Pologne en plein hiver pour y mettre au monde le fruit de cet amour. Que pèseraient Marianne et son seul charme, Marianne et son dévorant amour en face de celle dont il espérait l'héritier de cette gloire et de cet empire ? Avec amertume, Marianne se souvint du ton insouciant qu'il avait en lui disant « J'épouse un ventre ! ». Ce ventre était plus précieux pour lui que le plus bel amour de la terre.

Les yeux brouillés de larmes, elle regarda s'éloigner dans une brume de soleil la double silhouette étincelante des nouveaux époux qui, là-bas, vers le pont tournant, semblaient voguer sur un océan de têtes. La voix de Francis lui parvint comme du fond d'un rêve, insinuante, persuasive.

— Soyez donc raisonnable, Marianne, et sachez vous contenter de votre puissance à vous... une puissance qu'il serait bien sot de compromettre pour quelques centaines d'écus ! Que sont cinquante mille livres pour la reine de Paris ? Boney vous les aura rendues avant la semaine prochaine.

— Je ne les ai pas ! coupa Marianne en écrasant rageusement du bout de son doigt une larme prête à couler.

— Mais vous les aurez... disons, dans trois jours ! Je vous ferai savoir où et comment me les faire tenir.

— Et qui m'assure, si je vous les donne, que je serai à l'abri de vos infamies ?

Francis étira ses longs bras avec la grâce paresseuse d'un gros chat et enveloppa sa compagne d'un regard amusé.

— Je vous l'accorde, rien ne vous met à l'abri... sinon le fait que je n'aurai plus besoin d'argent... pendant un bon moment. On peut toujours composer un nouveau texte...

— Que tôt ou tard je verrai apparaître ? Rien à faire : dans ce cas, je ne marche pas, lord Cranmere ! Tôt ou tard vous vous attaquerez à moi... le jour par exemple où je n'aurai plus d'argent ! Non. Faites ce que vous voulez, vous n'aurez pas vos cinquante mille livres !

Tout en parlant, Marianne tirait déjà un plan. Ce soir, ce soir-même, elle irait voir Fouché... ou même l'Empereur si cela était possible. Elle dirait le danger qui la menaçait et ensuite elle partirait, droit devant elle, n'importe où pour qu'au moins, si les sbires de Fouché ne parvenaient pas à empêcher la marée des libelles, il y eut entre l'Empereur et elle trop de distance pour que l'on put encore accoler son nom au sien. Elle irait... en Italie, par exemple, où sa voix lui permettrait de gagner sa vie et où, peut-être, elle pourrait retrouver son parrain, obtenir l'annulation de ce mariage meurtrier. Ensuite, redevenue Marianne d'Asselnat – elle avait remarqué que son nom de jeune fille n'était pas mentionné dans le libelle, peut-être par crainte d'une réaction dangereuse de la haute noblesse française – elle pourrait peut-être se rapprocher un peu de Napoléon... De nouveau, la voix de lord Cranmere vint rompre le fil de ses projets.

— Ah ! j'oubliais, fit-il d'un ton aimablement railleur, connaissant l'impétuosité de vos réactions et cette déplorable manie que vous avez de disparaître sans laisser d'adresse, je me suis permis une précaution supplémentaire... en m'assurant de la personne de cette vieille folle qui vous sert à la fois de mère et de chaperon et qui est, je crois, votre cousine.

Le cœur de Marianne manqua un battement tandis que l'air, brusquement, faisait défaut à sa gorge contractée.

— Adélaïde ? balbutia-t-elle. Que vient-elle faire ici ?

— Mais... jouer, je crois, un rôle important. Si vous me connaissiez mieux, ma chère, vous sauriez que je ne suis pas homme à entamer une partie sans posséder plusieurs atouts en main. A l'heure présente, Mlle d'Asselnat, que l'on a été prendre chez vous en votre nom, doit avoir été mise en lieu sûr par les soins attentifs de quelques amis dévoués. Et si vous tenez à la revoir vivante...

La douleur qui vrilla le cœur de Marianne lui donna d'un seul coup la juste mesure de l'affection qu'elle portait à sa cousine. Pour retenir les larmes qu'elle ne voulait à aucun prix laisser voir à cet homme, elle ferma les yeux, un instant. Le misérable ! Il avait osé s'attaquer à l'aimable vieille fille, si bonne, si dévouée ! Et Marianne savait maintenant quelle sorte de relations il entretenait avec Fanchon-Fleur-de-Lys et sa bande ! En imaginant Adélaïde aux mains de ces gens-là, elle sentit une nausée lui soulever le cœur. Elle connaissait trop leur froide cruauté, leur absence totale de scrupule, la haine dont ils poursuivaient tout ce qui, de près ou de loin, touchait au régime impérial.

— Vous avez osé ! gronda-t-elle entre ses dents serrées. Vous avez osé et vous croyez, grâce à cette ignominie, m'amener à composition ? Mais je saurai bien la retrouver. Je connais le repaire de l'affreuse vieille qui nous observe avec son vilain sourire.

— Il est possible que vous la retrouviez ! fit Francis paisiblement, mais je vous avertis que si les argousins de Fouché viennent traîner leurs redingotes crasseuses sur le territoire de mon amie Fanchon, ils ne retrouveront qu'un cadavre !

— Vous n'oseriez pas aller jusque-là !

— Pourquoi non ? En revanche, si vous vous montrez compréhensive, si, comme je l'espère, vous collaborez aimablement avec moi, je peux vous promettre de vous la rendre en parfait état.

— Comment voulez-vous que je croie en la parole d'un...

— Misérable, je sais, acheva Francis. Il me semble que vous n'avez pas le choix. Commencez par trouver les cinquante mille livres dont j'ai besoin, belle Marianne. Je vous promets de ne pas faire appel à votre aide financière avant... disons un an ! Et maintenant...

Il s'extrayait enfin des coussins de velours, prenait une main que Marianne, pétrifiée, ne songeait même pas à défendre et la portait vers ses lèvres. Un instinct sauva la jeune femme de ce contact. Sa main fine glissa entre les doigts gantés de Francis.

— Je vous hais ! dit-elle d'une voix blanche. Oh ! comme je vous hais !

— Je n'y vois aucun inconvénient, répondit-il avec son méchant sourire. Avec certaines femmes, la haine a encore plus de saveur que l'amour. J'aurai mon argent ?

— Vous l'aurez... mais prenez garde ! S'il tombe seulement un cheveu de la tête de ma cousine, il n'existe pas, dans toute l'Europe, de cachette assez secrète pour vous sauver de ma vengeance. J'en fais serment sur la mémoire de mon père ! Et, dussé-je porter ma propre tête à l'échafaud, je vous tuerai, avec ces mains-là !

Elle élevait jusqu'au visage de lord Cranmere ses mains gantées de lilas tendre. Le sourire s'effaça des lèvres de Francis. Il y avait tant de froide détermination, tant de fureur concentrée dans l'étincelant regard vert qu'il tressaillit. La pâleur qui avait envahi ce beau visage, la douleur qu'il exprimait si clairement impressionnèrent l'Anglais, allèrent peut-être toucher une fibre oubliée au fond de son égoïsme et de son scepticisme. Il ouvrit la bouche pour dire quelque chose, mais, se ravisant, il haussa les épaules avec agacement, en homme qui souhaite se débarrasser d'un fardeau, et sortit de la voiture. Une fois à terre, seulement, il maugréa sans regarder la jeune femme.

— Si vous veillez à me satisfaire, il ne se passera rien de regrettable pour personne. Et... débarrassez-vous donc de cette manie des grands mots et des grands gestes. Cela sent les tréteaux d'une lieue.

Il s'éloigna sur cette dernière méchanceté que Marianne n'eut pas le courage de relever. A quoi bon ? A travers les larmes qu'elle ne pouvait plus retenir, elle le vit monter dans le cabriolet, prendre les rênes sans répondre aux questions que lui adressait visiblement sa compagne et faire tourner l'attelage. Le cortège nuptial ayant disparu par le pont tournant des Tuileries, la foule maintenant s'écoulait vers les bateleurs, les boutiques de confiseries et les buffets en plein vent, les orchestres et les fontaines d'où, tout à l'heure, coulerait le vin. Mais Marianne ne regardait rien.

Envahie d'un affreux sentiment de défaite et d'impuissance, elle demeurait là, immobile, les mains nouées sur le manche brillant de son ombrelle, les joues inondées de larmes qui tombaient lentement sur la dentelle de sa robe sans plus songer à rappeler Arcadius ou à ordonner le départ. Toute sa pensée était tendue vers sa vieille cousine et ce qu'elle pouvait endurer aux mains des forbans de Fanchon-Fleur-de-Lys. Mais, dès que Jolival avait vu lord Cranmere quitter la voiture, il avait sauté à bas du siège et rejoint Marianne.

— Par tous les saints du Paradis ! Que vous est-il arrivé ? s'écria-t-il en la trouvant ainsi transformée en statue du désespoir. Que vous a fait cet homme ? Pourquoi ne pas m'avoir appelé ?

Elle tourna vers lui un regard de noyée, défroissa un peu le papier jaune qu'elle avait, machinalement, roulé en boule entre ses doigts et le tendit à Arcadius.

— Lisez ! articula-t-elle avec peine... Demain, tout Paris lira ça si je me refuse à donner l'argent que l'on exige de moi. De plus... pour m'y obliger plus sûrement encore, il a fait enlever Adélaïde. Il me tient, Arcadius, et il ne me lâchera pas ! Il sait trop qu'à aucun prix l'Empereur n'accepterait d'être mêlé à un scandale, de voir son nom accolé à celui d'une meurtrière.

— Une meurtrière ? Il n'y a rien de vrai dans ce chiffon.

— Si. J'ai tué réellement, sans le vouloir et en me défendant, Ivy St. Albans. La police me recherche en Angleterre.

— Ah !...

Lourdement, Arcadius se réinstalla sur les coussins de la voiture. Marianne vit avec angoisse qu'il avait pâli et se demanda, le temps d'un éclair, s'il allait, lui aussi, s'écarter d'elle avec horreur. Mais Jolival se contenta de tirer de sa poche un immense mouchoir de batiste immaculé et, passant un bras autour des épaules de Marianne, il se mit à essuyer, fraternellement, les larmes qui coulaient toujours. Une vague odeur de tabac d'Espagne envahit la voiture.

— Et, que veut ce... gentilhomme ? demanda-t-il tranquillement.

— Cinquante mille livres... dans trois jours. Il me fera savoir où et comment les lui remettre.

Arcadius émit un petit sifflement admiratif.

— Peste ! Il est gourmand ! Et ce n'est, j'imagine, qu'un commencement ! Il ne s'arrêtera pas en si bon chemin, ajouta-t-il en remettant dans sa poche le mouchoir désormais inutile.

— Vous pensez qu'il aura d'autres exigences ? C'est aussi mon opinion, mais je dois dire qu'il s'est engagé, si je lui donnais ce qu'il demande, à ne pas redemander d'argent avant un an... et à me rendre Adélaïde intacte.

— Comme c'est aimable à lui ! Je pense que vous n'avez pas l'intention de lui faire confiance ?

— Pas une minute, mais nous n'avons pas le choix. Il tient Adélaïde et il sait que je ferai tout pour la garder vivante. Si je lance la police sur sa trace, il la tuera sans pitié ! Sinon, vous pensez bien que nous serions déjà en route pour l'hôtel du duc d'Otrante.

— ... qui ne vous recevrait pas parce qu'il assiste au mariage de l'Empereur. De plus, rien ne dit qu'il pourrait empêcher la parution de cette ignominie. Rien n'est plus difficile à saisir qu'un libelle. Il en paraît chaque jour. Non, je me demande s'il ne serait pas possible de retrouver nous-mêmes Mlle d'Asselnat. Je ne vois pas tellement d'endroits où Fanchon-Fleur-de-Lys puisse la cacher, car vous pensez bien qu'elle est entre ses mains !

— Elle serait dans les carrières de Chaillot ?

— Sûrement pas ! La Désormeaux n'est pas folle ! Elle sait bien que ce délicieux séjour n'a plus de secrets pour nous. Non, elle a dû la mettre ailleurs... mais il faudrait beaucoup de prudence pour nous en assurer, car je crois, comme vous, que cet Anglais n'hésiterait pas à supprimer sa prisonnière comme il vous en a menacée. J'espère seulement qu'il respectera les termes du contrat et nous la rendra contre paiement de la rançon.

— Et... s'il ne le fait pas ? demanda Marianne avec effroi.

— Voilà pourquoi nous devons tenter de découvrir où il la cache. De toute façon, comme vous le dites, nous n'avons pas le choix. Il nous faut d'abord payer. Ensuite...

Il prit un temps. Marianne vit, sous la courte barbiche noire, ses mâchoires se serrer. Elle eut tout à coup la sensation qu'une volonté aussi implacable que celle de Francis se cachait en ce petit homme aimable et frêle dont l'élégance un peu trop raffinée avait même quelque chose de légèrement féminin.

— Ensuite ? souffla-t-elle.

— Exploiter le répit, long ou court que l'on voudra bien nous laisser, pour attaquer à notre tour. Il faut arriver à mettre lord Cranmere hors d'état de nuire.

— Vous savez bien que je n'ai qu'un désir : faire annuler mon mariage pour avoir le droit de redevenir moi-même.

— Ce ne sera sans doute pas suffisant.

— Alors ?

— Alors ? fit Jolival avec la plus grande douceur. Au cas où l'Empereur ne pourrait pas vous offrir sa tête, je pense qu'il nous faudra aller la prendre nous-mêmes.

Tout en énonçant cette paisible et froide condamnation à mort, Arcadius se pencha en avant, frappa de sa canne à la vitre de communication.

— Holà ! Gracchus !

La figure ronde du jeune cocher apparut.

— Monsieur le vicomte ?

— Aux Tuileries, mon garçon !

Le mot frappa Marianne qui en était encore à peser chaque terme de la déclaration de son ami. Elle sursauta.

— Aux Tuileries ? Pour quoi faire ?

— Est-ce que vous ne deviez pas y retrouver le prince Clary qui avait promis de vous faire entrer dans la grande galerie du Louvre pour voir le couple impérial sortir de la chapelle ?

— Pensez-vous sérieusement, s'emporta Marianne trop heureuse d'avoir un semblant de prétexte pour se mettre en colère, que j'aie quelque intention d'aller contempler de près cette... cette mascarade ?

Arcadius se mit à rire de bon cœur, délivré lui aussi d'une sorte d'oppression.

— Je vois que vous avez apprécié à leur juste valeur les efforts vestimentaires de Sa Majesté l'Empereur et Roi, mais le spectacle n'en sera pas moins fort beau et...

— ... et il vaudrait mieux me dire tout de suite que vous voulez vous débarrasser de moi ! Qu'est-ce que vous mijotez, Arcadius ?

— Pas grand-chose ! J'ai une petite course à faire et j'espérais que vous me laisseriez la voiture dont vous n'auriez alors aucun besoin.

— Prenez la voiture, mais ramenez-moi, d'abord, à la maison. Gracchus ! Nous rentrons ! décréta Marianne en frappant à son tour à la vitre.

Elle avait bonne envie de demander à Jolival ce que c'était au juste que cette course urgente, mais elle savait, par expérience, qu'il était l'homme le plus secret qu'il fût possible de trouver et qu'il était à peu près impossible de le faire parler quand il avait décidé de se taire.

La voiture de Marianne fit demi-tour pour aller reprendre le pont de la Concorde. La foule, si dense au moment du passage du cortège, se clairsemait peu à peu. Par le quai ou par le jardin, les Parisiens se dirigeaient en majorité vers le palais des Tuileries au balcon duquel, tout à l'heure, le couple impérial s'offrirait à l'admiration de ses peuples. Mais Marianne n'avait aucune envie de le revoir, ce couple, qu'elle jugeait irritant, discordant. Que Napoléon eût épousé une princesse ressemblant vraiment à ce que devait être une princesse selon ses propres critères, autrement dit une sorte de pur sang digne de porter dans ses flancs un empereur et Marianne, l'aristocrate, en eût éprouvé une sorte de douloureux plaisir, même si l'amoureuse en eût souffert mille morts... mais cette grosse fille blonde au regard bovin !... Comment pouvait-il la regarder avec cette joie, cet orgueil qui éclataient dans chacun de ses gestes ? Le peuple lui-même avait senti cela. Peut-être parce qu'il gardait au fond de ses milliers de regards l'image gracieuse, raffinée, toujours si parfaitement élégante de Joséphine, il n'avait accordé à la nouvelle venue qu'un enthousiasme de commande. Les vivats avaient été rares et plutôt timides. Combien étaient-ils, d'ailleurs, parmi ceux qui avaient salué Marie-Louise, qui, dix-sept ans plus tôt, avaient regardé tomber, sur cette même place, la tête de Marie-Antoinette ? Cette nouvelle Autrichienne, la simple caricature de l'éblouissante princesse de jadis, pouvait-elle inspirer au peuple de Paris autre chose qu'une certaine méfiance, un certain malaise ?

Tandis que la voiture franchissait le pont, avec quelques difficultés à cause des travaux que l'on y effectuait, l'Empereur ayant ordonné que les statues de huit de ses généraux tombés au champ d'honneur y fussent ajoutés, puis se dirigeait vers la rue de Lille en contournant le Palais du Corps Législatif[1], dont la nouvelle façade de style grec était encore sous les échafaudages, ni Marianne, ni Jolival ne desserrèrent les dents. Chacun d'eux demeura enfermé dans ses pensées, respectant le silence de l'autre.

Mais, quand la voiture s'arrêta au pied du perron rénové de l'hôtel d'Asselnat, Marianne, en acceptant la main que Jolival lui offrait pour l'aider à descendre, ne put s'empêcher de demander :

— Vous êtes certain que vous ne voulez pas de ma compagnie... pour cette course si urgente ?

— Tout à fait certain, répondit Arcadius impertur-

1. Palais Bourbon.

bable. Allez m'attendre bien sagement, au coin du feu... et surtout essayez de ne pas trop vous tourmenter ! Nous ne sommes peut-être pas aussi dépourvus d'armes que mylord Cranmere voudrait se l'imaginer.

Un sourire encourageant, un salut, une pirouette et le vicomte de Jolival s'était à nouveau engouffré dans la voiture qui se dirigea aussitôt vers la rue. Avec un haussement d'épaules, Marianne gravit les marches et entra dans le vestibule dont un laquais lui tenait la porte ouverte. Attendre sagement... ne pas se tourmenter... c'était bien de Jolival de donner ce genre de conseil alors que, déjà, il était assez pénible de rentrer dans cette maison où elle ne retrouverait pas Adélaïde, la chère, insupportable et merveilleuse Adélaïde, avec sa faim perpétuelle et ses bavardages à n'en plus finir.

La jeune femme n'eut pas le temps de se demander davantage à quoi elle emploierait celui qui devait s'écouler avant le retour de Jolival. Elle allait atteindre le grand escalier de marbre pour gagner sa chambre quand elle vit venir vers elle, compassé et solennel sous sa perruque à marteaux et sa livrée de velours vert foncé, son majordome Jérémie. Marianne n'aimait pas beaucoup Jérémie qui ne souriait jamais et qui paraissait garder toujours dans sa manche quelque mauvaise nouvelle. Mais Fortunée, qui l'avait choisi, prétendait qu'un homme aussi distingué et aussi lugubre donnait du ton à une maison. Cette fois encore, le long visage en lame de couteau de Jérémie était à lui seul un monument d'ennui et de tristesse, tandis qu'il s'inclinait.

— Monsieur Constant attend Madame dans le salon de musique, chuchota-t-il d'un air navré, comme s'il se fût agi de quelque secret scabreux. Et il a déjà patienté une grande heure.

Une soudaine bouffée de joie envahit Marianne. Constant ! Le fidèle valet de chambre de Napoléon, l'homme des secrets intimes, le gardien de ce qui était désormais pour Marianne une sorte de Paradis Perdu ! N'était-ce pas la meilleure réponse que le destin pouvait offrir à son anxiété présente, aux angoisses des jours à venir ? La présence de Constant chez elle signifiait que, malgré la solennité du jour, Napoléon avait tout de même pensé à elle, l'isolée, et que l'Autrichienne, après tout, ne l'avait peut-être pas subjugué autant que les potins parisiens voulaient bien le dire.

Marianne adressa à son majordome un regard ironique.

— Autant vous le dire tout de suite, Jérémie, la visite de M. Constant est pour moi une excellente nouvelle. Il est donc inutile de prendre une mine de catastrophe pour me l'annoncer. Il faut sourire, Jérémie, quand on annonce un ami, sourire... vous savez ce que c'est ?

— Pas très bien, Madame, mais je tâcherai de me renseigner !

CHAPITRE IV

LES AMOUREUX DE Mme HAMELIN

Avec la belle patience des gens du Nord, Constant s'était installé aussi commodément que possible pour attendre Marianne. Assis au coin de la cheminée, les pieds sur les chenêts et les mains nouées sur le ventre, il s'était même un peu assoupi. Le pas rapide de la jeune femme sur les dalles du vestibule le tira de cette douce somnolence et, en entrant dans le salon de musique, Marianne le trouva debout, saluant respectueusement.

— Monsieur Constant ! s'écria-t-elle. Que de regrets de vous avoir fait attendre ! C'est un plaisir si rare de vous recevoir... surtout un jour comme celui-ci ! J'aurais pensé qu'aucune force humaine ne serait capable de vous arracher du palais !

— Pour les ordres de l'Empereur, il n'y a pas de fêtes qui tiennent, ni de solennités d'aucune sorte, Mademoiselle Marianne. Il a ordonné... et me voilà ! Quant à l'attente, ne soyez pas en souci. J'ai pris beaucoup de plaisir au calme reposant de votre demeure après toute cette agitation.

— Il a donc pensé à moi ! fit Marianne tout de suite émue car cette joie venait trop vite après ce qu'elle avait enduré place de la Concorde.

— Mais... je crois que Sa Majesté pense très souvent à vous ! Quoi qu'il en soit, ajouta-t-il en refusant le siège que son hôtesse lui désignait, il me faut maintenant vous délivrer mon message et rentrer au palais au plus vite. – Il se dirigea vers le clavecin, y prit un sac de forte toile qu'il y avait déposé.

— L'Empereur m'a chargé de vous remettre ceci, Mademoiselle Marianne, avec ses compliments. Il y a là vingt mille livres.

— De l'argent ? s'exclama la jeune femme dont le visage s'empourpra, mais...

Constant ne lui laissa pas le temps de protester :

— Sa Majesté a pensé que vous pourriez avoir des difficultés de trésorerie ces jours-ci, dit-il en souriant. De plus, ceci n'est qu'une rétribution, car Sa Majesté requiert vos services et votre talent pour après-demain.

— L'empereur veut que j'aille...

— Aux Tuileries, chanter durant la grande réception qui s'y donnera. Voici votre laissez-passer, ajouta-t-il en tirant un carton de sa poche et en l'offrant à Marianne.

Mais elle ne le prit pas. Les bras croisés sur sa poitrine, elle marcha lentement jusqu'à l'une des fenêtres qui donnaient sur le petit jardin. L'eau de la fontaine chantait doucement dans le bassin de pierres grises sous les yeux souriants de l'amour au Dauphin. Marianne le contempla un moment sans rien dire. Inquiet de son silence, Constant s'approcha.

— Pourquoi ne dites-vous rien ? Vous viendrez, n'est-ce pas ?

— Je... n'en ai pas envie, Constant ! Être obligée de faire la révérence à cette femme, chanter devant elle... je ne pourrai jamais !

— Il le faudra bien pourtant ! Déjà, l'Empereur a été fort mécontent de ne pas vous voir à Compiègne et Mme Grassini a fait les frais de sa mauvaise humeur. Si vous le décevez cette fois encore, c'est sa colère qu'il faudrait envisager.

Se retournant tout d'une pièce, Marianne s'écria :

— Sa colère ? Ne peut-il comprendre ce que

j'éprouve à le voir, simplement aux côtés de cette femme ? J'étais à la Concorde tout à l'heure, je l'ai vu passer auprès d'elle, souriant, triomphant, si visiblement heureux que j'en ai eu mal. Pour lui plaire, il a été jusqu'au ridicule ! Ce costume grotesque, cette toque...

— Ah, cette maudite toque, fit Constant en riant, elle peut se vanter de nous avoir donné du mal ! Nous avons mis une bonne demi-heure à lui trouver un angle à peu près convenable... mais j'admets bien volontiers que ce n'est pas une réussite.

La bonne humeur de Constant, la petite scène domestique qu'il évoquait détendirent un peu les nerfs de Marianne, mais la souffrance visible de la jeune femme n'avait pas échappé au valet de chambre impérial et c'est d'un ton plus sérieux qu'il reprit :

— Quant à l'Impératrice, je crois qu'il vous faut n'y voir, comme nous tous, qu'un symbole et la promesse d'une dynastie. Je pense sincèrement que l'auréole dont la pare sa naissance a plus de valeur aux yeux de l'Empereur que sa personne elle-même !

Marianne haussa les épaules.

— Allons donc ! grommela-t-elle. On m'a rapporté qu'au lendemain de cette fameuse nuit... à Compiègne, il avait dit à l'un de ses familiers en lui tirant l'oreille : « Épousez une Allemande, mon cher, ce sont les meilleures femmes du monde : douces, bonnes, naïves et fraîches comme des roses ! » L'a-t-il dit, oui ou non ?

Constant détourna les yeux et s'en alla lentement reprendre son chapeau qu'il avait déposé sur un siège en arrivant. Il le tourna un instant entre ses doigts, mais, finalement, releva les yeux vers Marianne et lui sourit avec un peu de tristesse.

— Oui, il l'a dit... mais cela ne signifie pas grand-chose d'autre qu'une sorte de soulagement. Songez qu'il ne connaissait pas l'archiduchesse, qu'elle est une Habsbourg, la fille du vaincu de Wagram, qu'il pouvait s'attendre à de l'orgueil, de la colère, voire de la répulsion. Cette princesse placide et un peu gauche, timide comme une mariée de village et qui a l'air contente de tout, l'a rassuré. Il lui est, je crois, profondément reconnaissant. Quant à l'amour... s'il l'aimait autant que vous voulez bien l'imaginer, aurait-il pensé à vous aujourd'hui ? Non, croyez-moi, mademoiselle Marianne, venez chanter, pour lui, sinon pour elle. Et dites-vous que c'est Marie-Louise qui doit craindre les comparaisons, pas vous ! Viendrez-vous ?

Vaincue, Marianne inclina la tête en signe d'assentiment.

— Je viendrai... Vous pouvez le lui dire. Dites-lui aussi que je le remercie, ajouta-t-elle non sans effort en désignant le sac d'un coup d'œil.

Il lui était pénible d'accepter de l'argent, mais dans les circonstances présentes, il était le bienvenu et Marianne ne pouvait pas s'offrir le luxe de le refuser.

Arcadius soupesa le sac et le reposa sur le secrétaire avec un soupir.

— C'est une belle somme et l'Empereur est plein de générosité... mais c'est tout à fait insuffisant pour calmer l'appétit de notre ami. Il nous faut encore plus du double et à moins que vous ne demandiez à Sa Majesté de se montrer plus libérale encore...

— Non ! pas cela ! s'écria Marianne le rouge aux joues. Je ne pourrai jamais ! Et puis, il faudrait donner des explications, tout raconter. L'empereur lancerait aussitôt la police sur les traces d'Adélaïde... et vous savez ce qu'il adviendrait si les hommes de Fouché apparaissaient.

Arcadius tira de son gousset une charmante tabatière d'écaille cerclée d'or que Marianne lui avait offerte, s'octroya une prise de tabac qu'il huma avec lenteur et volupté. Il venait seulement de regagner l'hôtel d'Asselnat, sans d'ailleurs donner plus d'explications qu'à son départ, et il était déjà près de neuf heures du soir. L'œil rêveur, comme s'il contemplait une idée particulièrement plaisante, il remit la tabatière dans son gilet damassé, caressa doucement la petite bosse qu'elle y faisait puis déclara :

— Rassurez-vous, nous n'avons pas à craindre cette dernière éventualité. Aucun agent de Fouché ne se mettra à la recherche de Mlle Adélaïde, même si nous le demandons.

— Comment cela ?

— Voyez-vous, Marianne, lorsque vous m'avez rapporté votre conversation avec lord Cranmere, une chose m'a frappé : le fait que cet homme, un Anglais, dissimulé sous un faux nom et, selon toute vraisemblance un espion, pouvait non seulement évoluer à Paris au grand jour... et cela en compagnie d'une femme notoirement suspecte, mais encore ne semblait craindre aucune intervention de la police. Ne vous a-t-il pas dit que, si vous le faisiez arrêter, il serait très vite relâché avec des excuses ?

— Si... Il l'a dit.

— Et cela ne vous a pas frappée ? Qu'en avez-vous conclu ?

Nerveusement Marianne serra ses mains l'une contre l'autre et fit quelques pas rapides dans la pièce.

— Mais, je ne sais pas, moi... je n'ai pas cherché à approfondir sur le moment.

— Ni sur le moment, ni plus tard, il me semble. Mais moi, j'ai voulu en savoir davantage et je me suis rendu quai Malaquais. J'ai... quelques relations dans l'entourage du ministre et j'ai appris ce que je voulais savoir ; autrement dit, la raison pour laquelle le vicomte d'Aubécourt redoute si peu les atteintes de la police. Il est tout simplement en relations assez étroites avec Fouché... et peut-être à sa solde.

— Vous êtes fou ! souffla Marianne stupéfaite. Fouché n'entretiendrait pas de relations avec un Anglais...

— Pourquoi donc pas ? Outre que les agents doubles ne sont nullement le fruit d'une imagination surchauffée, il se trouve que le duc d'Otrante a, pour le moment, d'excellentes raisons de ménager un Anglais. Et il a certainement accueilli avec beaucoup de faveur votre noble époux.

— Mais... il m'avait promis de le chercher ?

— Promettre ne coûte rien, surtout lorsque l'on est bien décidé à ne pas tenir. Je crois pouvoir affirmer que Fouché, non seulement sait parfaitement où trouver le vicomte d'Aubécourt, mais encore n'ignore nullement qui se cache sous ce nom.

— C'est insensé... insensé !

— Non. C'est de la politique !

Marianne se sentit perdre pied. D'un geste nerveux, elle porta ses deux mains à sa tête comme pour tenter d'en maintenir les pensées folles. Arcadius disait des choses tellement énormes, tellement étranges aussi qu'elle ne pouvait plus le suivre sur ces chemins, soudainement ouverts devant elle et qui lui apparaissaient emplis d'ombres denses et d'embûches dressées audevant de chacun des pas qu'elle pourrait faire dans ces ténèbres... Elle essaya cependant de lutter encore contre la sensation d'incohérence.

— Mais enfin, c'est impossible ! L'Empereur...

— Qui vous parle de l'Empereur ? coupa Jolival avec rudesse. Je vous ai dit Fouché. Asseyez-vous un instant, Marianne. Cessez de tourner en rond comme un oiseau affolé et écoutez-moi. Au point où en est venu l'Empereur, à ce jour, il atteint l'apogée du triomphe, et de la puissance. Il n'a presque plus rien devant lui : le Tzar jure qu'il l'aime comme un frère depuis Tilsitt, l'Empereur François lui a donné sa fille en mariage, il tient le Pape et son empire s'étend désormais depuis l'Elbe et la Drave jusqu'à l'Èbre. Seules demeurent, en face de lui l'Espagne misérable, féroce, et son alliée l'Angleterre. Mais que cette dernière se retire et l'Espagne tombera comme la branche détachée du tronc par l'orage. Or, Joseph Fouché nourrit un grand rêve : celui d'être, après l'Empereur, l'homme le plus puissant d'Europe, celui qui pourrait, au besoin, le remplacer quand il guerroie au loin. Il l'a fait, récemment, quand les Anglais débarquèrent dans l'île de Walcheren. Napoléon était en Autriche, la France s'ouvrait devant l'envahisseur. Fouché a mobilisé toutes les gardes nationales du Nord de sa propre initiative, chassé l'Anglais, sauvé peut-être l'Empire. Napoléon l'a approuvé quand chacun s'attendait à voir tomber sa tête pour avoir osé usurper le pouvoir impérial. Fouché a été récompensé : il est devenu duc d'Otrante, mais l'avantage qu'il a conquis, il veut le garder et même le renforcer ; il veut être l'intérim, le suppléant de Napoléon, et pour y parvenir, il a conçu un plan d'une folle hardiesse : rapprocher la France de l'Angleterre, sa dernière et mortelle ennemie et, depuis plusieurs mois, secrètement, au moyen d'agents éprouvés et par le canal du roi de Hollande, il a entrepris des pourparlers avec le cabinet de Londres. Qu'il parvienne à trouver, avec lord Wellesley, un terrain d'entente, un seul, et il bâtira là-dessus l'une de ces toiles d'araignée dont il a le secret, dupera tout le monde, embrouillera tout... mais connaîtra un jour la gloire de dire à Napoléon : « Cette Angleterre qui n'a jamais voulu composer avec vous, j'ai réussi à vous l'amener. Elle est prête à traiter moyennant telle ou telle conditions ! » Bien sûr, tout d'abord Napoléon sera furieux... ou feindra de l'être, car ce sera lui arracher du pied sa plus grosse épine, ce sera ancrer sans danger sa dynastie. Moralement, il aura gagné... Voilà pourquoi lord Cranmere, qui est très certainement envoyé par Londres, n'a rien à craindre de Fouché.

— Mais tout de l'Empereur, murmura Marianne qui avait écouté attentivement le long exposé de Jolival. Et, après tout, pour que Fouché se décide à faire son devoir qui est de pourchasser les agents ennemis, il suffirait d'avertir Sa Majesté de ce qui se trame.

Sa vieille rancune contre Fouché, l'homme qui l'avait si froidement exploitée quand elle n'était qu'une fugitive cherchant asile, caressait avec complaisance l'idée de révéler à Napoléon les agissements secrets de son précieux ministre de la Police.

— Je crois, fit Arcadius gravement, que vous auriez tort. Certes, je comprends qu'il vous soit pénible d'apprendre qu'un ministre de l'Empereur outrepasse ainsi ses droits, mais l'entente avec l'Angleterre serait la meilleure chose qui pourrait arriver à la France. Le Blocus continental est cause d'une foule de maux : la guerre d'Espagne, l'incarcération du Pape, les troupes qu'il faut lever sans cesse pour défendre les interminables frontières...

Cette fois, Marianne ne répondit rien. L'extraordinaire aptitude que semblait posséder Arcadius d'être toujours si parfaitement renseigné sur toutes choses n'avait, apparemment, pas fini de l'étonner. Tout de même, cette fois, l'affaire lui paraissait un peu forte. Pour que Jolival fût aussi au courant d'un secret d'État, il fallait qu'il y fût mêlé d'assez près. Incapable de taire sa pensée, elle demanda :

— Dites-moi la vérité, Arcadius... Vous êtes, vous aussi, un agent de Fouché, n'est-ce pas ?

Le vicomte se mit à rire de bon cœur, mais Marianne trouva tout de même à ce rire un rien d'apprêt.

— Mais toute la France, ma chère, est aux ordres du ministre de la Police : vous, moi, notre amie Fortunée, l'impératrice Joséphine...

— Ne plaisantez pas. Répondez-moi franchement.

Arcadius cessa de rire, vint jusqu'à sa jeune amie et, doucement, lui tapota la joue.

— Ma chère enfant, dit-il doucement, je ne suis l'agent de personne que de moi-même... si ce n'est de l'Empereur et de vous. Mais ce que j'ai besoin de savoir, je m'arrange pour l'apprendre. Et, dans cette affaire, vous n'imaginez pas combien de personnes sont déjà impliquées. Je jurerais, par exemple, que votre ami Talleyrand n'en ignore rien.

— Bien, soupira la jeune femme agacée. En ce cas,

que puis-je faire pour me défendre contre lord Cranmere puisqu'il est si puissant ?

— Rien pour le moment, je vous l'ai dit : payer.

— Je ne trouverai jamais cinquante mille livres avant trois jours.

— Combien avez-vous au juste ?

— Quelques centaines de livres en dehors de ces vingt mille. Bien sûr, j'ai mes bijoux... ceux que m'a donnés l'Empereur.

— N'y songez pas. Il ne vous pardonnerait pas de les vendre, ni même de les engager. Le mieux serait de lui demander, à lui, le complément de la somme. Pour ce qui est de la vie quotidienne, vous avez plusieurs propositions de concerts qui en assumeront la charge.

— A aucun prix je ne lui demanderai cet argent, coupa Marianne si catégoriquement que Jolival n'insista pas.

— Dans ce cas, soupira-t-il, je ne vois qu'un moyen...

— Lequel ?

— Allez donc mettre l'une de vos plus jolies robes tandis que je passe un frac. Mme Hamelin reçoit, ce soir, et vous avait invitée, il me semble.

— Je n'ai aucune intention d'y aller.

— Pourtant vous irez si vous voulez votre argent. Chez la charmante Fortunée nous trouverons certainement son amant en titre, le banquier Ouvrard. Or, à part l'Empereur, je ne vois pas d'endroit plus propice à fournir de l'argent que la caisse d'un banquier. Celui-là est fort sensible au charme d'une jolie femme. Peut-être acceptera-t-il de vous prêter cette somme que vous lui rembourserez... avec la prochaine générosité de l'Empereur, ce qui ne saurait manquer.

Le projet d'Arcadius ne souriait guère à Marianne qui n'aimait pas beaucoup l'idée d'user de son charme auprès d'un homme qui lui déplaisait, mais elle reprit confiance en pensant que Fortunée serait là pour arbi-

trer la tractation. De plus, elle n'avait pas le choix !
Docilement, elle gagna sa chambre pour endosser une
robe du soir.

Jamais Marianne n'aurait pensé mettre tellement de
temps à parcourir la distance reliant la rue de Lille à
la rue de la Tour d'Auvergne, tant il y avait de monde
dans les rues. A travers Paris, embrasé par les illuminations et les gerbes de l'énorme feu d'artifice, la voiture
n'avançait qu'au pas. Encore n'était-ce pas sans soulever les protestations de la foule. Cette nuit, rues et places lui appartenaient et il faut bien admettre que les
voitures étaient rares.

— Nous aurions mieux fait d'aller à pied, remarqua
Jolival, nous serions arrivés plus vite !

— C'est beaucoup trop loin, riposta Marianne.
Nous n'arriverions que demain matin.

— Je ne suis pas certain que ce ne soit pas ce qui
nous attend !

Mais la beauté du spectacle qu'offrait Paris réussit
tout de même à les captiver... Le pont de la Concorde
était devenu une avenue flamboyante grâce à quatre-
vingts colonnes enguirlandées de verres de couleur et
sommées d'une brillante étoile que des girandoles
lumineuses reliaient entre elles. Les échafaudages du
Palais du Corps Législatif disparaissaient sous des allé-
gories lumineuses : le couple impérial au temple de
l'Hyménée, uni par une paix un peu trop blanche mais
magnifiquement couronnée de lauriers verts. Tous les
arbres des Champs-Élysées étaient garnis de lampions
multicolores et des cordons de lumières couraient tout
au long des allées. Les majestueux édifices étaient
éclairés à giorno, ce qui permit à Gracchus d'éviter à
temps une bonne douzaine d'ivrognes qui avaient un
peu trop fréquenté les fontaines de vin, en traversant
la place de la Concorde. On trouva un peu d'accalmie
dans la rue Saint-Honoré, mais aux approches du Con-

seil d'État, où avait lieu le souper de mariage, il fallut stationner un bon moment.

En effet, le couple impérial était apparu au balcon, accompagné du chancelier d'Autriche, le prince de Metternich. Au milieu d'un enthousiasme délirant, le prince, armé d'un verre de champagne, avait crié :

— Je bois au roi de Rome !

— Le roi de Rome ? fit Marianne agacée, qui est celui-là ?

Arcadius se mit à rire.

— Chère ignorante ! Et le Senatus Consulte du 17 février dernier ? C'est le titre que portera le fils de l'Empereur. Avouez que pour un ministre de l'ex-Saint Empire Romain Germanique, Metternich fait preuve d'une grande largeur d'idées.

— Il fait surtout preuve d'un absolu manque de tact ! Curieuse façon de rappeler à cette jeune bécasse qu'on ne l'a épousée que pour les enfants qu'elle est censée donner. Voyez à faire avancer, mon ami ! Nous n'y serons jamais !

Amusé à la pensée que la « jeune bécasse » avait tout de même un an de plus que Marianne, Jolival se garda cependant de tout commentaire, car il devinait que cette nouvelle rencontre avec les « jeunes » époux n'était pas faite pour calmer l'énervement de la jeune femme. Il ordonna gravement au jeune cocher de « presser ses chevaux ». Gracchus répondit non moins gravement qu'à moins de les faire galoper sur les têtes des gens, il n'était pas possible d'aller plus vite et l'on recommença d'avancer... jusqu'aux boulevards où une autre forme de distraction était prévue ; des hérauts d'armes en costumes chamarrés jetaient à pleines poignées à la foule des médailles commémoratives de l'événement. En un rien de temps, il ne fut plus possible de bouger. Autour des chevaux des hérauts, la foule se déchaîna pour tenter d'attraper les médailles et la voiture de Marianne se retrouva au centre d'une extraordinaire mêlée qui, bientôt, cracha des cannes, des chapeaux, des bonnets, des écharpes et une foule d'objets variés.

— Nous n'en finirons jamais, lança Marianne à bout de patience. Et nous ne sommes plus bien loin ! Je préfère continuer à pied.

— En robe de satin et dans cette pagaille ? Vous allez vous faire mettre en pièces.

Mais elle avait déjà ouvert la portière et, retroussant sur son bras la traîne rose et or de sa robe, elle avait sauté dans la foule à travers laquelle elle se glissa avec une souplesse de couleuvre, sans vouloir entendre les hurlements de Gracchus qui, debout sur son siège, criait :

— Mademoiselle Marianne ! Revenez ! Ne faites pas ça !

Force fut à Jolival de se lancer sur sa trace, mais quelques médailles lancées d'une main distraite par l'un des jeunes hérauts, rebondirent sur le bord de son chapeau et le malheureux se vit devenir aussitôt un centre d'intérêt évident pour quelques-uns des loyaux sujets de l'Empereur grands amateurs de médailles. Il ne tarda pas à disparaître sous le nombre, ce que voyant Gracchus dégringola de son siège et armé de son fouet se rua à l'assaut en braillant :

— Tenez bon, Monsieur le vicomte, j'arrive !

Pendant ce temps, Marianne avait réussi à gagner l'entrée de la rue Cerutti sans autre dommage que l'écroulement de sa coiffure et la perte de sa grande écharpe de satin ouatiné mais, la soirée étant exceptionnellement douce pour la saison, elle s'en soucia peu et se mit à courir autant que les pavés inégaux et les ornières de la rue le permettaient à des pieds chaussés de légers escarpins de satin rose. Heureusement la rue, tracée entre les hauts murs de grands hôtels récents et généralement assez obscure, bénéficiait cette nuit-là d'un éclairage inhabituel grâce aux illuminations de verres de couleur dont étaient orné l'hôtel de l'Empire et la fastueuse résidence du roi de Hollande. Sans que la foule soit comparable à celle du boulevard, il y avait tout de même beaucoup de monde allant et venant, mais personne ne prêta attention à cette jeune femme en grand décolleté et robe de soirée, tant il y avait d'agitation dans Paris. Les gens passaient en bandes, se tenant par le bras, chantant à plein gosier des chansons en général fort lestes et contenant toutes un encouragement, direct ou non, à l'Empereur en vue de ses futurs exploits conjugaux. Quelques filles de joie, vêtues de robes voyantes et outrageusement fardées, ondulaient d'un groupe à l'autre, cherchant des clients et Marianne, pour ne pas être confondue avec elles, fit de son mieux pour ne pas ralentir son allure.

Passé l'hôtel de l'Empire, elle atteignait la zone la plus obscure formée par l'hôtel du banquier Martin Doyen, quand la porte du jardin s'ouvrit et Marianne, emportée par son élan, vint heurter l'homme qui en sortait et qui poussa un cri de douleur.

— Bougre d'abruti ! s'écria-t-il en la repoussant brutalement, tu ne peux pas faire attention.

Mais déjà il avait vu à qui il avait affaire et se mettait à rire.

— Pardonnez-moi. Je n'avais pas vu que vous étiez une femme. C'est qu'aussi vous m'avez fait un mal de chien !

— Est-ce que vous imaginez que cette collision m'a été agréable ? riposta Marianne. Je suis pressée.

A ce moment, une bande joyeuse passa, armée de lampions dont la lumière enveloppa Marianne et l'inconnu.

— Sacrebleu, la belle fille ! s'écria-t-il. Après tout c'est peut-être tout de même mon jour de chance. Viens, ma belle on va fêter ça ! Tu es exactement ce dont j'avais besoin.

Stupéfaite par ce subit changement de ton, Marianne avait tout juste eu le temps de s'apercevoir que l'inconnu, vêtu d'un manteau noir jeté à la hâte à même la chemise blanche mal fermée, avait l'allure d'un militaire en civil, qu'il était grand et vigoureux, avec un visage insolent aux traits assez vulgaires, mais qui n'étaient pas sans beauté, sous d'épais cheveux bruns, si frisés qu'ils semblaient presque crépus. Mais elle comprit trop tard qu'au vu de sa robe rose largement décolletée et des mèches noires qui pendaient sur son front, il l'avait prise pour une fille publique. D'une poigne irrésistible, il lui faisait franchir la porte dont il sortait, la claqua derrière lui, plaqua la jeune femme contre le bois de la porte en se pressant contre elle et se mit à l'embrasser avec ardeur, tandis que ses mains agiles commençaient à explorer sa robe.

A demi étouffée mais furieuse, Marianne réagit aussitôt. Elle mordit la bouche qui la violentait puis, d'une bourrade, tenta de repousser l'assaillant. Sa situation ne lui laissant pas beaucoup de force, elle frappa de son mieux et, à sa grande surprise, l'homme avec un nouveau cri de douleur recula.

— Garce ! Tu m'as fait mal.

— Tant mieux, gronda Marianne. Vous n'êtes qu'un goujat !

Et, de toute sa force, elle appliqua un soufflet retentissant sur la joue de son ennemi. Il accusa le coup. Cela permit à Marianne, qui sentait sous son autre main le loquet de la porte, d'ouvrir celle-ci et de se jeter dans la rue. Par bonheur, une troupe d'étudiants et de grisettes qui revenaient du boulevard en faisant sauter les médailles conquises de haute lutte encombrait la rue. Elle se faufila au milieu de la bande hurlante et gesticulante, reçut quelques horions et quelques baisers mais se retrouva finalement près de Notre-Dame de Lorette sans avoir revu son assaillant. De là, elle reprit sa course, non sans peine, car le chemin montait rudement et parvint enfin chez Fortunée à peu près hors d'haleine.

Toutes les fenêtres de la maison étaient éclairées. A travers les vitres, on voyait briller, dans l'ouverture des grands rideaux d'un jaune doux, les cristaux et les bougies des lustres. Des bruits de voix et de rire venaient jusqu'à la rue avec un agréable accompagnement de violons. Avec un soupir de soulagement, Marianne, après avoir constaté que sa voiture n'était pas parmi celles qui attendaient, ne perdit pas de temps à se demander ce qu'étaient devenus Jolival et Gracchus-Hannibal Pioche. Elle courut vers Jonas, le gigantesque majordone noir de Mme Hamelin qui se tenait gravement sur le perron dans son bel habit de panne pourpre galonné d'argent.

— Jonas, conduisez-moi vite à la chambre de Madame et allez lui dire que je suis là. Je ne peux pas, décemment, entrer dans l'état où me voilà.

En effet, la belle robe rose, déchirée, froissée et tachée en plusieurs endroits et les cheveux croulants de Marianne lui donnaient assez l'air de ce pour quoi l'avait prise le bouillant inconnu. Le grand Noir roula de gros yeux blancs.

— Seigneu', Mademoiselle Ma'ianne ! Comme vous voilà faite ! Qu'est-ce qui vous est a'ivé ? s'écria-t-il.

— Oh rien, fit-elle avec un petit rire. Je suis seulement venue à pied. Mais conduisez-moi vite. Si l'on me voyait dans cet état, je mourrais de honte.

— Bien sû' ! Venez vite pa' ici !

Par une porte et un escalier de service, Jonas conduisit la jeune femme jusqu'à la chambre de sa maîtresse et l'y laissa pour aller chercher Fortunée. Avec un soupir de soulagement, Marianne se laissa tomber sur un confortable X de soie vert pomme, placé devant la grande psyché de bronze et d'acajou, qui, avec le lit tout drapé de mousseline des Indes et de brocart jaune soufre, composait le principal ameublement de cette chambre. La glace lui renvoya une image assez affligeante. Sa robe était perdue, ses cheveux emmêlés formaient sur sa tête une sorte de broussaille noire et le rouge de ses lèvres avait été tartiné jusque sur ses joues par les baisers gloutons de l'inconnu.

Avec agacement, Marianne l'essuya avec un mouchoir qui traînait à terre et se traita de sotte ! Sotte d'avoir sauté dans la foule pour arriver plus tôt et plus sotte encore d'avoir écouté Arcadius ! Comme si elle n'aurait pas été mieux inspirée en allant se coucher et en remettant au lendemain son entrevue avec Fortunée au lieu de se lancer dans cette aventure burlesque à travers un Paris à moitié ivre. Comme s'il lui était possible, dans cette nuit de folie, de trouver trente mille livres ! Résultat : elle était morte de fatigue, elle avait mal à la tête et elle était laide à faire peur.

En accourant, Mme Hamelin trouva son amie, au bord des larmes, en train de se faire des grimaces dans le miroir et se mit à rire.

— Marianne ! Mais avec qui t'es-tu battue ? Avec l'Autrichienne ? En ce cas elle doit être dans un bel état et tu es sur le chemin de Vincennes.

— Avec le bon peuple de Sa Majesté l'Empereur et Roi, bougonna la jeune femme, et avec une espèce de satyre qui a essayé de me violenter derrière la porte d'un jardin !

— Mais raconte ! s'écria Fortunée en battant des mains, c'est très amusant !

Marianne regarda son amie avec rancune. Elle était particulièrement en beauté, Fortunée, ce soir. Sa robe de tulle jaune brodée d'or mettait admirablement en valeur la teinte chaude de sa peau et de ses lèvres un peu fortes. Ses yeux sombres brillaient comme des étoiles noires entre ses longs cils courbes. Toute sa personne respirait la joie de vivre et de la volupté.

— Il n'y a pas de quoi rire ! fit Marianne. Je viens de vivre la pire journée de ma vie après celle de mon mariage ! Je... je suis à bout de nerfs et tellement... tellement malheureuse !

Sa voix se brisa. Des larmes jaillirent de ses grands yeux désolés. Aussitôt, Fortunée cessa de rire et prit son amie dans ses bras, l'enveloppant de son lourd parfum de rose.

— Mais tu pleures ? Et moi qui plaisantais ! Ma pauvre petite chatte, je te demande pardon ! Dis-moi vite ce qui t'arrive... mais d'abord retire cette robe en loques ! Je vais t'en donner une autre.

Tout en parlant, rapide comme la pensée, elle dégrafait déjà la robe abîmée quand, soudain, elle s'arrêta, pointa un doigt vers une tache sombre sur le corsage froissé et poussa un cri.

— Du sang ?... Tu es blessée ?

— Ma foi... non, fit Marianne étonnée. Je ne sais même pas d'où il peut venir. A moins que...

Elle se rappelait tout à coup les deux cris de douleur qu'elle avait arrachés à son agresseur et cette tenue bizarre qu'il avait, portant seulement un manteau posé sur sa chemise ouverte. Il était peut-être blessé.

— A moins que quoi ?

— Rien. C'est sans importance ! Oh, Fortunée, il faut absolument que tu viennes à mon secours sans quoi je suis perdue.

A petites phrases courtes, hachées par la nervosité, mais qui se firent plus calmes à mesure qu'elle parlait, Marianne raconta sa terrible journée, les exigences de Francis, ses menaces, l'enlèvement d'Adélaïde et finalement l'impossibilité où elle se trouvait de se procurer trente mille livres dans les quarante-huit heures, à moins de vendre tous ses bijoux.

— Je peux t'en prêter dix mille, fit calmement Mme Hamelin. Quant au reste...

Elle demeura en suspens, contemplant son amie dans la glace entre ses cils mi-clos. Pendant que Marianne parlait, elle l'avait complètement déshabillée puis, à l'aide d'une grosse éponge qu'elle était allée chercher dans son cabinet de toilette et d'un flacon d'eau de Cologne, elle avait entrepris de faire disparaître les traces de poussière et de frictionner vigoureusement la jeune femme pour la réconforter.

— Quant au reste ? demanda Marianne voyant que Fortunée gardait le silence.

Mme Hamelin eut un lent sourire puis, saisissant une grosse houppe de cygne, elle se mit à poudrer doucement les épaules et les seins de son amie.

— Avec un corps comme le tien, dit-elle tranquillement, ce ne devrait pas être difficile à trouver. Je connais dix hommes qui t'en donneraient autant pour une seule nuit.

— Fortunée ! s'écria Marianne suffoquée.

Elle avait reculé instinctivement et rougi jusqu'à la racine de ses cheveux noirs. Mais cette indignation ne troubla pas le beau calme de la créole. Elle se mit à rire.

— J'oublie toujours que tu te crois la femme d'un seul amour et que tu t'obstines à demeurer lamentablement fidèle à un homme qui, pour le moment, fait tout ce qu'il peut pour en engrosser une autre. Quand donc auras-tu compris, jeune idiote, que le corps n'est rien d'autre qu'un merveilleux instrument de plaisir et que c'est un crime contre la nature d'en laisser un comme le tien aussi tragiquement inoccupé ? Tiens, c'est comme si, tout à coup, ce génial escogriffe de Paganini, que j'ai entendu à Milan, décidait de fourrer son célèbre Guarnerius au grenier, d'empiler dessus des vieux journaux et de n'en plus tirer un son pendant des années. Ce serait aussi stupide !

— Stupide ou non, je ne veux pas me vendre ! décréta Marianne avec force. – Fortunée haussa ses belles épaules rondes.

— Ce qu'il y a de pénible, avec vous autres aristocrates, c'est que vous vous croyez toujours obligés d'employer de grands mots pour les choses les plus simples. Enfin, je vais voir ce que je peux faire pour toi.

Elle alla prendre dans une armoire une charmante robe de soie blanche garnie de grandes fleurs exotiques en soie découpées et appliquées.

— Habille-toi, jeune vestale gardienne du sacré feu

de la fidélité amoureuse, pendant ce temps-là je vais voir si je peux me faire enterrer à ta place !

— Que vas-tu faire ? demanda Marianne inquiète.

— Rassure-toi, je ne vais pas me vendre au plus offrant. Je vais seulement demander à ce cher Ouvrard qu'il nous prête les vingt mille livres qui nous manquent. Il est scandaleusement riche et j'ose croire qu'il n'a rien à me refuser. Il est en bas. De plus, ses relations n'étant pas des meilleures avec Sa Majesté, il sera certainement ravi d'obliger en ta personne quelqu'un qui touche l'Empereur... de si près. Installe-toi, repose-toi. En passant, je vais dire à Jonas de te monter un peu de champagne.

— Tu es un amour ! s'écria Marianne sincère.

Du bout des doigts elle envoya un baiser à la folle jeune femme qui disparaissait dans un tourbillon de tulle jaune. Puis, elle se hâta de revêtir la robe de Fortunée par crainte que Jonas ne la surprît dans un appareil par trop sommaire, après quoi, prenant sur la table à coiffer un peigne d'ivoire et une brosse d'argent, elle se mit à démêler et à lisser soigneusement sa chevelure. Une sorte de paix s'était faite en elle, divinement reposante après les angoisses des heures écoulées. Fortunée avait beau faire preuve d'une morale des plus relâchées, il se dégageait d'elle une vitalité, une chaleur humaine capables de réchauffer les âmes les plus transies. La belle créole était de ces créatures sans complications qui savaient seulement donner sans jamais chercher à recevoir. Elle était simple comme la terre même ! Elle donnait, avec la même libéralité, son aide, son temps, son cœur, son argent, sa pitié et ne voyait pas pourquoi elle ferait une exception pour une chose aussi naturelle que son corps généreux. Elle n'était pas de celles qui, sous prétexte de vertu, s'entendent à exercer sur un homme une froide cruauté et le poussent doucement au suicide. Personne ne s'était jamais suicidé pour Fortunée. Elle ne pouvait supporter de voir quelqu'un souffrir, surtout s'il s'agissait, pour calmer cette souffrance, de donner quelques heures d'amour. Et elle réussissait ce tour de force, une fois l'amour passé, de transformer ses amants parfois volages en amis d'une fidélité à toute épreuve. Pour le moment, en tout cas, Marianne était certaine qu'elle déployait tous les charmes de sa séduction et de son esprit pour arracher à son riche ami la grosse somme dont son amie avait tant besoin.

Souriant intérieurement à la pensée de cette amitié, Marianne était occupée à rouler en couronne autour de sa tête ses cheveux qu'elle avait tressés, quand la porte de la chambre claqua. Pensant que c'était Jonas apportant le champagne annoncé, elle ne se retourna pas et continua à se coiffer.

— Je ne sais pas... qui vous êtes, fit au fond de la chambre une voix rauque et haletante, mais... par pitié... allez chercher Mme Hamelin !

Marianne tressaillit et demeura un instant en suspens, les bras arrondis au-dessus de la tête puis, avec l'impression d'avoir déjà entendu cette voix, elle se retourna. Appuyé au battant refermé de la porte, un homme blêmissant luttait visiblement contre l'évanouissement. Les yeux clos, la bouche serrée, il respirait avec peine mais Marianne, figée par la stupeur, ne songea même pas à lui porter secours. Le nouveau venu, en effet, ne portait sous le grand manteau noir jeté sur ses épaules qu'une chemise blanche, un pantalon collant bleu foncé et des bottes à la hongroise. Il avait des cheveux bruns frisés... un visage que la jeune femme épouvantée reconnut en une seconde. C'était son agresseur de la rue Cerutti...

Marianne ne s'était pas trompée en pensant que l'homme devait être blessé. L'explication des taches de sang sur sa robe s'étalait maintenant, bien visible, sur la chemise blanche, à la hauteur de l'épaule gauche tandis que l'inconnu glissait sans connaissance sur le tapis de la chambre.

Pétrifiée, elle l'avait regardé s'écrouler sans même songer à lui porter secours et serait peut-être restée encore un moment à se poser des questions si, derrière la porte, la voix de Jonas ne s'était fait entendre.

— Ouv'ez, Mademoiselle Ma'ianne ! C'est Jonas ! La po'te est coincée !

Le charme s'évanouit. L'homme, en effet, était tombé de telle manière qu'il barrait l'ouverture.

— Un instant, Jonas ! Je vais ouvrir.

Elle prit l'inconnu par les pieds, tira de toutes ses forces pour essayer de l'amener vers le centre de la pièce, mais il était grand et lourd, difficile à manier. Elle parvint tout juste, et non sans peine, à le déplacer suffisamment pour permettre à la porte de laisser passer Jonas.

— Laissez le plateau dehors, je ne peux pas ouvrir davantage, conseilla-t-elle en tirant de son mieux sur le battant.

Le majordome se glissa tant bien que mal par l'étroit espace ménagé.

— Mais qu'est-ce qu'il y a donc, Mademoiselle Ma'ianne ?... Oh ! Monsieur le ba'on ! s'écria-t-il en découvrant l'obstacle. Seigneu'Dieu ! Il est blessé !

— Vous connaissez cet homme ?

— Je pense bien. Il est, comme qui di'ait, de la maison. C'est le géné'al Fou'nier-Sa'lovèze. Est-ce que Maâme Fo'tunée ne vous en a jamais pa'lé ? On ne peut pas le laisser là. Il faut le po'ter su' le lit.

Tandis que le grand Noir enlevait le blessé aussi aisément que s'il n'eût rien pesé et le déposait sur le lit dont la couverture était déjà faite, Marianne rassemblait ses souvenirs. Le général baron Fournier-Sarlovèze ? Bien sûr, Fortunée lui en avait déjà parlé, avec un petit enrouement qui en disait long, quand on connaissait bien la créole, sur le genre de souvenirs qu'il évoquait. C'était le beau François, l'un de ses trois amants en titre, les deux autres étant le non moins séduisant Casimir de Montrond, actuellement exilé à Anvers et

133

le beaucoup moins fascinant, mais beaucoup plus riche, Ouvrard... Mais qu'est-ce que Fortunée lui avait dit encore ? Pourquoi Marianne ne l'avait-elle encore jamais vu chez son amie ?... Ah oui : c'était un homme impossible, le « plus mauvais sujet de l'Armée tout entière », mais aussi le « meilleur sabreur » de la même armée. Comme tel, il partageait sa vie entre de brillantes actions militaires et les mises en disponibilité que lui valaient ses innombrables incartades et ses duels incessants. Pour le moment, il devait en être là, relégué dans sa province natale, en attendant que l'Empereur passât l'éponge sur sa dernière frasque.

En pensant à Napoléon, Marianne se rappela encore autre chose qui l'avait profondément choquée lorsque son amie la lui avait avouée : issu de la Révolution dans laquelle il s'était jeté avec joie, bien qu'il eût d'abord servi le roi, Fournier haïssait l'Empereur qui lui rendait sa haine en mépris, mais laissait tout de même cette tête brûlée reprendre périodiquement du service, eu égard à son exceptionnelle valeur militaire, valeur qui lui avait d'ailleurs mérité le grade de général et le titre de baron. Mais cela paraissait mesquin à Fournier auprès des titres et des fortunes que récoltaient les maréchaux. Tous comptes faits, surtout si l'on y ajoutait les récents souvenirs de Marianne, l'homme n'était ni intéressant ni sympathique. Dans un certain sens, il pouvait même être dangereux et la jeune femme n'avait aucune envie d'en savoir savantage sur son compte. Il était déjà suffisamment choquant de savoir que Fortunée, si dévouée à Napoléon, conservait un tendre sentiment pour ce garçon uniquement parce qu'il était beau et parce que c'était un amant infatigable !...

Tandis qu'avec de grandes exclamations désolées, Jonas ôtait les bottes du blessé et commençait à lui donner quelques soins, Marianne leur tourna le dos et fit quelques pas vers la porte. Elle avait envie de descendre prévenir Fortunée, mais hésitait à le faire, ignorant de quelle manière son amie avait engagé les négociations avec le banquier. Son hésitation ne dura guère. La porte s'ouvrit sous la main nerveuse de Mme Hamelin qui s'écria :

— J'ai fait ce que j'ai pu et je crois que...

Elle s'interrompit. Son regard passa par-dessus l'épaule de son amie, atteignit le lit auprès duquel Jonas avait allumé un chandelier afin d'y voir mieux et s'effara.

— François ! cria-t-elle. Mon Dieu ! Il est mort !...

Avec impétuosité, repoussant Marianne de côté, elle s'élança vers le lit, bouscula Jonas qui, les manches retroussées et armé de charpie, commençait à nettoyer la blessure, et s'abattit avec un hurlement de tigresse sur le corps inerte de son amant.

— Doux Jésus ! Maâme Fo'tunée, protesta le majordome, ne le secouez pas comme ça, sinon vous allez le tuer pou' de bon. Il n'est pas mo't ! Seulement évanoui. Et cette blessu'e, elle n'a pas l'ai' bien se'ieuse.

Mais Fortunée, que Marianne soupçonnait de nourrir un goût secret pour les beaux moments tragiques, ne l'écoutait pas et poussait des lamentations dignes d'un vocero corse. En même temps, elle couvrait son amant de caresses si tendres et de baisers si brûlants que grâce à ces soins étranges joints aux sels anglais que Jonas lui promenait sous le nez ledit amant finit par ouvrir un œil, manifestation de vie qui arracha à Mme Hamelin un cri de triomphe.

— Le Ciel soit béni ! Il est vivant !

— Pe'sonne n'en a jamais douté, bougonna Jonas. L'évanouissement était dû seulement à la fatigue et à la pe'te de sang ! Cessez donc de le bousculer comme ça, Maâme Fo'tunée ! Monsieur le Ba'on va t'ès bien ! Voyez, vous-même.

En effet, le blessé se redressait avec un grognement de douleur. Il sourit à sa maîtresse.

— Je dois vieillir, fit-il. Ce sacré Dupont m'a eu, cette fois, mais je lui revaudrai ça !

— Encore Dupont ! s'insurgea Fortunée. Mais cela fait combien de temps que vous vous battez en duel tous les deux, chaque fois que vous vous rencontrez ? Dix ans, douze ans ?

— Quinze ! corrigea Fournier tranquillement et, comme nous sommes à peu près de même force au sabre, ce n'est pas fini. Est-ce que tu n'aurais pas quelque chose d'un peu remontant pour un blessé qui a...

Il s'interrompit. Franchissant Mme Hamelin, son regard alla se poser sur Marianne qui, les bras croisés et la mine sombre, attendait un peu plus loin que les premiers épanchements fussent terminés, en contemplant les flammes de la cheminée.

— Mais... je vous connais ! fit-il en cherchant visiblement à rappeler un souvenir qui, d'ailleurs, se précisait d'instant en instant. Est-ce que vous n'êtes pas...

— Moi, je ne vous connais pas ! coupa Marianne très raide. Je vous serais seulement reconnaissante de me rendre Fortunée un instant, car je ne souhaite que vous laisser seuls autant que vous voudrez.

— Mon Dieu, s'écria la créole, ma pauvre chérie, je t'oubliais ! Il est vrai qu'avec cette émotion...

Avec autant d'impétuosité qu'elle en avait déployée pour courir à son amant, elle revint à son amie, l'entoura de son bras et chuchota.

— J'ai parlé à Ouvrard. Je crois qu'il est d'accord, mais il désire te dire un mot. Veux-tu descendre le retrouver ? Il t'attend dans le petit salon aux miroirs... Accompagne Mlle Marianne, Jonas, et reviens avec un flacon de cognac pour le général.

Marianne tourna les talons sans se faire prier davantage, soulagée de pouvoir cesser d'être le point de mire du regard de Fournier, où, maintenant, elle pouvait lire une très nette moquerie. De toute évidence, il l'avait reconnue et n'éprouvait aucune gêne au souvenir de son inqualifiable agression. Avant de quitter la pièce,

elle l'entendit encore déclarer, s'adressant à sa maîtresse :

— Je ne connais pas le nom de cette charmante et
revêche personne, mais, je ne sais pas pourquoi, j'ai
comme un vague sentiment de lui devoir quelque
chose...

— Tu as la fièvre, mon chéri, roucoula Fortunée. Je
peux t'affirmer, moi, que tu n'as encore jamais rencontré mon amie Marianne. C'est absolument impossible.

Marianne se retint de justesse de hausser les épaules.
Ce misérable savait bien qu'elle n'oserait jamais dire
à son amie la vérité sur les débuts orageux de leurs
relations et, de toute façon, cela n'avait pas beaucoup
d'importance car elle était fermement décidée à ce
qu'elles en restassent là ! Elle n'avait, en effet, nul
besoin de savoir que cet homme, un peu trop sûr de
lui, détestait l'Empereur, pour le trouver antipathique
et le classer aussitôt au nombre des gens qu'elle n'avait
pas envie de revoir. Elle se jura aussitôt de faire tout
au monde pour qu'il en fût ainsi. Curieusement,
comme s'il répondait à sa façon à la pensée de
Marianne, Jonas, qui descendait derrière elle, mar-
motta :

— Si le géné'al fait un petit séjou' ici, Mademoiselle Ma'ianne en a pou' un bon bout de temps à ne
pas voi' Maâme ! La de'ni'e fois, elle et le géné'al
n'ont pas quitté la chambre pendant huit g'ands jou's !

Marianne ne répondit pas mais fronça les sourcils.
Non qu'une telle cure d'amour lui semblât excessive,
mais parce que ce genre de performance pouvait ne pas
être du tout au goût du banquier Ouvrard, l'amant de
Fortunée, « de service » pour le moment. Et qu'il serait
désastreux pour Marianne que cet homme, dont elle
avait tant besoin, fût gravement indisposé dans les
jours à venir.

Avec un soupir, elle s'en alla rejoindre le banquier
dans le petit salon qu'elle connaissait bien et qui avait
les préférences de Fortunée parce qu'elle pouvait y

contempler sa séduisante image reproduite à de nombreux exemplaires par les grands miroirs vénitiens encastrés dans les moulures gris et or. Là se reflétaient avec bonheur le rose fané des tentures, le gris patiné des petits meubles Directoire, les minces arabesques des girandoles supportant les bougies roses et l'unique note éclatante d'un grand vase de Chine couleur de turquoise foncée où s'épanouissaient tulipes et iris au milieu de longues branches d'épines en fleur. La présence de la maîtresse de maison s'y marquait par la légère senteur de rose, luttant avec l'odeur du feu de bois, par les innombrables et minuscules objets de vermeil qui traînaient un peu partout et par une longue écharpe de gaze dorée abandonnée sur le bras d'un fauteuil.

Mais, en entrant dans la petite pièce et en découvrant Ouvrard accoudé à la cheminée, Marianne se dit que, malgré sa fortune, l'homme n'allait vraiment pas avec le décor. Elle ne voyait pas bien, en dehors de l'argent, ce qui pouvait attirer les femmes chez ce petit bonhomme à la figure de fouine dont la quarantaine commençait à clairsemer les cheveux plats et qui avait toujours l'air d'un portemanteau habillé, malgré le soin extrême qu'il prenait de sa mise et l'élégance, un peu trop riche, de ses vêtements. Pourtant Gabriel Ouvrard avait du succès et pas seulement auprès de Fortunée qui ne cachait nullement son amour de l'argent. On chuchotait que la languissante, la divine, l'éternellement virginale Juliette Récamier avait pour lui des bontés et quelques autres belles avec elle.

Bien que cet autre amoureux de Mme Hamelin ne lui fût pas plus sympathique que le premier – cela semblait véritablement une gageure – Marianne s'efforça de prendre un air aimable et de sourire en s'avançant vers le banquier qui s'était retourné en entendant grincer la porte. Avec une exclamation de satisfaction, Ouvrard saisit les deux mains de la jeune femme, posa un baiser sur chacune d'elles et, sans les lâcher, l'entraîna doucement vers le sofa rose sur lequel, quand elle n'avait rien à faire, Fortunée passait de longues heures à grignoter des sucreries en lisant les rares romans légers que la sévère censure impériale laissait paraître.

— Pourquoi n'être pas venue directement à moi, chère belle, reprocha-t-il sur le ton feutré de la confidence intime. Il était inutile de déranger notre amie pour une pareille misère.

Le mot « misère » fit plaisir à Marianne. Selon elle, vingt mille livres étaient une belle somme et il fallait être un banquier pour en parler avec cette désinvolture méprisante, mais cela lui rendit tout à fait courage. Ouvrard cependant continuait :

— Vous auriez dû venir me trouver tout de suite... chez moi. Cela vous aurait évité bien des angoisses.

— C'est que... je n'aurais jamais osé, fit-elle en essayant tout de même de récupérer ses mains que le banquier continuait à pétrir.

— Ne pas oser ? Une aussi jolie femme ? Ne vous a-t-on jamais dit que la beauté me fascinait, que j'étais son esclave ? Et qui donc, à Paris, a plus de beauté que le Rossignol Impérial ?

— Le Rossignol Impérial ?

— Mais oui, c'est ainsi que l'on vous a surnommée, adorable Maria-Stella ! Ne le saviez-vous pas ?

— Mon Dieu non, fit Marianne qui trouvait que son interlocuteur accumulait un peu trop les adjectifs louangeurs pour un homme à qui l'on se prépare à emprunter une grosse somme d'argent.

Mais déjà Ouvrard continuait.

— J'étais à votre soirée de Feydeau. Ah ! Quelle merveille ! Quelle voix, quelle grâce, quelle beauté ! Je peux dire sans mentir que vous m'avez transporté ! J'étais sous le charme ! Ce timbre rare, si émouvant, jaillissant d'une gorge si pure, de lèvres si roses ! Qui ne se fût senti prêt à s'agenouiller pour mieux adorer ? Pour moi...

— Vous êtes beaucoup trop indulgent, coupa

Marianne gênée qui commençait à craindre que le banquier ne joignît le geste à la parole et ne se mît à genoux devant elle. Mais, je vous en prie, laissons là cette soirée... qui n'a pas tout à fait été telle que je l'aurais souhaitée.

— Oh ! Votre accident ? En effet, c'était...

— Très désagréable et, depuis, les soucis qui l'ont causé n'ont fait que s'accroître. Aussi, je vous demande de me pardonner si je vous parais impatiente et discourtoise, mais j'ai besoin d'une certitude. Vous imaginez bien que ce n'est pas sans une gêne profonde que je me vois contrainte d'appeler au secours...

— Un ami... Un ami fidèle et dévoué, j'espère que vous n'en doutez pas ?

— Puisque je suis là ! Ainsi, je puis compter sur cette somme... pour après-demain, par exemple ?

— Mais naturellement. Voulez-vous après-demain dans l'après-midi ?

— Non, c'est impossible. Je dois chanter aux Tuileries devant... Leurs Majestés.

Le pluriel avait eu du mal à passer mais il était venu tout de même. Ouvrard l'accueillit avec un sourire béat.

— Alors, après-demain soir, après la réception ? Je vous attendrai chez moi. Ce sera au contraire bien plus agréable ainsi. Nous pourrons bavarder... nous connaître mieux !

Les joues soudain empourprées, Marianne se leva brusquement, arrachant ses mains que le banquier tenait toujours. Elle venait de comprendre tout à coup sous quelles conditions Ouvrard accepterait de lui prêter l'argent. Tremblante d'indignation, elle s'écria :

— Je crois que nous nous comprenons mal, Monsieur Ouvrard. Il s'agit d'un prêt. Ces vingt mille livres, je vous les rendrai avant trois mois.

La mine aimable du banquier se plissa en une grimace de contrariété. Il haussa les épaules.

— Qui vous parle d'un prêt ? Une femme comme

vous peut tout exiger. Je vous donnerai davantage encore si vous le désirez.

— Je ne veux que cela... et je n'accepte qu'un prêt.

Avec un soupir, le banquier se leva et s'approcha de la jeune femme qui avait prudemment battu en retraite vers la cheminée. Sa voix, si mielleuse l'instant précédent, se fit coupante tandis qu'une flamme trouble s'allumait dans son regard.

— Laissez les affaires aux hommes, ma chère, et acceptez simplement ce que l'on vous offre de bon cœur.

— Contre quoi ?

— Mais, contre rien... ou si peu de chose ! Un peu de votre amitié, une heure de votre présence, le droit de vous contempler un moment, de vous respirer...

A nouveau, il tendait vers elle des mains avides, toutes prêtes à frôler ou à étreindre. Au-dessus de la cravate neigeuse, le visage jaune du banquier était devenu rouge brique, tandis que ses yeux se fixaient avec gourmandise sur les belles épaules découvertes. Un frisson de dégoût secoua Marianne. Comment avait-elle pu être assez sotte pour s'adresser à cet homme au passé trouble, tout juste sorti de la prison où l'avait envoyé au mois de février précédent une lourde affaire de piastres mexicaines perpétrée en compagnie du Hollandais Vandenberghe ? C'était une pure folie !

— Ce que vous demandez, lança-t-elle brutalement dans une tentative désespérée d'intimidation, je ne peux vous l'accorder car l'Empereur ne le pardonnerait ni à vous ni à moi. Ignorez-vous que je suis... un privilège impérial ?

— Les privilèges se paient cher, signorina. Ceux qui en bénéficient devraient bien se pénétrer de cette vérité... et agir de façon à ce qu'aucune surenchère ne soit possible ! Quoi qu'il en soit, réfléchissez ! Vous êtes lasse ce soir, visiblement bouleversée. Ce jour de noces, bien certainement qui devait être fort éprouvant... pour un privilège ! Mais n'oubliez pas qu'après-demain soir, vingt mille livres... ou davantage, vous attendront chez moi, toute la nuit s'il le faut et tout le jour suivant !

Sans répondre et sans même lui accorder un regard, Marianne tourna les talons et se dirigea vers la porte. Sa dignité, sa hauteur lui conféraient l'allure d'une souveraine offensée, mais elle avait le désespoir au cœur. L'unique chance qu'elle croyait garder de trouver cet argent lui échappait, car jamais, au grand jamais, elle n'accepterait d'en passer par les conditions d'Ouvrard. Elle avait pensé, naïvement, que, sur sa bonne foi, elle pourrait obtenir un prêt amical, mais elle s'apercevait, une fois de plus, qu'avec les hommes les marchés revêtaient toujours une certaine forme quand la femme était jeune et belle. « Je connais dix hommes qui t'en donneraient autant pour une nuit d'amour », avait dit Fortunée et Marianne avait cru à une boutade. Jusqu'à quel point Mme Hamelin était-elle au courant des intentions d'Ouvrard ? N'était-ce pas pour que l'indécente proposition lui fût faite directement qu'elle n'avait pas traité elle-même l'affaire jusqu'au bout ? Marianne cependant ne pouvait se résoudre à croire que son amie l'eût si froidement jetée dans un piège aussi répugnant, la connaissant comme elle la connaissait.

La réponse à la question amère qu'elle se posait lui vint tout à coup, comme elle franchissait la porte du salon aux miroirs, par la voix prudente d'Ouvrard.

— N'oubliez pas : je vous attendrai. Mais... bien entendu, il est inutile que notre chère Fortunée soit mise au courant de notre petit complot. C'est une adorable créature... mais elle est si exclusive !

Exclusive ? Fortunée ? Du coup, Marianne faillit bien en oublier sa colère pour éclater de rire au nez du personnage. Est-ce que ce grotesque se croyait vraiment assez de charme pour attacher « exclusivement » l'oiseau exotique qu'était la belle créole ? Elle eut envie, irrésistiblement, de lui jeter au visage qu'en ce moment même « l'adorable et exclusive créature » se livrait, selon toutes probabilités, aux joies violentes des retrouvailles dans les bras d'un beau garçon qui était son amant de cœur. Rien que pour voir ce qu'il en dirait !

Mais Mme Hamelin menait sa vie comme elle l'entendait et, pour rien au monde, Marianne n'eût voulu lui causer le plus petit ennui. D'ailleurs, il était réconfortant d'apprendre qu'elle n'était pas au courant de la petite infamie d'Ouvrard ni des termes du marché qu'il entendait proposer. Et, du coup, Marianne subit une autre tentation : celle d'aller la prévenir sur-le-champ de la situation, chose qu'elle n'eût pas manqué de faire si Fortunée avait été seule. Mais Marianne ne désirait ni revoir l'insolent Fournier, ni troubler un tête à tête d'amoureux.

— Dites à Mme Hamelin que je la verrai demain, dit-elle simplement à Jonas qui accourait, si toutefois elle est visible.

— Mais, Mademoiselle Ma'ianne, vous n'allez pas so'tir comme ça ! Attendez un petit moment. Je vais fai' atteler.

— C'est inutile, Jonas. Voici tout de même ma voiture qui arrive.

En effet, à travers les portes vitrées du vestibule, elle venait d'apercevoir Gracchus-Hannibal qui, après une courbe gracieuse, arrêtait ses chevaux devant le perron. Mais, tandis que Jonas posait avec sollicitude sur ses épaules un cachemire qui traînait sur un tabouret, ses yeux s'effarèrent en voyant Arcadius s'extraire de la voiture.

Un revers et un pan de son frac noir arrachés, les dentelles de sa chemise pendant de son cou comme des ficelles, son beau chapeau de soie complètement défoncé, un œil poché, et de nombreuses égratignures répandues sur son visage, le vicomte de Jolival portait les marques glorieuses du combat qu'il venait de soutenir, tandis que Gracchus, très raide sur son siège, mais sans chapeau et ébouriffé, très rouge et l'œil brillant, brandissait encore son fouet avec autant d'assurance que Jupiter triomphant maniant sa foudre.

— Eh bien ! souffla Marianne, vous voilà frais ! Mais d'où sortez-vous ?

— De la foule où vous nous avez laissés ! grogna Jolival. Évidemment, vous êtes beaucoup plus fraîche que nous... mais je croyais me souvenir que vous aviez une robe rose en partant ?

— Elle aussi a eu des aventures ! Mais venez, mon ami, rentrons. Vous avez grand besoin d'un bain et de quelques soins. A la maison, Gracchus, et le plus vite possible !

— Si vous voulez que j'aille ventre à terre, Mademoiselle, il faut passer par le mur des Fermiers Généraux et faire le tour de la moitié de Paris.

— Passe par où tu veux, mais ramène-nous et évite la foule.

Tandis que l'attelage franchissait de nouveau la grille de l'hôtel, Arcadius se remit à tamponner son œil avec son mouchoir.

— Alors ? demanda-t-il. Avez-vous obtenu quelque chose ?

— Dis mille livres que Mme Hamelin m'a proposées spontanément.

— C'est aimable... mais ce n'est pas encore assez. Avez-vous essayé du côté d'Ouvrard, comme je vous l'avais conseillé ?

Marianne pinça les lèvres et fronça les sourcils au souvenir de ce qui venait de se passer.

— Oui. Fortunée m'a ménagé un entretien avec lui. Mais nous n'avons pas pu nous entendre. Il... il est trop cher pour moi, Arcadius !

Il y eut un petit silence que Jolival employa à peser ces quelques mots dont il n'eut aucune peine à découvrir le véritable sens.

— Ah ! dit-il seulement. Et... Mme Hamelin est au courant des termes du marché ?

144

— Non. Et l'on ne tient pas à ce qu'elle les connaisse. Je lui en aurais cependant fait part sans hésiter, mais elle était terriblement occupée.

— Par quoi ?

— Une espèce de soudard blessé à l'épaule qui lui est tombé dessus tout à l'heure comme une cheminée un jour de grand vent et qui paraît tenir une grande place dans sa vie. Un certain...

— Fournier, je sais ! Ah, le hussard est revenu ? Il a beau détester l'Empereur, il ne peut pas supporter de rester longtemps loin des champs de bataille.

Marianne poussa un petit soupir :

— Y a-t-il quelque chose que vous ne sachiez pas, mon ami ?

Jolival grimaça un sourire que ses égratignures rendaient sans doute douloureux et contempla d'un air morose les ruines de son chapeau.

— Oui... par exemple comment nous allons nous procurer les vingt mille livres qui nous manquent encore.

— Il ne nous reste qu'une solution : mes bijoux, même si cela doit me causer les pires ennuis avec l'Empereur. Demain vous verrez s'il est possible de les engager. Sinon... il faudra bien vendre.

— Vous avez tort, Marianne. Croyez-moi, mieux vaudrait voir l'Empereur. Demandez-lui une audience et, puisque vous chantez aux Tuileries après-demain...

— Non... à aucun prix ! Il sait trop bien poser les questions et il y a des choses que je ne veux pas lui dire. Après tout, ajouta-t-elle avec tristesse, je suis bien réellement une meurtrière. J'ai tué une femme, sans le vouloir, mais je l'ai tuée. Cela, je refuse de le lui apprendre.

— Croyez-vous qu'il ne posera pas de question, s'il apprend que vous avez vendu ses émeraudes ?

— Essayez d'obtenir la possibilité de les racheter dans deux ou trois mois. Je chanterai partout où l'on me le demandera. Trouvez-moi des contrats.

— C'est bien, soupira Jolival, je ferai de mon mieux. En attendant, prenez toujours ceci.

Fouillant dans le gousset de son gilet blanc maculé, il en tira quelque chose de rond et de brillant qu'il fourra dans la main de Marianne.

— Qu'est-ce que c'est ? demanda-t-elle en se penchant pour mieux voir car, dans la voiture, l'obscurité était à peu près totale.

— Un petit souvenir de cette excellente journée, ricana Jolival. Une des médailles que l'on distribuait tout à l'heure. Je l'ai gagnée de haute lutte. Gardez-la, je l'ai payée assez cher, ajouta-t-il en recommençant à tamponner son œil enflé.

— Je suis désolée pour votre œil, mon pauvre ami, mais, croyez-moi : même si je devais vivre mille ans, je me souviendrais de cette journée-là !

CHAPITRE V

LE CARDINAL DE SAN LORENZO

Fidèle à son rôle de chevalier servant, le prince Clary était venu chercher Marianne, le mercredi suivant, pour la conduire aux Tuileries. Mais, tandis qu'une voiture de l'ambassade les emmenait vers le vieux palais, Marianne n'avait pas été sans observer la mine préoccupée de son compagnon, malgré les efforts qu'il faisait pour se montrer comme à son habitude. Un pli soucieux qui ne parvenait pas à s'effacer barrait le front du jeune homme sous son épaisse chevelure blonde et son sourire franc avait beaucoup moins de gaieté que de coutume. Il ne fit d'ailleurs pas de difficultés pour l'admettre, quand elle lui en fit doucement la remarque.

— Je suis inquiet, ma chère Maria. Je n'ai pas revu l'Empereur depuis avant-hier, soir de son mariage, et je me demande si la réception de tout à l'heure va se passer sans difficultés. Je ne connais pas encore bien Sa Majesté, mais je l'ai vue si fort en colère l'autre jour, à la sortie de la chapelle...

— En colère ? A la sortie de la chapelle ? Mais que s'est-il passé ? demanda Marianne dont la curiosité s'était aussitôt éveillée.

Léopold Clary lui sourit, prit sa main et y déposa un baiser rapide.

— C'est vrai, vous n'y étiez pas puisque vous

147

m'aviez abandonné. Eh bien, sachez qu'en entrant dans la chapelle l'Empereur s'est aperçu que, sur vingt-sept cardinaux invités, douze seulement étaient là. Il en manquait quinze et croyez-moi cela faisait un vide extrêmement visible.

— Mais... pourquoi cette abstention, certainement volontaire ?

— Il n'y a pas à en douter, hélas ! Et cela nous soucie beaucoup à l'ambassade. Vous savez quelle est la position de l'Empereur en face du Pape ? Il tient Sa Sainteté prisonnière à Savone et n'a pas cru devoir s'adresser à elle pour la dissolution de son précédent mariage. C'est l'Officialité de Paris qui a tout fait... Or, l'absence de ces princes de l'Église laisse planer un doute sur la légitimité du mariage de notre archiduchesse. C'est extrêmement désagréable et ces quinze places vides n'ont guère réjoui non plus le prince de Metternich.

— Bah ! fit Marianne avec un certain sentiment de satisfaction, vous saviez tout cela avant que votre princesse ne quittât Vienne. Vous n'aviez qu'à vous montrer plus ferme sur le chapitre religieux, vous pouviez exiger que Sa Sainteté sanctionnât la répudiation de l'Impératrice Joséphine. Ne me dites pas que vous ignoriez que le Pape a excommunié l'Empereur il y aura bientôt un an ?

— Je sais, fit tristement Clary, et nous le savons tous. Pourquoi m'obliger à vous rappeler que, depuis, nous avons été battus, à Wagram, que nous avons besoin de paix, de répit et que nous n'étions pas assez forts pour opposer un refus à la demande de l'Empereur Napoléon.

— Dites que ce mariage était inespéré pour vous, fit la jeune femme avec une cruauté qu'elle regretta aussitôt devant l'air malheureux de son ami et en l'entendant soupirer :

— Ce n'est jamais amusant d'être vaincu. Quoi qu'il en soit, ce mariage est chose faite et s'il nous est

148

pénible de voir l'Église traiter si cavalièrement l'une de nos princesses, nous ne pouvons tout de même pas lui donner entièrement tort. C'est pourquoi je suis inquiet. Vous savez que tous les évêques et cardinaux ont été invités à ce concert.

Marianne l'ignorait d'autant moins qu'elle s'était habillée en conséquence. Sa robe d'épaisse soie mate bleu pâle brodée de palmettes d'argent n'était qu'à peine décolletée sous les rangs de perles qu'elle tenait de sa mère et qui étaient le seul bijou qu'elle eût conservé – le reste avait été confié la veille à Jolival. Les manches en étaient longues et couvraient même une partie de la main. Elle eut un geste d'insouciance.

— Vous vous tourmentez pour peu de chose, mon ami. Pourquoi voulez-vous que les cardinaux hostiles viennent davantage à ce concert qu'à la cérémonie ?

— Parce que les invitations de votre Empereur ressemblent beaucoup à des ordres formels et qu'ils n'oseront peut-être pas s'abstenir une seconde fois. Assister au mariage c'était en quelque sorte le sanctionner, tandis qu'un concert... Et je redoute l'accueil que va leur faire Napoléon. Si vous aviez vu le regard dont il a gratifié les sièges vides, à la chapelle, vous seriez aussi inquiète que moi. Mon ami Lebzeltern en a eu froid dans le dos. S'il y a conflit, notre position va être fort désagréable. L'empereur François est fort bien avec Sa Sainteté.

Cette fois, Marianne ne répondit pas, peu intéressée par les cas de conscience de l'Autriche qui, selon elle, avait amplement mérité ses ennuis. D'ailleurs, on arrivait. La voiture avait franchi le pont des Tuileries, les guichets du Louvre et s'approchait des hautes grilles dorées qui fermaient la cour du Carrousel. Mais la progression s'avéra bientôt de plus en plus difficile. Une grande foule encombrait les abords du palais, s'écrasait contre les grilles que certains escaladaient même afin de mieux voir malgré les efforts des factionnaires de garde. Une foule qui semblait singulièrement intéressée et même amusée, car des exclamations et des rires se faisaient entendre.

— Qu'elle soit parisienne ou viennoise, la foule est toujours également curieuse, indiscrète et indisciplinée, bougonna le prince. Regardez comme elle assiège ces grilles sans s'occuper des voitures qui arrivent. J'espère qu'elle consentira tout de même à nous laisser passer...

Mais déjà le coureur de l'ambassade avait réussi à faire reconnaître la voiture de son maître et les grenadiers de garde s'employaient à faire écarter la foule. Le cocher enleva ses chevaux, franchit les grilles et les occupants de la voiture purent découvrir l'étrange spectacle qui passionnait et amusait à la fois les Parisiens. Dans l'immense cour, parmi les soldats au garde-à-vous et les officiers du palais, les valets et les palefreniers qui veillaient au bon ordonnancement de l'arrivée des invités, quinze cardinaux en grand costume, la traîne de leur simarre pourpre relevée sur le bras, erraient à l'aventure, leurs secrétaires et confidents trottant sur leurs talons comme un bataillon de poules noires affolées... Ils allaient et venaient sous le soleil que déversait un ciel joyeux, d'un joli bleu tendre poudré de nuages plus légers que des plumes, mais il fallait l'esprit frondeur du peuple de Paris pour trouver quelque gaieté dans ces majestueuses silhouettes rouges qui semblaient divaguer sans but et sans secours, car ni soldats, ni officiers n'avaient l'air de s'en soucier.

— Qu'est-ce que cela veut dire ? demanda Marianne.

En se tournant vers Clary, elle vit qu'il était devenu très pâle et que ses épais favoris blonds tremblaient contre ses joues.

— Je crains que ce ne soit là une des manifestations de la colère de l'Empereur. Qu'a-t-il pu encore imaginer ?

La voiture s'arrêtait devant le perron. Un laquais en

ouvrit la portière. Clary se hâta de descendre et offrit la main à sa compagne pour l'aider à mettre pied à terre.

— Venez vite, dit-il. Entrons ! Je donnerais beaucoup pour n'avoir rien vu.

— Pour que votre conscience n'ait pas à se poser de questions ? ironisa Marianne. Quel est donc l'animal qui pratique ce genre de politique ? L'autruche, il me semble ? Seriez-vous... autruchien ?

— Quel affreux jeu de mots ! Il y a des moments où je me demande si vous ne me détestez pas !

A dire vrai, Marianne se l'était déjà demandé bien avant lui, mais, pour le moment, la réponse ne l'intéressait pas. Ses yeux clairs venaient de s'arrêter sur l'un des prélats, un petit bonhomme que sa taille courte et sa *capa magna* transformaient en une énorme et curieuse rose rouge. Debout sur la dernière marche du perron, en compagnie d'un abbé maigre et noir qui courbait sa longue taille pour mieux l'entendre, il lui tournait le dos et semblait discuter avec animation sans se soucier autrement de ses collègues qui se groupaient par trois ou quatre pour délibérer. Quelque chose, dans ce petit cardinal, fascinait Marianne sans qu'elle fût capable de dire ce que c'était. La forme de la tête peut-être, au-dessus du collet d'hermine, la couleur des cheveux gris sous la ronde calotte pourpre ? Ou alors, les mains, admirables d'ailleurs, que le prélat agitait dans le feu de la discussion ?... Soudain, il tourna la tête. La vue de son profil arracha un cri impossible à retenir :

— Parrain !...

Le sang avait bondi à ses joues, à son front en reconnaissant l'homme qui, durant toute sa jeunesse, avait partagé son cœur d'enfant avec sa tante Ellis. Et ce cœur, à peine entrevues quelques lignes du visage, n'avait pas hésité. Le petit cardinal, c'était Gauthier de Chazay.

— Qu'avez-vous dit ? s'inquiéta Clary en la voyant si bouleversée. Vous connaissez...

Mais elle ne l'écoutait plus. Elle l'avait même totalement oublié d'un seul coup, comme elle avait oublié le reste du décor, le lieu où elle se trouvait, tout, jusqu'à son propre personnage, pour se retrouver, comme autrefois, petite Marianne d'une dizaine d'années, accourant de toute la force de ses jambes depuis le fin fond du parc de Selton quand elle apercevait l'abbé de Chazay remontant la grande allée au pas tranquille de sa mule. Elle ne s'étonnait même pas de retrouver, sous la pourpre cardinalice, le petit abbé toujours à court d'argent, toujours trottant à travers l'Europe pour de mystérieux voyages. Avec lui tout était possible, même l'inimaginable ! Une joie si grande la soulevait qu'elle refit tout naturellement les gestes d'autrefois. Relevant à deux mains sa robe fastueuse et sa traîne, elle s'élança pour rejoindre les deux prêtres qui, déjà, s'éloignaient, sans se soucier de la curiosité qu'elle soulevait. En trois secondes, elle les eut atteints.

— Parrain ! C'est trop beau !... C'est trop de joie !...

Riant et pleurant tout à la fois, elle s'était jetée impulsivement au cou du petit cardinal qui, stupéfait, avait tout juste eu le temps de la reconnaître avant de la recevoir dans ses bras.

— Marianne !

— Oui, c'est moi, c'est bien moi ! Oh, mon parrain, quel bonheur !

— Marianne ici ? Est-ce que je deviens fou ? Mais qu'est-ce que tu fais à Paris ?

Il l'avait détachée de lui et, la maintenant au bout de ses bras, il la regardait avec une joie mêlée d'étonnement beaucoup plus forte que le souci de sa dignité. Tout son visage sans beauté rayonnait.

— Mais c'est que je ne rêve pas ! C'est bien toi ! Mon Dieu, petite, que tu es devenue belle ! Que je t'embrasse encore !...

Et, sous les yeux ahuris de l'abbé maigre et du prince Clary qui avait suivi machinalement sa compagne, le cardinal et la jeune femme retombèrent dans les bras l'un de l'autre avec un enthousiasme qui ne laissait aucun doute sur la chaleur de leurs sentiments mutuels.

Ces marques d'affection si peu protocolaires donnèrent sans doute à penser au maigre abbé, car il se mit à toussoter et, frappant respectueusement sur l'épaule du prélat :

— Que Son Éminence me pardonne, mais il faudrait peut-être... Je veux dire... euh !... les circonstances... Enfin, Son Éminence devrait se rendre compte qu'on la regarde !

C'était vrai. Serviteurs du palais, gardes et prélats errants avaient tous les yeux fixés sur le groupe étrange que formaient, sous l'œil d'un abbé noir et d'un superbe officier autrichien, le petit cardinal et cette ravissante jeune femme somptueusement vêtue. On souriait, on chuchotait. Seul, Léopold Clary paraissait sur des charbons ardents. Mais Gauthier de Chazay haussa les épaules superbement :

— Ne dites donc pas de sottises, Bichette ! On peut regarder autant que l'on veut ! Savez-vous que c'est mon enfant, l'enfant de mon cœur veux-je dire, que je retrouve là ? Mais j'imagine que vous souhaitez être présenté ? Marianne, mon petit, voici l'abbé Bichette, mon secrétaire dévoué. Quant à vous, mon ami, sachez que cette belle dame est ma filleule, lady Marianne...

Il s'arrêta court, réalisant d'un seul coup ce qu'il était en train de dire, emporté qu'il était par la joie et par son tempérament enthousiaste. Son sourire s'effaça comme si quelque main invisible avait tiré un rideau dessus. Il regarda Marianne avec une soudaine inquiétude :

— C'est impossible ! murmura-t-il. Comment peux-tu être ici, en France, introduite dans ce palais en compagnie d'un Autrichien...

— Prince Léopold Clary und Aldringen ! rectifia le jeune homme en claquant les talons pour saluer.

— Vous me voyez charmé, fit machinalement le

153

cardinal qui suivait son idée. Je disais, comment peux-tu être à Paris, alors que la dernière fois que nous nous sommes vus... Où est donc... ?

Marianne se hâta de l'interrompre, prise d'une soudaine frayeur en devinant ce qui allait suivre. La mine effarée de Clary, qui avait certainement entendu le malencontreux « lady Marianne » était déjà bien suffisamment inquiétante.

— Je vous expliquerai tout cela plus tard, cher parrain. C'est une histoire beaucoup trop longue et surtout impossible à raconter au milieu de cette cour. Dites-moi plutôt ce que vous y faites vous-même. Vous alliez repartir, à pied, si j'ai bien compris ?...

— J'y fais ce que font les autres, parbleu ! bougonna le cardinal. Quand nous nous sommes présentés ici, mes frères et moi, le Grand Maréchal du Palais nous a intimé l'ordre de repartir sur-le-champ, parce que Sa Majesté corse refusait de nous recevoir, le cuistre !

— Éminence, implora l'abbé Bichette en roulant des yeux affolés autour de lui, prenez garde à vos paroles.

— Hé ! Je dis ce que je veux ! Je suis chassé, non ? Et l'on a même eu la délicate attention de renvoyer toutes nos voitures afin que nous puissions offrir aux badauds de Paris le spectacle réjouissant que nous formons : quinze cardinaux errant dans la poussière, simarres retroussées et rentrant chez eux à pied, comme des merciers ! J'espère que le bon peuple de Paris apprécie à sa juste valeur la courtoisie de son souverain !

Mgr de Chazay était devenu aussi rouge que sa robe et sa voix aristocratique, toujours si douce, commençait à claironner d'inquiétante façon. Clary intervint :

— Vos Éminences, si je comprends bien, sont celles qui n'ont pas cru devoir assister au mariage de notre archiduchesse ? fit-il d'un ton assez raide. Il est bien certain que l'empereur Napoléon ne pouvait laisser passer un tel affront sans en tirer quelque vengeance. J'avoue que je m'attendais à pire.

— Le pire viendra certainement, soyez sans crainte ! Quant à l'archiduchesse, croyez bien, monsieur, que nous regrettons infiniment, mais nous devions à Sa Sainteté de nous conformer entièrement à la position qu'elle a prise. Le mariage de Napoléon et de Joséphine n'a pas été annulé par Rome.

— Autrement dit, notre princesse n'est pas mariée, selon vous ? s'emporta Clary.

Marianne, épouvantée, voyant poindre un nouveau sujet de scandale, se hâta d'intervenir.

— Par pitié, messieurs ! Pas ici... Parrain, vous ne pouvez repartir ainsi, à pied. Mais d'abord, où habitez-vous ?

— Chez un ami, le chanoine Philibert de Bruillard, rue Chanoinesse. Je ne sais pas si tu l'as appris, petite, mais l'hôtel de la famille appartient maintenant à une fille d'opéra qui a des bontés pour Napoléon... Je n'y habite donc pas.

Marianne eut tout à coup l'impression d'être frappée à mort. Chacune des terribles paroles venait de lui faire une blessure par laquelle s'échappait le sang de son âme. Blême jusqu'aux lèvres, elle recula, chercha à tâtons le bras de Léopold Clary et s'y appuya. Sans ce secours, elle fut sans doute tombée dans cette poussière même qui maculait déjà les souliers rouges du prince de l'Église. Ces quelques mots mesuraient l'abîme qui s'était creusé entre son enfance et elle. Une terreur affreuse lui venait maintenant que Clary, avec sa naïve franchise et sa chevalerie d'un autre âge, ne vînt rétablir la vérité et n'annonçât tout à trac, sous couleur de la défendre, que la fille d'opéra en question était justement elle. Marianne entendait bien dire la vérité, toute la vérité à son parrain mais à son heure, pas au milieu d'une foule...

Essayant désespérément de dominer son émotion,

elle eut un pâle sourire tandis que sa main se crispait sur la manche du prince.

— J'irai vous y voir ce soir, si vous le permettez. En attendant, la voiture du prince Clary va vous reconduire chez vous, Parrain.

Le jeune Autrichien eut un haut-le-corps.

— Mais c'est que... oh, ma chère, que dira l'Empereur ?

Tout de suite, elle s'emporta, fidèle à cette habitude qu'elle avait de trouver dans la colère un bon palliatif à ses profondes émotions.

— Vous n'êtes pas sujet de l'Empereur, mon cher prince. De plus, je vous rappelle que votre souverain entretient... d'excellentes relations avec le Saint Père. Ou bien, vous aurais-je mal compris ?

Léopold Clary se raidit, levant le menton comme s'il s'était trouvé brusquement devant l'empereur François lui-même.

— Vous avez fort bien compris. Éminence, ma voiture et mes gens sont à votre disposition. Si vous voulez bien leur faire l'honneur...

D'un sec claquement de doigts, sans même se retourner, il avait appelé le cocher qui, devant la conduite si étrange du jeune attaché d'ambassade, n'avait pas encore bougé de devant le perron. La voiture vint, docilement, se ranger près du petit groupe et l'un des laquais, sautant à bas des ressorts arrière, vint ouvrir la portière, baisser le marchepied.

Les yeux clairs du cardinal enveloppèrent d'un même regard la jeune femme en robe bleue si pâle tout à coup et le prince autrichien, presque aussi pâle qu'elle dans son uniforme blanc. Il y avait, dans leur azur candide, un monde d'interrogation, mais Gauthier de Chazay n'en exprima aucune. D'un geste plein de majesté, il tendit aux lèvres de Clary l'anneau de saphir qui ornait sa main avant de l'offrir à celles de Marianne qui, sans souci de la poussière, plia un genou.

— Je t'attendrai ce soir, dit-il, après le salut. Ah...

j'oubliais ! Sa Sainteté Pie VII m'a conféré le chapeau de cardinal au titre de San Lorenzo-fuori-muore [1]. C'est sous ce nom que je suis connu... et admis en France.

Quelques instants après, la voiture autrichienne franchissait les grilles des Tuileries sous l'œil envieux des autres princes de l'Église à l'abandon, qui, l'un après l'autre d'ailleurs, se résignaient à sortir eux aussi, leurs familiers sur les talons, à la recherche d'une problématique voiture de place. Sans bouger, Marianne et Clary regardèrent disparaître le cardinal de San Lorenzo.

Machinalement, la jeune femme épousseta, de ses gants, la poussière qui s'accrochait aux palmes d'argent de sa robe, puis se tourna vers son compagnon.

— Allons-nous, maintenant ?

— Oui... mais je me demande comment nous allons être reçus. La moitié des habitants de ce palais nous a vus offrir une voiture à un homme que, très certainement, Sa Majesté l'Empereur considère comme un ennemi.

— Vous vous demandez trop de choses, mon ami. Allons toujours, nous verrons bien. Il y a, croyez-moi, dans la vie, des choses infiniment plus redoutables que la colère de l'Empereur ! ajouta-t-elle entre ses dents, songeant à ce que dirait son parrain, ce soir, quand il saurait...

La perspective de ce moment atténuait un peu la joie profonde qu'elle avait éprouvée tout à l'heure en le retrouvant mais ne parvenait tout de même pas à l'effacer. C'était si bon de le revoir, surtout à ce moment où elle avait un si pressant besoin de son aide ! Bien sûr, elle entendrait des choses fort désagréables, il jugerait certainement avec beaucoup de sévérité sa nouvelle carrière de chanteuse... mais il finirait par comprendre. Nul n'était plus humain et plus miséricordieux que l'abbé de Chazay... Pourquoi donc le cardinal de San

1. Saint-Laurent hors les murs. Chaque cardinal est titulaire d'une paroisse romaine.

Lorenzo serait-il différent ? Et, en l'occurence, Marianne se souvenait avec un certain plaisir de la méfiance instinctive dont son parrain faisait preuve, jadis, envers lord Cranmere. Il ne pourrait que compatir aux malheurs d'une filleule qu'il aimait, il venait de le rappeler lui-même, comme sa propre enfant... Non, tout compte fait, le soir qui allait venir s'annonçait pour Marianne infiniment plus attirant qu'inquiétant. Gauthier de Chazay, cardinal de San Lorenzo, n'aurait aucune peine à faire annuler par le Pape le mariage qui mettait au cou de sa filleule une si lourde chaîne...

Jamais Marianne n'avait encore pénétré dans les appartements d'apparat des Tuileries. La salle des Maréchaux, où devait avoir lieu le concert, l'écrasa de sa splendeur et de ses dimensions. Ancienne salle des Gardes de Catherine de Médicis, c'était une pièce énorme pour laquelle on avait réuni deux étages sous le dôme du pavillon central du palais. A la hauteur d'un premier étage, face à l'estrade où devaient se faire entendre les artistes, s'ouvrait une grande tribune dans laquelle, tout à l'heure, prendraient place l'Empereur et sa famille. Cette tribune était soutenue par quatre gigantesques cariatides entièrement dorées représentant des femmes drapées à la romaine, mais dépourvues de bras. Un balcon, sur lequel s'ouvraient des arcades tendues, comme les portes et les fenêtres, de velours rouge semé d'abeilles d'or partait de chaque côté de la tribune et faisait le tour de la salle. Le plafond, formant une coupole à quatre pans, avait ses angles ornés de trophées d'armes aussi dorés que monumentaux et son centre occupé par un lustre colossal, tout en cristal taillé, mais que l'on avait dû juger insuffisant, car on l'avait accompagné de quatre autres lustres du même genre, mais plus petits. La voûte elle-même était peinte à fresques dans le genre allégorique, tandis que, pour achever de donner à cette salle un aspect guerrier, les murs du rez-de-chaussée offraient les portraits en pied de quatorze maréchaux séparés par les bustes de vingt-deux généraux et amiraux.

Malgré la foule qui l'emplissait et garnissait le balcon, Marianne se sentit perdue dans cette pièce vaste comme une cathédrale. Il y régnait un vacarme de volière en folie parmi lequel se perdaient les notes sans suite des musiciens accordant leurs instruments. Tant de visages moutonnaient devant elle, en un kaléidoscope éblouissant de couleurs et d'éclairs arrachés aux pierreries, qu'elle fut, un instant, incapable d'en reconnaître un seul. Cependant, elle vit tout de même Duroc, magnifique dans son costume violet et argent de Grand Maréchal du Palais, venir vers elle, mais ce fut à Clary qu'il s'adressa.

— Le prince de Schwartzenberg désire vous voir sur l'heure, Monsieur. Il vous prie de le rejoindre dans le cabinet de l'Empereur.

— Dans le cabinet de...

— Oui, Monsieur. Et mieux vaut ne pas le faire attendre.

Le jeune prince échangea avec Marianne un regard consterné. Cette invitation comminatoire ne pouvait signifier qu'une seule chose : Napoléon était déjà au courant de l'affaire de la voiture et le pauvre Clary allait passer un mauvais moment. Incapable de laisser un ami porter le poids d'une faute qui était sienne, Marianne s'interposa.

— Je sais pourquoi le prince est appelé chez Sa Majesté, Monsieur le Grand Maréchal, mais, comme il s'agit d'une affaire ne concernant que moi seule, je vous prie de vouloir bien faire en sorte que je l'accompagne !

Le visage soucieux du duc de Frioul ne se dérida pas. Bien au contraire, il enveloppa la jeune femme d'un regard sévère.

— Il ne m'appartient pas, Mademoiselle, d'introduire chez Sa Majesté quelqu'un qu'il n'a pas fait demander. Par contre, je dois vous guider vers Messieurs Gossec et Piccini qui vous attendent près de l'orchestre.

— Je vous en prie, Monsieur le duc ! Sa Majesté risque de commettre une injustice.

— Sa Majesté sait parfaitement ce qu'elle fait ! Prince, vous devriez déjà être parti. Voulez-vous me suivre, Mademoiselle ?

Bon gré mal gré, il fallut bien que Marianne se séparât de son compagnon et suivît le Grand Maréchal. Un chuchotement léger, de discrets applaudissements, s'élevèrent sur son passage, mais, préoccupée, elle n'y prêta aucune attention. Timidement, mais fermement, elle posa son bras sur celui de Duroc.

— Il faut que je voie l'Empereur, Monsieur le Grand Maréchal.

— Aussi le verrez-vous, Mademoiselle, mais tout à l'heure. Sa Majesté a daigné indiquer qu'elle vous verrait à l'issue du concert !

— A daigné... Comme vous voilà sévère, monsieur le duc ? Est-ce que nous ne sommes plus amis ?

Un léger sourire vint détendre fugitivement la bouche serrée de Duroc.

— Nous le sommes toujours, chuchota-t-il rapidement, mais l'Empereur est très en colère... et je n'ai pas le droit de me montrer aimable avec vous !

— Est-ce que je suis... en disgrâce ?

— Je ne saurais dire. Mais cela y ressemble un peu.

— Alors, fit derrière Marianne, une voix aimable et lente, laissez-la-moi un moment, mon cher Duroc. Entre disgrâciés on se doit de se soutenir, hé ?

Avant même sa fameuse interjection finale, Marianne avait reconnu Talleyrand. Élégant à son habitude dans un frac vert olive constellé de décorations, sa mauvaise jambe gaînée d'un bas de soie blanche étayée par la canne à pommeau d'or, il dédiait à Duroc son sourire impertinent tout en offrant son bras à Marianne.

Heureux, peut-être, d'être ainsi débarrassé, le Grand

Maréchal s'inclina de bonne grâce et abandonna la jeune femme au Vice-Grand Électeur.

— Je vous remercie, prince, mais ne vous éloignez pas tous les deux, l'Empereur ne va pas tarder.

— Je sais, sussura Talleyrand. Juste le temps de laver la tête au jeune Clary pour lui apprendre à ne pas se montrer trop soumis au charme d'une jolie femme. C'est l'affaire de cinq minutes. Je le connais.

Tout en parlant, il entraînait doucement Marianne vers l'embrasure de l'une des hautes fenêtres. Son air détaché était celui d'un homme qui se livre à un agréable marivaudage de salon, mais Marianne découvrit bientôt que son compagnon disait des choses fort sérieuses.

— Clary passe sans doute un mauvais moment, murmura-t-il, mais je crains que vous n'ayez à subir le plus gros de la colère impériale. Quelle mouche, aussi, vous a piquée ? Sauter au cou d'un cardinal en plein milieu de la cour des Tuileries... et d'un cardinal en disgrâce encore ? Ce sont des choses que l'on ne fait guère... si ce n'est pour quelqu'un de très proche, hé ?

Marianne ne répondit pas. Il était difficile d'expliquer son geste sans avouer sa véritable identité. N'était-elle pas, pour Talleyrand, une certaine demoiselle Mallerousse, bretonne et sans naissance ? Quelqu'un, en tout cas, qui ne pouvait frayer de si près avec un prince de l'Église. Tandis qu'elle cherchait, vainement d'ailleurs, une explication plausible, le prince de Bénévent continua toujours plus détaché :

— J'ai beaucoup connu, jadis, l'abbé de Chazay. Il a débuté comme vicaire de mon oncle, l'archevêque-duc de Reims, qui est actuellement aumônier du roi émigré.

Angoissée, tout à coup, Marianne avait l'impression que les paroles du prince resserraient peu à peu autour d'elle une sorte de réseau. Elle revoyait, au jour de son mariage, la haute silhouette, la longue figure de Mgr de Talleyrand-Périgord, chapelain de Louis XVIII. Son parrain, en effet, était au mieux avec le prélat. C'était même celui-ci qui avait prêté les ornements lithurgiques pour la cérémonie de Selton Hall. Mais, sans paraître remarquer son trouble, Talleyrand poursuivait, de la même voix tranquille, unie comme un lac par beau temps :

— J'habitais à cette époque rue de Bellechasse, tout près de la rue de Lille, alors rue de Bourbon et j'y entretenais d'excellentes relations de voisinage avec la famille de l'abbé. Ah ! quel temps délicieux c'était, soupira le prince. En vérité, qui n'a pas vécu dans les années voisines de 1789 ne sait pas ce que c'est que le plaisir de vivre. Je crois n'avoir jamais rencontré couple plus beau, plus harmonieux et plus tendrement uni que le marquis et la marquise d'Asselnat... dont vous habitez en ce moment la maison.

Malgré son empire sur elle-même, Marianne eut un vertige. Sa main se crispa sur le bras de Talleyrand, s'y accrocha pour mieux lutter contre son émotion. Elle eut peine à retrouver son souffle tant son cœur battait fort. Il lui semblait que ses jambes allaient brusquement lui refuser tout service, mais le prince, impassible, continuait à lui offrir un profil calme et serein, tandis que ses yeux pâles soulevaient à peine leurs lourdes paupières pour regarder autour de lui. Une grande femme, rousse comme une flamme, avec un visage passionné, très belle et toute vêtue de blanc, passa auprès d'eux.

— Je ne vous savais pas un goût si prononcé pour l'opéra, mon cher prince ! lança-t-elle avec une insolence de grande dame.

Talleyrand salua gravement.

— Toute forme de beauté a droit à mon admiration, Madame la duchesse, vous devriez le savoir, vous qui me connaissez si bien.

— Je sais, mais vous feriez bien de conduire... cette personne vers les musiciens. Le petit m... enfin, je veux dire le couple impérial, va faire son entrée.

— Nous y allons ! Merci, Madame.

— Qui est-ce ? demanda Marianne tandis que la belle femme rousse s'éloignait. Pourquoi me dédaigne-t-elle si visiblement ?

— Elle dédaigne tout le monde... et elle-même plus encore que les autres depuis que pour servir une archi-duchesse elle a enfin consenti à accepter une charge de dame de Palais. C'est Mme de Chevreuse. Elle est, comme vous l'avez vu, très belle. Elle est aussi pleine d'esprit et fort malheureuse parce que son âme passionnée l'étouffe. Songez qu'il lui faut dire « l'Empereur » et donner de la « Majesté » à quelqu'un qu'en privé elle appelle tout uniment « le petit misérable ». Cela a d'ailleurs failli lui échapper ! Quant à vous dédaigner...

Brusquement, Talleyrand tourna son regard glauque vers Marianne et dit gravement :

— ... elle n'a d'autre raison de le faire que celle que vous lui avez donnée vous-même ! Une Chevreuse ne peut que dédaigner une Maria-Stella... mais elle aurait ouvert les bras à la fille du marquis d'Asselnat.

Il y eut un silence. Un peu penché vers sa compagne, Talleyrand plongea ses yeux pâles jusqu'au fond du regard vert qui, cependant, ne cilla pas.

— Depuis quand savez-vous ? demanda Marianne avec un calme soudain.

— Depuis que l'Empereur vous a donné l'hôtel de la rue de Lille. Ce jour-là, j'ai compris d'où venait ce souvenir vague que je ne pouvais parvenir à situer, cette ressemblance que je n'arrivais pas à définir. J'ai su qui vous étiez réellement.

— Pourquoi n'avoir rien dit ?

Talleyrand haussa les épaules.

— A quoi bon ? Vous étiez, le plus imprévisible-ment du monde, tombée amoureuse de l'homme que vous aviez été créée pour haïr.

— Mais dans le lit duquel vous m'aviez jetée ! lança Marianne brutalement.

— Je l'ai assez regretté !... ce fameux jour dont je viens de vous parler. Et puis j'ai pensé qu'il valait mieux laisser faire les choses et le temps. Cet amour n'est pas fait pour vivre vieux. Ni cet amour, ni votre carrière artistique...

Frappée, Marianne demanda.

— Pour quelles raisons, s'il vous plaît ?

— Pour une raison unique. Vous n'êtes faite ni pour Napoléon, ni pour le théâtre. Même si vous essayez de vous persuader du contraire, vous êtes l'une des nôtres, une aristocrate, et de la meilleure race. Vous ressemblez tellement à votre père !

— C'est vrai, vous l'avez connu ? fit Marianne avec une soudaine avidité, venue des profondeurs de son être, d'approcher enfin la vérité de cet homme dont elle était la chair, le sang et dont, cependant, elle ne connaissait qu'une image. Parlez-moi de lui !

Doucement, Talleyrand détacha la main frémissante posée sur sa manche, mais la garda un instant dans la sienne.

— Plus tard. Ici, son fantôme s'évoquerait mal. Il y serait si peu à l'aise ! L'Empereur approche. Il vous faut redevenir, pour un temps au moins, Maria-Stella.

Plus vivement maintenant il la guidait vers le groupe des musiciens au milieu desquels elle apercevait Gossec qui l'appelait à grands gestes, Piccini qui ouvrait des partitions sur le piano et Paer, le maître de la chapelle impériale, qui essuyait soigneusement sa baguette. Au moment d'arriver près d'eux, mue par une impulsion irraisonnée, Marianne retint le Vice-Grand Électeur.

— Si je ne suis faite ni pour... l'Empereur ni pour le théâtre, pour quoi, selon vous, suis-je faite ?

— Pour l'amour, ma chère !

— Mais... nous nous aimons !

— Ne confondez pas. J'ai dit l'amour... un grand amour : celui qui bouleverse les mondes, fonde les dynasties impérissables... celui que l'on garde par-delà la mort ; celui enfin que la plupart des hommes ne trouvent jamais.

— Pourquoi, alors, le trouverais-je, moi ?

— Parce que, si vous ne le trouvez pas, c'est qu'il n'existe pas, Marianne... et parce qu'il faut qu'il existe, il le faut pour que des gens comme moi puissent continuer à le nier !

Profondément troublée, Marianne regarda s'éloigner l'étrange boiteux de sa démarche inégale et, cependant, élégante. Elle entrevoyait, dans ces paroles si peu conformes au personnage et à la légende de Talleyrand, dans ce parti pris de la revendiquer pour leur commune caste, comme une offre d'amitié, d'aide tout au moins... D'aide ! A un moment où elle en avait tant besoin ! Mais quel fond pouvait-on faire sur la sincérité du prince de Bénévent ? Pour avoir vécu sous son toit, Marianne mieux que quiconque connaissait cette espèce de charme qu'il dégageait, d'autant plus puissant qu'il semblait entièrement involontaire. Elle se rappela tout à coup une phrase du comte de Montrond que Fortunée Hamelin lui avait, un jour, rapportée en riant : « Eh ! Qui ne l'aimerait ? Il est si vicieux ! »

Qu'avait-il cherché, ce soir ? A la ramener, sans arrière-pensée, vers une existence digne de sa naissance ou, plus simplement, à la détacher davantage de l'Empereur... de l'Empereur qu'il trahissait, disait-on, au profit du Tzar ?

Un appel de trompettes, le claquement solennel de la canne du comte de Ségur, Grand Maître des Cérémonies, et la vaste salle s'emplit d'un respectueux silence tandis que chacun se tournait vers le grand balcon où, dans un flot de toilettes brillantes et d'uniformes chamarrés, le couple impérial venait de faire son entrée. Sur le fond chatoyant des dames du palais et des aides de camp, Marianne vit se détacher deux silhouettes : l'uniforme vert de Napoléon, la robe rose de Marie-Louise, puis ne vit plus rien. Comme toute la cour, elle plongea dans sa révérence.

Pourquoi fallut-il qu'elle prit fin, cette révérence ? Quand Marianne releva les yeux vers les nouveaux mariés l'image de bonheur qu'ils offraient la frappa au cœur. Elle eut la brusque certitude d'une entente... Sans un regard pour la salle brillante, Napoléon faisait asseoir sa femme avec des gestes tendres, prévenants, posant même un baiser sur une main qu'il garda dans la sienne quand, à son tour, il s'assit. Il continua d'ailleurs à se pencher vers elle pour lui parler tout bas, sans se soucier des assistants.

Interdite, Marianne, debout près du piano ne savait quelle contenance prendre. La Cour s'était assise attendant que l'Empereur donnât le signal du concert, ce concert qu'il avait demandé pour délasser Marie-Louise entre le grand déjeuner d'apparat et la réception au cours de laquelle la nouvelle impératrice devait recevoir les félicitations du corps diplomatique et des corps constitués.

Mais Napoléon continuait son aparté souriant et Marianne, au supplice, eut soudain l'impression que cette estrade basse était une sorte de pilori où l'avait clouée le caprice cruel d'un amant oublieux. Une folle envie de fuir cette salle trop riche, ces centaines de paires d'yeux lui vint. Ce n'était, malheureusement, pas possible... Là-haut, dans la tribune, le comte de Ségur se penchait respectueusement vers Sa Majesté, demandant sans doute le signal... qu'on lui accorda d'un geste désinvolte, sans le regarder et qu'il traduisit en un solennel coup de canne.

Le coup de canne déclencha, en écho, les petits coups secs frappés par la baguette de Paer sur son pupitre. Au piano, Alexandre Piccini attaqua le premier accord, entraînant les violons. Au coup d'œil affolé qu'il lui lança, Marianne comprit que son trouble était visible. Là-bas, dans un coin, elle vit le visage inquiet de Gossec, tendu vers elle comme pour une prière. Jamais, sans doute on n'avait vu l'Empereur traiter si cavalièrement une artiste célèbre. Mais Marianne se souvint qu'elle était à peu près en disgrâce, si l'on en croyait ce qu'avait dit Duroc, en disgrâce, pour n'avoir pas permis que son vieux parrain traînât ses moires pourpres de prince de l'Église dans la boue de Paris !...

Une bienheureuse colère vint au secours de son désarroi. Le premier morceau qu'elle devait interpréter était le grand air de la « Vestale », l'air favori de l'Empereur. Prenant une profonde respiration qui calma les battements désordonnés de son cœur, elle l'attaqua avec une énergie qui subjugua l'assistance. En clamant le désespoir de Julia, la vestale condamnée à descendre vivante au tombeau quand tout en elle aspire à la vie, Marianne trouva des accents d'une telle intensité qu'ils bouleversèrent une assistance cependant blasée. Elle chanta véritablement au sommet de son talent, dans l'espoir de forcer enfin l'attention de l'Empereur. Sur les dernières notes, la douleur vibra de façon si poignante dans sa voix que des bravos frénétiques, spontanés, irrésistibles éclatèrent. C'était aller contre le protocole, car seuls les souverains pouvaient en donner le signal. Mais l'art de la chanteuse avait électrisé son public.

Elle releva, vers la loge impériale, des yeux brillants d'espoir... Hélas ! Non seulement Napoléon ne la regardait pas, mais il n'avait même pas paru s'apercevoir qu'elle avait chanté. Penché vers Marie-Louise, il lui parlait de très près. Elle l'écoutait, les yeux baissés, un sourire un peu niais sur les lèvres et si rouge que Marianne, furieuse, en conclut qu'il lui débitait des propos galants. D'un geste impératif, elle indiqua à Paer d'avoir à attaquer le morceau suivant qui était un air du « Mariage secret » de Cimarosa.

Jamais, sans doute, la musique tendre et légère du maître italien n'avait été chantée avec cette sombre ardeur. Ses yeux verts dardés sur l'Empereur, Marianne semblait vouloir forcer son attention. Une colère tumultueuse gonflait son cœur, lui ôtant tout jugement, toute possession d'elle-même. Qu'avait cette sotte Viennoise à sourire avec cette mine de chatte devant un bol de crème ? Dire que l'on avait osé prétendre qu'elle aimait la musique !

Sans doute Marie-Louise n'aimait-elle que la musique de son pays car, non seulement elle n'écoutait pas, mais encore, au beau milieu de l'air, son rire éclata... un rire puéril mais beaucoup trop sonore pour passer inaperçu.

Tout le sang de Marianne reflua vers son cœur. Pâle, tout à coup, elle se tut. Ses yeux étincelants planèrent un instant sur cette assemblée de têtes dont tous les regards avaient la même expression d'attente. Puis, redressant avec arrogance sa tête fière, elle quitta l'estrade et, au milieu d'un silence consterné, sortit de la salle des Maréchaux sans que quiconque, pas même les gardes de la porte, songeât seulement à l'arrêter.

Raide, la tête en feu et les mains glacées, elle poursuivit son chemin sans vouloir entendre l'espèce d'orage qui éclatait derrière elle. Une seule idée, dans son cerveau enfiévré : quitter pour toujours ce palais où celui qu'elle aimait venait de lui infliger un si cruel affront, rentrer chez elle et ensevelir sa douleur au plus profond de la vieille demeure familiale en attendant... ce qui ne pourrait manquer de suivre après un tel éclat : la colère de l'Empereur, les gendarmes, la prison peut-être... Mais à cette minute, tout était égal à Marianne. Elle était en proie à un tel courroux qu'elle eût marché à l'échafaud sans même tourner la tête.

Derrière elle, une voix éclata :

— Arrêtez !... Mademoiselle ! Mademoiselle Maria-Stella !...

Mais elle continua de descendre le grand escalier de pierre comme si de rien n'était. Au vrai, elle n'avait rien entendu. C'est seulement quand Duroc la rattrapa au bas des degrés qu'elle consentit à s'arrêter, dévisageant avec indifférence le Grand Maréchal du Palais qui lui semblait proche de l'apoplexie. Il était presque aussi violet que son magnifique habit brodé.

— Êtes-vous folle ? lança-t-il en essayant de reprendre son souffle. Un pareil scandale... devant l'Empereur encore !

— Qui a donné l'exemple du scandale, sinon l'Empereur lui-même... ou tout au moins cette femme ?

— Cette femme ? L'Impératrice ? Oh !...

— Je ne connais d'autre Impératrice que celle qui a été sacrée par le Pape, celle de Malmaison ! Quant à cette caricature que vous appelez ainsi, je lui refuse en tout cas le droit de me ridiculiser publiquement. Allez dire cela à votre maître !

Hors d'elle, Marianne ne se contenait plus. Sa voix froide sonnait sous les voûtes de pierre du vieux palais avec un éclat que Duroc jugea des plus gênants. Est-ce que, sous la moustache du grenadier de garde au pied de l'escalier, il n'y avait pas l'ombre d'un sourire ? Lui-même se sentait une coupable indulgence envers cette ravissante furie déchaînée... qu'il importait néanmoins d'amener à composition. Forçant sa voix à une sévérité qu'il n'éprouvait guère, le bon Duroc articula en s'emparant du bras de Marianne :

— Je crains qu'il ne vous faille lui dire tout cela vous-même, Mademoiselle. Les ordres de l'Empereur sont que je vous mène à son cabinet où vous attendrez son bon plaisir.

— Suis-je prisonnière ?

— Pas que je sache... du moins pas encore !

La réticence était pleine de désagréables sous-entendus mais ne troubla pas Marianne. Elle s'attendait à payer très cher son incartade mais si la possibilité lui était offerte d'exprimer une bonne fois à Napoléon ce qu'elle avait sur le cœur, ce ne serait pas trop cher payé. Elle entendait bien le faire sans mâcher ses mots. Prison pour prison autant que cela en vaille la peine. Du moins son incarcération la mettrait-elle à l'abri des machinations de Francis Cranmere. L'intérêt de l'Anglais ne serait certainement pas de l'écraser définitivement. Il serait bien obligé d'attendre qu'elle sorte de prison. Restait Adélaïde, mais, de ce côté, elle faisait confiance à Arcadius pour faire le nécessaire.

Ce fut donc avec une certaine sérénité, sa colère momentanément calmée par la perspective d'un entretien avec l'Empereur, que la révoltée franchit le seuil du cabinet qu'elle connaissait bien et entendit Duroc ordonner à Roustan, le mameluck de garde, de n'y laisser entrer personne et d'interdire à Mlle Maria-Stella de communiquer avec qui que ce soit. Cette dernière recommandation lui arracha même un sourire.

— Vous voyez bien que je suis prisonnière ? fit-elle doucement.

— Je vous ai déjà dit non. Mais je ne tiens pas à ce que le jeune Clary vienne japper à cette porte comme un toutou qui a perdu son maître. Quant à vous, je vous conseille de vous préparer à une longue attente car l'Empereur ne viendra pas avant la fin de la réception.

Sans autre réponse qu'un léger mais fort impertinent haussement d'épaules, Marianne alla s'installer près du feu sur le petit canapé jaune où elle avait vu Fortunée Hamelin pour la première fois. La pensée de son amie acheva de lui rendre son calme. Fortunée connaissait trop bien les hommes pour avoir jamais eu peur de Napoléon. Elle avait réussi à persuader Marianne que la dernière des fautes était de trembler, même et surtout s'il entrait dans l'une de ses célèbres colères. C'était, dans les circonstances présentes, un conseil utile à se rappeler.

Un profond silence, troublé seulement par les crépitements du feu, enveloppa la jeune femme. La pièce, malgré sa sévérité, était chaude et intime. C'était la première fois qu'elle s'y trouvait seule et, mue par une curiosité bien féminine, elle entreprit d'en faire le tour. Il lui était doux de se trouver dans ce cabinet où chaque chose rappelait l'Empereur. Négligeant les cartons à documents, les portefeuilles de maroquin rouge aux armes impériales entassés un peu partout, la grande carte d'Europe jetée comme par hasard sur le bureau et la table du secrétaire disposée près de l'une des deux fenêtres, elle prit plaisir à manier les crayons, la longue plume d'oie blanche fichée dans l'encrier de porphyre, l'aigle-porte-montre de bronze doré, une tabatière d'or ciselé qui, mal fermée, laissait échapper sa poudre odorante. Chaque objet ici proclamait sa présence... jusqu'au bicorne noir, tordu et jeté dans un coin, sans doute dans un éclat de colère, récente puisque Constant ne l'avait pas encore ramassé. Était-ce l'affaire du carrosse qui avait motivé cette colère ? Malgré son intrépidité, Marianne ne put empêcher un désagréable frisson de courir le long de son dos. Que serait-ce tout à l'heure ?...

L'inquiétude est une compagne sans attraits. Le temps, soudain, parut très long à la jeune femme. Elle pressentait une bataille et avait hâte de s'y jeter. Lasse de tourner en rond dans le silence feutré du cabinet, elle prit un livre qui traînait sur le bureau et alla se rasseoir. Relié en cuir vert, aux armes impériales, c'était un exemplaire usagé, fatigué des « commentaires » de César. Il était tellement anoté, raturé, les marges comportaient tant de lignes d'une écriture fine et nerveuse qu'il était devenu parfaitement illisible pour qui n'était pas l'auteur de ces notes. Avec un soupir Marianne le laissa retomber sur ses genoux, gardant cependant la main sur le cuir fatigué, y cherchant inconsciemment la trace d'une main. Sous ses doigts, la reliure se réchauffa, devint presque humaine. Pour mieux en savourer la sensation, Marianne ferma les yeux...

— Réveillez-vous !

La jeune femme sursauta. Elle ouvrit les yeux, vit que dans le bureau les chandelles étaient allumées, qu'au-dehors il faisait nuit... et que Napoléon, l'œil orageux et les bras croisés sur la poitrine, se tenait debout devant elle.

— J'admire votre courage ! lança-t-il sarcastique.

Apparemment le fait d'avoir encouru ma colère ne saurait vous troubler outre mesure. Vous dormiez avec conviction.

Le ton était brutal, agressif, visiblement calculé pour accabler quelqu'un sortant du sommeil, mais Marianne possédait cette faculté d'être instantanément et complètement réveillée, eût-elle dormi très profondément. De plus, elle s'était juré de tout faire pour conserver son calme autant qu'il lui serait possible.

— Le Grand Maréchal, dit-elle doucement, m'avait prévenue que j'aurais à attendre longtemps. Le sommeil n'est-il pas la meilleure façon d'abréger l'attente ?

— Je le crois plus impertinent que salutaire, Madame... d'autant plus que j'attends encore votre révérence.

Visiblement, Napoléon cherchait une mauvaise querelle. Il s'était attendu à trouver une Marianne inquiète, agitée, tremblante, les yeux rouges peut-être. Cette femme qui s'éveillait si paisiblement ne pouvait que l'irriter. Malgré la lueur menaçante de son œil gris, la jeune femme risqua un sourire.

— Je suis toute prête à tomber aux pieds de Votre Majesté, Sire... si seulement Votre Majesté voulait bien se reculer suffisamment pour me permettre de quitter ce canapé.

Il eut une exclamation de colère et, furieux, tourna les talons pour foncer sur la fenêtre comme s'il avait l'intention de passer au travers.

Marianne, alors, glissa du canapé jusqu'à terre où elle se plia dans la plus profonde et la plus respectueuse des révérences.

— Voilà, sire ! murmura-t-elle.

Mais il ne lui répondit pas. Tourné vers la fenêtre, les mains nouées au dos, il garda un silence qui parut une éternité à Marianne parce qu'il l'obligea à conserver cette inconfortable pose quasi agenouillée. Comprenant qu'il cherchait délibérément à l'humilier, elle rassembla son courage pour ce qui allait suivre et ne pourrait qu'être désagréable. Elle ne souhaitait qu'une chose : sauver son amour malgré tout, contre tout...

Brusquement, mais sans se retourner, Napoléon parla.

— J'attends vos explications, si toutefois vous en avez, pour votre conduite insensée ! Vos explications et vos excuses bien entendu. Il semble que vous ayez subitement perdu tout sens commun, toute notion d'élémentaire respect envers moi-même et envers votre Impératrice. A moins que vous ne soyez folle !

Instantanément Marianne fut debout, le sang aux joues. Les mots « votre impératrice » l'avaient frappée comme un soufflet.

— Des excuses ? fit-elle d'une voix nette. Je n'ai pas l'impression que ce soit moi qui en doive !

Cette fois, il se retourna, dardant sur elle un regard brûlant de fureur.

— Qu'est-ce que vous dites ?

— Que si quelqu'un a été insulté dans ce palais, c'est moi et personne d'autre ! Je n'ai fait, en quittant la salle, que préserver ma dignité.

— Votre dignité ? Vous divaguez, Madame ! Oubliez-vous chez qui vous vous trouviez ? Oubliez-vous que vous n'étiez venue ici que sur mon ordre, selon mon bon plaisir et dans l'unique but de distraire votre souveraine.

— Ma souveraine ? Si j'avais pu supposer un seul instant que vous me faisiez venir ici pour elle, je n'aurais jamais accepté de franchir le seuil de ce palais.

— Vraiment ? En ce cas, je vous y eusse fait traîner de force !

— C'est possible ! Mais vous n'auriez pas pu me forcer à chanter ! Le beau spectacle d'ailleurs que cela eut été pour votre cour que voir votre maîtresse traînée sur scène par la police ou par vos gardes ! Un spectacle digne de celui que vous lui avez donné tout à l'heure, d'ailleurs : des princes de l'Église errant dans la poussière ; offerts par vos soins à la risée du vulgaire...

comme s'il ne vous suffisait pas d'avoir osé porter la main sur le Vicaire du Christ !

En quelques enjambées, l'Empereur fut sur elle. Son visage blême était effrayant, ses yeux lançaient des éclairs. Marianne comprit qu'elle avait été trop loin, mais il n'était ni dans ses possibilités ni dans son caractère de reculer. Elle se raidit donc pour soutenir le choc, tandis qu'à deux doigts de son visage, il grondait :

— Vous osez !... Ces gens m'ont insulté, ridiculisé et je les aurais épargnés ? Pour ma clémence et ma longanimité vous devriez être à genoux, éperdue de reconnaissance. Comme si vous ne saviez pas que j'aurais pu les jeter en prison... ou pire encore !

— Et accréditer davantage votre légende ? Allons donc ! Vous n'avez pas osé les frapper plus cruellement par prudence et vous vous en prenez à moi parce qu'en offrant une voiture à mon parrain je n'ai pas accepté de participer à cette mesquine vengeance !

La curiosité suspendit un instant la colère impériale.

— Votre parrain ? Ce cardinal italien...

— N'est pas plus italien que moi. Il se nomme Gauthier de Chazay, cardinal de San Lorenzo. Il est mon parrain et je lui dois la vie car c'est lui qui jadis m'a sauvée des hommes de la Révolution. En venant à son secours, je n'ai fait que mon devoir !

— Peut-être ! Mais mon devoir à moi est d'abattre toute subversion, de faire respecter mon trône, les miens... mon mariage ! J'exige que vous alliez sur l'heure implorer votre pardon, aux genoux de l'Impératrice.

L'image qu'il évoquait acheva de jeter Marianne dans une fureur au moins égale à celle de Napoléon.

— N'y comptez pas ! articula-t-elle sèchement. Faites-moi jeter en prison ou mener à l'échafaud, même si cela vous amuse, mais cette abjecte soumission vous ne l'obtiendrez jamais de moi, vous entendez, jamais ! Moi, aux genoux de cette femme...

Transfigurée par la colère, raidie dans un cri d'orgueil venu des profondeurs mêmes de son sang, redevenue en une seconde une révoltée de grande race, elle le dominait maintenant, hautaine, méprisante... Incapable de supporter la vue de cette arrogante statue, Napoléon, fou de rage, la saisit brutalement par un bras qu'il tordit, lui arrachant un cri de douleur.

— C'est aux miens que vous allez vous traîner dans une seconde, misérable démente !... vous traîner pour implorer mon pardon ! En vérité, j'avais raison, vous devez être folle.

Il cherchait à la jeter à terre. Luttant à la fois contre la douleur et contre la perte d'équilibre, Marianne s'écria :

— Folle ? Oui, je suis folle... ou tout au moins je l'ai été ! Folle de vous avoir aimé comme je l'ai fait ! Folle d'avoir cru en vous comme j'y ai cru ! Dire que j'avais confiance en votre amour ! Mais ce n'étaient que paroles, que fumée ! Votre amour, il est à la dernière venue. Il a suffi à cette grosse fille rougeaude de paraître pour que vous vous fassiez son esclave, vous... le maître de l'Europe, l'Aigle... aux pieds de cette génisse ! Et moi, pendant ce temps je faisais taire ma souffrance, parce que j'avais cru à tout ce que vous m'aviez dit ! Un mariage politique !... alors que vous étalez aux yeux de tous un amour abject, un amour qui me déchire et qui me tue ! Vous êtes-vous assez moqué de moi ! En vérité, vous avez raison... j'étais folle... et même je le suis encore puisque, malgré cela, je vous aime toujours. Alors que je voudrais tant vous haïr... oh ! oui, vous haïr comme tant d'autres ! Ce serait si simple ! Si merveilleusement simple...

Vaincue à la fois par le chagrin et par la douleur de son bras meurtri, elle tomba enfin à terre. Brusquement, comme en ces jours d'orage où la pluie crève soudain un ciel convulsé, elle s'abattit sur le tapis, la tête dans les bras, secouée d'une terrible crise de larmes... Tout était fini, elle avait tout dit et elle ne sou-

haitait plus que l'anéantissement final... bienheureux !
L'effrayante colère qui l'avait soulevée au-delà d'elle-
même, poussée à défier le Maître avec cette insolence
était enfin tombée, ne laissant qu'un immense chagrin.
Indifférente à ce qu'il pouvait lui faire désormais,
Marianne pleurait sur les ruines de son bel amour
détruit.

Debout à quelques pas d'elle, Napoléon regardait,
pétrifié, la forme bleue et argent écroulée sur le tapis,
écoutait ces sanglots désespérés qui étaient ceux-là
même d'une biche en train de mourir. Peut-être cher-
chait-il quelle contenance prendre, ou bien essayait-il
de retrouver sa colère en face de cette souffrance, de
ces cris d'amour qui se voulaient des cris de haine.
Peut-être aussi, lui qui avait un penchant secret si prononcé pour le drame, goûtait-il en artiste la saveur de
cette scène violente... quand tout à coup, la porte s'ouvrit sur une forme ronde et rose. Une voix puérile, un
peu geignarde, se plaignit avec un fort accent
allemand.

— Nana !... Que faites-vous ?... Je m'ennuie sans
mon très méchant galant ! Venez, Nana.

Cette voix fit, à Marianne écroulée, l'effet d'un
acide sur une blessure. Se redressant à demi, elle
regarda avec stupeur le couple impérial, la fille des
Habsbourg qui la contemplait avec efferement en bal-
butiant :

— Oh !... Vous l'avez battue cette vilaine femme,
Nana ?

— Non, Louise... je ne l'ai pas battue ! Laissez-moi
un instant, mon cœur... je vous rejoins. Allez ! Allez
vite.

Il la reconduisait, la mettait gentiment à la porte
avec un sourire qui allait mal à son visage tiré, un baiser avec la main, gêné sans doute par cette explosion
de familiarité bourgeoise qui était tombée comme un
seau d'eau froide sur les flammes d'une scène tragique.
Quant à Marianne, elle était trop anéantie pour songer

seulement à se relever. Nana ! Elle l'appelait Nana !...
C'était à en pleurer de rire si Marianne avait eu le cœur
à rire.

D'ailleurs, de nouveau ils étaient seuls. Lentement,
l'Empereur revint vers son bureau. Il respirait fort,
comme avec peine. Le regard qu'il laissa tomber sur
Marianne était vide, comme si la colère en se retirant
en avait emporté toute la vie. Il s'appuya des deux
mains à la lourde table, laissa tomber sa tête.

— Relève-toi, dit-il sourdement.

Puis, il redressa la tête, regarda la jeune femme avec
une sorte de douceur, puis, comme surprise de ce
tutoiement familier si miraculeusement revenu, elle
ouvrait la bouche, il ajouta très vite, après une profonde respiration :

— Non... Ne dis rien ! Ne dis plus rien. Il ne faut
pas, il ne faut jamais exciter ma colère comme tu l'as
fait. C'est dangereux. Je... j'aurais pu te tuer et je l'aurais regretté toute ma vie. Parce que... même si tu as
de la peine à le croire... je t'aime toujours ! Il y a des
choses que tu ne peux pas comprendre !

Lentement, avec autant de peine que si elle venait
de soutenir un combat corps à corps, Marianne se leva.
Mais elle dut s'agripper au canapé car tout tournait
autour d'elle. Il n'était pas une fibre de son corps qui
ne lui fît mal. Néanmoins, elle voulut aller vers Napoléon mais, du geste, il la retint.

— Non ! N'approche pas ! Assieds-toi et essaie de
te remettre. Nous venons de nous faire un mal affreux
en quelques minutes, n'est-ce pas ? Il faut oublier tout
cela. Écoute, demain je quitte Paris pour Compiègne.
De là, vers la fin du mois, je partirai pour les provinces
du Nord. Je dois montrer ma f... l'Impératrice à mon
peuple. Cela nous permettra d'oublier... et, surtout, je
n'aurai pas à t'exiler, ce que j'aurais dû faire si j'étais
demeuré ici... Maintenant, je te laisse. Reste là un
moment. Constant viendra te chercher pour te mettre
en voiture.

D'un pas curieusement alourdi, il se dirigea vers la porte. Dans un geste dont elle ne fut pas maîtresse, Marianne, les yeux pleins de larmes, tendit les mains vers lui, cherchant instinctivement à le retenir. Sa voix s'éleva, suppliante et basse.

— Me pardonnes-tu ? Je ne pensais pas...

— Tu sais bien que tu pensais chaque mot, mais je te les ai pardonnés parce que tu avais raison. Mais ne m'approche pas. Il ne faut pas que je te touche pour ne pas manquer à l'Impératrice ! Nous nous reverrons plus tard !

Très vite, cette fois, il sortit et Marianne, le cœur et la tête vides, alla se rasseoir auprès du feu. Elle avait froid tout à coup, jusqu'à l'âme... Quelque chose lui disait que rien ne pourrait plus être comme avant entre eux. Il y avait cette femme rose et sotte... il y avait les mots de tout à l'heure, des mots à la suite desquels il y aurait l'absence, le silence. Un silence dangereux. Un poignant regret lui vint des jours merveilleux de Trianon où les disputes se noyaient dans l'accord final de leurs caresses. Mais personne au monde ne pourrait lui rendre Trianon. L'amour, désormais aurait un goût âpre de solitude et de renoncement. Reviendrait-il seulement le temps éblouissant du bonheur à l'état pur qui avait été le sien durant quelques semaines ? Ou bien fallait-il apprendre maintenant à tout donner sans rien attendre ?...

Le palais, autour de Marianne, s'était fait silencieux et vide comme un désert de cauchemar. Et, soudain, les pas de Constant qui approchait sur le parquet nu d'un salon lui parurent venir du fond des âges... Elle se sentit mal, tout à coup. Le rythme de son cœur s'accéléra tandis qu'une sueur froide l'enveloppait. Elle essaya de se lever, mais une affreuse nausée la rejeta, haletante, au fond du canapé. Ce fut là que Constant la trouva, les yeux agrandis, la figure cireuse, son mouchoir appuyé contre sa bouche. Elle leva sur lui un regard éperdu.

— Je ne sais pas ce que j'ai tout à coup... Je me sens malade... mais malade ! Et il y a un instant... tout allait si bien.

— Qu'éprouvez-vous ? Vous êtes bien pâle.

— J'ai froid, la tête me tourne et surtout, surtout... j'ai un affreux mal de cœur.

Sans un mot, le valet de chambre s'empressa. Il alla chercher de l'eau de Cologne, bassina les tempes de Marianne, lui fit boire un cordial. Les nausées se retirèrent aussi subitement qu'elles étaient venues. Peu à peu, les couleurs revinrent aux joues décolorées de Marianne qui, bientôt, se sentit tout à fait bien.

— Je ne sais pas ce qui m'a prise, fit-elle en offrant à Constant un sourire plein de reconnaissance. Il m'a semblé que j'allais mourir. Il faudrait peut-être que je voie un médecin...

— Il faut voir un médecin, Mademoiselle... mais je ne crois pas que ce soit grave.

— Que voulez-vous dire ?

Soigneusement, Constant rassembla les serviettes et les flacons dont il s'était muni, puis sourit gentiment, quoique avec un peu de tristesse.

— Qu'il est grand dommage que Mademoiselle ne soit pas née sur les marches d'un trône, cela nous aurait évité ce mariage autrichien qui, décidément, ne me dit rien qui vaille ! J'espère, néanmoins, que ce sera un garçon. Cela fera plaisir à l'Empereur.

CHAPITRE VI

LE PACTE

La révélation de son état abasourdit Marianne et, tout à la fois, lui rendit courage en lui communiquant une extraordinaire impression de triomphe. Elle n'était pas assez naïve pour imaginer que son attente d'un enfant, survenue quelques mois plus tôt, eût évité le mariage autrichien : Napoléon avait appris, après Wagram, que Marie Walewska portait un enfant de lui et cela n'avait rien empêché. Il aurait pu épouser la Polonaise, qu'il aimait alors et qui était de grande famille. Cependant il n'en avait rien fait parce que, comme Marianne elle-même, et si noble qu'elle fût, Marie n'était pas princesse, donc pas assez bien née pour asseoir une dynastie. Mais Marianne éprouvait une joie bizarre, un peu douloureuse, à penser que le sang impérial germait déjà au plus secret d'elle-même, alors que Napoléon s'évertuait à féconder le corps dodu de sa Viennoise pour en arracher l'héritier tant désiré. Quoi qu'il pût faire maintenant, il était lié, à elle, Marianne, par un lien de chair et de sang que rien ne pourrait effacer. De même rien ne pourrait ternir la joie qu'elle éprouvait, exaltante et chaude, à porter en elle « son » enfant, pas même les préjugés ou la réprobation auxquels étaient en butte les mères sans maris. Pour ces quelques onces de chair qui allaient lentement mûrir en elle, Marianne se sentait déjà prête à défier l'univers sournois du mépris, des ragots et des regards fuyants.

Toutes ces idées la soutenaient tandis que, dans sa voiture retrouvée, elle gagnait la rue Chanoinesse pour y livrer sans doute l'une des plus rudes batailles de son existence.

Elle connaissait trop le royalisme impénitent de son parrain, la pureté de ses mœurs et la rigidité de son code d'honneur personnel pour ne pas deviner que sa confession connaîtrait des moments pénibles... en admettant qu'il consentît à l'écouter jusqu'au bout.

La rue Chanoinesse, à cette heure tardive, était obscure, éclairée seulement par deux quinquets pendus à des cordes tendues en travers de la voie, d'une maison à l'autre. Les roues ferrées de la voiture sonnèrent durement sur les gros pavés qui devaient dater au moins du roi Henri IV et qui bossuaient la chaussée entre la double rangée de demeures sages, secrètes et silencieuses derrière leurs fenêtres grillées où s'abritaient les chanoines du chapitre de Notre-Dame. L'ombre double des tours de la cathédrale s'allongeait démesurément au-dessus des vieux toits, accentuant encore la profondeur de la nuit.

Un petit prêtre attardé, hélé poliment par Gracchus-Hannibal, indiqua la demeure de M. de Bruillard, facile à distinguer des autres grâce à une haute et maigre tour carrée émergeant de sa cour. C'était d'ailleurs l'une des rares où il y eut de la lumière. On se couchait tôt chez les chanoines, ce qui laissait toute latitude aux mauvais garçons qui infestaient les vieilles rues de la Cité pour exercer leurs discutables industries.

A la grande surprise de Marianne, la maison du chanoine n'exhalait nullement cette odeur de cire froide et de vieux papiers qui, selon elle, était l'apanage d'une résidence d'homme d'Église. Un valet en livrée sombre, qui n'avait rien d'un bedeau, la conduisit à travers deux salons à l'ancienne mode, mais d'une discrète élégance jusqu'à une porte close devant laquelle patrouillait l'abbé Bichette, la tête dans les épaules et les mains nouées derrière le dos. En apercevant la visiteuse, le fidèle secrétaire poussa une exclamation satisfaite et se précipita vers elle, d'où Marianne conclut qu'elle était attendue.

— Son Éminence a déjà fait demander trois fois si vous étiez arrivée. Elle est dans une impatience !... Au point qu'elle ne peut supporter la présence de personne, pas même la mienne.

« Surtout la tienne », pensa Marianne qui, pour sa part, n'aurait pu tolérer la présence de l'obligeant abbé plus d'un petit quart d'heure.

— Songez, ajouta Bichette en baissant encore le ton de sa voix pourtant convenablement feutrée, que nous devons avoir quitté Paris avant l'aurore !

— Comment ? Déjà ? mais mon parrain ne m'en a rien dit.

— Son Éminence l'ignorait encore. C'est au début de la soirée que le Ministre des Cultes, Monsieur Bigot de Preameneu [1], nous a fait savoir que notre présence n'était plus souhaitable dans la capitale et que nous devions partir.

— Mais, pour où ?

— Pour Reims où sont... euh... parqués les membres réfractaires de la Curie Romaine ! C'est un bien grand malheur et une grande injustice. En vérité, les temps apocalyptiques sont venus...

Marianne ne devait pas en savoir plus long sur les vues prophétiques de l'abbé Bichette car, à cet instant, la porte devant laquelle avait lieu cet intéressant colloque s'ouvrit et le cardinal apparut, mais un cardinal cette fois beaucoup plus conforme au souvenir de l'abbé de Chazay : son habit noir modeste était moins élégant que la livrée du valet.

— Bichette ! fit-il sévèrement. Je suis assez grand

1. Ce personnage est authentique et, malgré son nom, ne doit rien à mon imagination. (N.d.A.)

pour rapporter moi-même mes malheurs à ma filleule. Vous nous retardez avec vos bavardages. Allez plutôt dire à la cuisine que l'on me prépare du café, beaucoup de café et très fort ! Et ne venez me déranger que lorsque M. de Bruillard vous fera dire qu'il est prêt. Entre, mon petit !

Les trois derniers mots, bien entendu, s'adressaient à Marianne qui pénétra dans une petite mais confortable bibliothèque dont les boiseries claires, les riches reliures et les fraîches tapisseries de Beauvais ne sentaient pas plus l'ecclésiastique que le reste de la maison. Au-dessus d'un secrétaire de Boulle, dans un ovale d'or fin, le portrait d'une très jolie femme coiffée à l'oiseau royal souriait avec malice entre deux hauts chandeliers de bronze doré, tandis qu'au-dessus de la cheminée le jeune roi Louis XV en costume de sacre semblait étendre dans toute la pièce l'azur de son manteau royal.

Voyant que Marianne regardait ce portrait avec un peu de surprise, le cardinal sourit.

— Le chanoine de Bruillard est le fils naturel du roi Louis XV et de cette belle dame que tu vois sur le secrétaire. De là ce portrait que l'on ne rencontre plus très souvent dans les salons parisiens. Mais laissons cela et viens t'asseoir près du feu que je te voie mieux. Depuis que je t'ai quittée, tout à l'heure, je n'ai cessé de penser à toi, de chercher à comprendre par quel miracle tu te trouves à Paris et comment, toi que j'ai mariée à un Anglais, je te rencontre dans la cour des Tuileries en compagnie d'un Autrichien.

Marianne eut un petit sourire sans conviction. Le moment difficile entre tous était venu. Elle était décidée à l'affronter sans tarder, sans chercher la plus mince échappatoire et même sans s'accorder le bénéfice des souvenirs si chers que Mgr de Chazay ne manquerait pas d'évoquer.

— Ne cherchez pas, cher Parrain... vous ne pourriez pas trouver. Ce qu'a été ma vie, depuis la minute où nous nous sommes quittés, ni vous ni personne ne pourrait l'imaginer. A dire vrai, il y a des moments où je me demande si, tout ce que j'ai vécu, cela n'a pas été un simple cauchemar ou encore une histoire que l'on m'a racontée !

— Que veux-tu dire ? demanda le cardinal en tirant un fauteuil en face de celui sur lequel il avait fait asseoir Marianne. Je n'ai eu aucune nouvelle d'Angleterre depuis le jour de ton mariage.

— Alors... vous ne savez rien... absolument rien ?

— Mais rien, je te l'affirme. Dis-moi d'abord où est passé ton mari.

— Non, coupa Marianne vivement, je vous en prie, laissez-moi vous dire... à ma manière, comme je pourrai. C'est déjà tellement difficile.

— Difficile ? Je croyais t'avoir appris à ne jamais te laisser arrêter par les difficultés.

— Aussi ne m'arrêterai-je pas. Vous allez comprendre tout de suite ce que je veux dire. Parrain... l'hôtel d'Asselnat est à moi. L'Empereur me l'a donné. Je suis... cette fille d'opéra dont vous parliez tout à l'heure.

— Comment ?

Sous le coup de la surprise, le cardinal s'était levé. Il n'y avait plus trace, sur son visage sans beauté, de la moindre gaieté, ni même de vie. C'était un masque de pierre grise, figé dans une curieuse absence d'expression. Mais, malgré le choc qu'elle sentait bien lui avoir porté, Marianne éprouvait une délivrance, un allégement. Le plus difficile était dit.

Silencieusement, le cardinal se dirigea vers un angle de la pièce où un crucifix d'ivoire reposait dans un cadre de velours rouge et il s'arrêta un instant devant lui, sans fléchir les genoux, sans prier apparemment mais, quand il se retourna et revint vers Marianne, son visage avait retrouvé un peu de couleur. Il reprit sa place dans son fauteuil mais, peut-être pour éviter de regarder sa filleule, il se tourna vers le feu, lui tendit ses mains blanches.

— Raconte, dit-il doucement. Je t'écouterai jusqu'au bout sans t'interrompre.

Alors, Marianne commença le long récit...

L'arrivée du café, porté par le valet impassible et escorté avec vénération par un abbé Bichette visiblement dévoré de curiosité, coïncida juste avec les dernières paroles de Marianne. Fidèle à sa promesse, le cardinal n'avait pas sonné mot tout au long du récit, mais il s'était agité plus d'une fois dans son fauteuil. Maintenant, il considérait le plateau à café avec la reconnaissance que l'on réserve à une détente inattendue au milieu d'une chaude bataille.

— Laissez cela, Bichette, dit-il à l'abbé qui se mettait en devoir de remplir les tasses, très certainement pour rester plus longtemps. Nous nous servirons nous-mêmes.

Déçu mais obéissant, l'abbé disparut. Gauthier de Chazay se tourna alors vers Marianne.

— Il y a longtemps que tu ne m'as servi ni thé ni café, Marianne. J'espère que tu n'as pas oublié.

Les yeux soudain emplis de larmes, à cette remarque qui lui rendait d'un seul coup son enfance et sa place au sein de la famille, elle se dirigea vers la petite table, ôta ses gants qu'elle jeta dans un coin et commença de servir l'odorant breuvage. Attentive à ce qu'elle faisait, elle ne regardait pas son parrain. Aucun d'eux ne parlait. C'est seulement en lui tendant sa tasse qu'elle osa demander :

— Vous... ne me jugez pas trop sévèrement ?

— Je ne m'en reconnais pas le droit. Je n'aimais ni ce mariage, ni lord Cranmere... et je suis parti. Maintenant, je sais que j'aurais dû demeurer, veiller sur toi au lieu de t'abandonner. Dieu sans doute ne le voulait pas puisqu'à quelques minutes près tu m'aurais retrouvé, sur le quai de Plymouth, et tout eût été différent. Toi, tu n'avais pas le choix. Il fallait bien que tu suives ton destin et, s'il est ce qu'il est aujourd'hui, j'en ai ma part... Non, en vérité, je n'ai pas le droit de t'adresser le moindre reproche car ce serait te reprocher d'avoir survécu !

— Alors, aidez-moi, parrain... délivrez-moi de Francis Cranmere !

— Te délivrer ? Comment le pourrais-je ?

— Jamais lord Cranmere ne m'a touchée. Mon mariage est blanc et l'époux est indigne. Obtenez du Saint Père qu'il annule mon mariage, que cet homme n'ait plus sur moi le moindre droit ; que je puisse redevenir moi-même et oublier jusqu'à l'existence même de lord Cranmere.

— Se laissera-t-il oublier si aisément ?

— Cela n'aura plus d'importance du moment où le lien qui m'attache encore à lui sera tombé. Délivrez-moi, parrain ! Je veux redevenir Marianne d'Asselnat !

L'écho de ces derniers mots se prolongea longtemps. Le cardinal, sans répondre, vida sa tasse, la reposa puis s'absorba un moment dans la contemplation de ses doigts joints. Anxieuse, Marianne respecta sa méditation, freinant de son mieux l'impatience qui lui mordait le cœur. Pourquoi hésitait-il à lui répondre ? Que pesait-il au fond de ce silence ?... Enfin, les yeux bleus qu'il avait tenu cachés sous leurs paupières durant ces longs instants réapparurent, mais si remplis de tristesse que Marianne frissonna.

— Ce n'est pas pour redevenir toi-même que tu me demandes de t'aider à retrouver ta liberté, Marianne. Ce ne serait d'ailleurs plus possible parce que le changement est en toi bien plus que dans le nom que tu portes. Tu veux être libre pour être sans ombre aux yeux de l'homme que tu aimes... et pour mieux lui appartenir. A cela, je ne puis consentir parce que ce serait accepter de te voir mener au grand jour une vie de péché.

— Et qu'est-ce que cela changerait ? Ne suis-je pas, ouvertement, la maîtresse de Napoléon ? s'écria Marianne sur un ton où sonnait une sorte de défi.

— Non. C'est une certaine Maria-Stella qui détient ce titre, ce n'est pas la fille du marquis d'Asselnat. Ne t'y trompes pas, mon enfant, dans notre famille on n'a jamais considéré le poste de favorite royale comme un honneur. A plus forte raison celui de favorite d'un usurpateur. Je ne te laisserai jamais accoler le nom de ton père à celui de Buonaparte !

L'amertume de la déconvenue se teinta, dans l'esprit de la jeune femme, d'un début de colère. Elle savait, elle avait toujours su quel farouche royaliste était Gauthier de Chazay, mais elle n'imaginait pas qu'il pût introduire la fidélité à son Roi jusque dans ses relations avec elle sa filleule, l'enfant qu'il avait toujours aimée.

— Je vous ai dit comment cet homme m'avait traitée et me traitait encore, parrain, fit-elle tristement, et vous voulez, au nom de je ne sais quelle morale politique, m'obliger à demeurer enchaînée à un misérable !

— En aucune façon. Je veux seulement te sauver de toi-même tout en te sauvant de Cranmere. Tu n'as pas été créée, que tu le veuilles ou non, pour lier ton destin à celui de Napoléon, d'abord parce que ni Dieu... ni la morale, la simple morale de tout le monde et non ce que tu appelles la morale politique, ne le veulent. Cet homme va vers sa perte. Je ne te laisserai pas te perdre avec lui. Promets-moi de renoncer pour toujours à lui et je promets, moi, qu'avant quinze jours ton mariage sera annulé.

— C'est du chantage pur et simple ! s'emporta Marianne d'autant plus blessée que le cardinal lui répétait, en d'autres termes mais avec un calme aussi assuré, ce que Talleyrand lui avait dit plus tôt.

— Peut-être, admit le prélat sans se fâcher, mais si tu dois déshonorer le nom que tu portes réellement, autant que ce soit celui de l'Anglais. Un jour tu me remercieras...

— Je ne crois pas ! Même si je voulais vous faire cette promesse, même si j'acceptais de détruire moi-même l'amour qui me fait vivre, je ne le pourrais pas !

Vous ne savez pas tout encore, Éminence ! Alors, apprenez l'entière vérité : je porte un enfant et cet enfant, c'est le sien, vous entendez, c'est un... Buonaparte !

— Malheureuse !... Folle !... Plus folle encore que malheureuse ! Et tu osais parler de redevenir la petite Marianne de Selton ? Mais tu as mis l'irréparable entre toi et les tiens !

Cette fois, le calme de Gauthier de Chazay avait volé en éclats sous le coup de la révélation mais, loin de s'en inquiéter ou même de s'en émouvoir, Marianne éprouva un moment de joie violente, chargée de toute l'exaltation du triomphe et en jouit profondément, comme si cet enfant encore à l'état infime dans le mystère de son corps venait de venger son père de tous les dédains des royalistes, de toute la haine des émigrés. Froidement, elle répliqua :

— C'est possible mais c'est aussi la raison primordiale pour laquelle je veux être irrévocablement séparée de Francis Cranmere. L'enfant né d'un empereur ne doit pas porter le nom d'un bandit ! Si vous refusez de dénouer le lien qui m'attache encore à lui, sachez que je ne reculerai devant rien, vous entendez, devant rien, pas même le meurtre le plus froid, le mieux prémédité pour faire sortir, de force, Francis Cranmere de ma vie.

Le cardinal dut sentir qu'elle pensait implacablement chacun des mots de sa menace, car elle le vit pâlir en même temps qu'une curieuse expression d'orgueil s'allumait dans son regard toujours si calme et si doux. Marianne s'attendait à un cri de colère, à une protestation violente. Au lieu de cela, elle eut droit à un soupir découragé... et à un sourire moqueur.

— Ce qu'il y a d'épuisant avec vous autres, les Asselnat, remarqua Gauthier de Chazay, c'est votre caractère impossible. Si l'on n'accomplit pas vos volontés, toutes vos volontés et dans l'instant même, vous jetez feux et flamme et vous menacez de tuer tout le monde. Le pire d'ailleurs, c'est qu'en général, non seulement vous le faites, mais encore vous avez raison.

— Quoi ? s'écria Marianne abasourdie, vous me conseilleriez de...

— D'envoyer Francis Cranmere rejoindre ses nobles ancêtres ? En tant qu'homme je n'y verrais aucun inconvénient... et même je crois bien que j'applaudirais. Mais en tant que prêtre je dois condamner toute violence, même amplement méritée. Non, Marianne, si je dis que tu as raison, c'est lorsque tu affirmes que l'enfant à venir ne doit pas porter le nom de ce misérable... mais uniquement parce qu'il sera ton fils à toi.

Un éblouissement passa devant les yeux de Marianne qui sentit la victoire à portée de sa main.

— Alors, vous consentez à demander l'annulation ?

— Pas si vite. Réponds seulement à une question. Depuis quand sais-tu... pour l'enfant.

— Depuis aujourd'hui et, en quelques mots, elle retraça le malaise qui l'avait saisie aux Tuileries.

— Peux-tu... je regrette d'aborder un sujet aussi intime mais nous n'en sommes plus aux délicatesses... peux-tu dire approximativement à quand remonte... l'événement ?

— C'est, je pense, assez récent... Pas plus d'un mois certainement, peut-être moins.

— Curieuse façon pour un souverain d'attendre sa fiancée ! remarqua le cardinal sarcastique. Mais n'épiloguons pas. Le temps presse. Alors, écoute-moi maintenant et surtout n'émets pas la moindre objection car ce que je vais te dire sera l'expression de ma volonté formelle, irrévocable. C'est à ce prix seulement que je veux t'aider sans trahir ma conscience ni mon devoir. Tout d'abord, tu garderas secrète la nouvelle que tu viens de m'annoncer. Tu entends : absolument secrète pendant quelque temps. Car il ne faut à aucun prix que Francis Cranmere en ait vent. Il pourrait tout détruire et avec un homme comme lui on ne prend jamais trop de précautions. Alors, pas un mot, même à ceux qui t'entourent de plus près.

— Je ne dirai rien. Ensuite ?

— La suite m'appartient. Dans quinze jours, le temps pour moi de rejoindre le Saint Père à Savone, ton mariage sera nul... mais dans un mois tu seras remariée !

Marianne crut avoir mal entendu et demanda :

— Qu'avez-vous dit ? J'ai mal compris.

— Non. Tu n'as pas mal compris. J'ai dit : dans un mois tu seras remariée.

Il avait prononcé le mot avec tant de force que Marianne, abasourdie, ne trouva, sur le moment, rien de valable à répondre. Elle se contenta de balbutier pauvrement :

— Mais enfin, ce n'est pas possible ! Est-ce que vous vous rendez compte de ce que vous dites ?

— Je n'ai pas pour habitude d'employer des mots dont je ne connais pas la valeur exacte et je te rappelle que je t'ai avertie tout à l'heure ; j'ai dit : pas d'objections ! Néanmoins, je consens à me répéter, mais je vais le faire sans m'encombrer de périphrases : si tu es enceinte d'un mois, il faut que dans un autre mois tu sois l'épouse d'un homme convenable dont toi et l'enfant pourrez porter le nom sans rougir. Tu n'as pas le choix, Marianne ! Et ne viens pas me parler de ton amour, de ton empereur ou de ta liberté ! Place à l'enfant puisqu'il s'annonce ! Il lui faut un nom, un père puisque l'homme qui l'a engendré ne peut rien pour lui.

— Rien ? s'insurgea Marianne. Mais il est l'Empereur ! Ne croyez-vous pas qu'il est assez puissant pour assurer à son enfant un avenir convenable ?

— Je ne nie pas sa puissance, encore que je lui voie des pieds d'argile, mais peux-tu assurer que l'avenir ou le temps lui appartiennent aussi ? Qu'adviendra-t-il s'il tombe un jour ? Et qu'adviendra-t-il de toi et de l'enfant ? Pas de bâtard chez nous, Marianne ! Tu dois

191

ce sacrifice à la mémoire de tes parents, à l'enfant... et à toi-même par-dessus le marché. Sais-tu comment la société traite une fille-mère ? Es-tu tentée par cet état ?

— Depuis que je sais mon état, je m'attends à souffrir, à lutter...

— Pour quoi ? Pour qui ? Pour te garder à un homme qui, si je ne me trompe, vient d'en épouser une autre ?

— Ce n'est pas à vous que j'apprendrai les impératifs d'une raison d'État ! Il devait se marier... mais moi je ne peux pas !

— La raison ?

— Il ne me le permettra pas !

Le cardinal eut un petit rire moqueur.

— Ah vraiment ? Tu le connais bien mal ! Mais, malheureuse, c'est lui qui te mariera, et sans traîner, dès qu'il saura que tu portes un enfant. Quand ses maîtresses n'étaient pas en puissance de mari, il s'est toujours arrangé pour leur en trouver un. Pas d'histoires et pas de complications. Cela a toujours été sa devise en matière d'amour. Son propre ménage lui a donné suffisamment de fil à retordre.

Marianne savait bien que tout cela était la vérité même, mais elle ne pouvait admettre l'affolante perspective que son parrain venait d'ouvrir devant elle.

— Mais enfin, Parrain, réfléchissez ! Un mariage est une chose grave, une chose qui comporte... des réalités. Et vous voulez que j'aille, les yeux fermés, confier mon sort, ma vie... et ma personne à un parfait inconnu, un inconnu qui aura sur moi tous les droits, que je devrai supporter jour après jour, nuit après nuit ? Ne pouvez-vous comprendre qu'à son contact tout mon être se hérissera d'horreur ?

— Je comprends surtout que tu veux de toutes tes forces et contre toute raison demeurer la maîtresse de Bonaparte et qu'en effet les réalités de l'amour n'ont plus de secrets pour toi. Mais qui te parle de contacts ? Ou même de cohabitation ? Il est possible d'épouser un homme et de vivre sans lui. Je n'ai jamais entendu dire que la belle princesse Borghèse, cette bacchante de Pauline, vécut beaucoup avec le pauvre Camillo. Je te le dis et te le répète : il faut, impérativement, que dans un mois tu sois mariée.

— Mais à qui ? Vous pensez à quelqu'un pour être aussi catégorique... Qui ?

— Cela me regarde. Sois sans crainte, l'homme que je choisirai pour toi, que j'ai déjà choisi, sera tel que tu n'auras à me faire aucun reproche même léger. Tu garderas la liberté qui t'est si chère... tout au moins dans les limites de la décence. Mais ne crois surtout pas que je désire te contraindre. Tu peux, si tu le désires ou si tu en as les moyens, choisir toi-même.

— Comment le pourrais-je ? Vous m'avez interdit de dire à qui que ce soit que j'attends un enfant et je n'accepterai jamais de tromper ainsi un honnête homme.

— S'il se trouve un homme, digne de toi et des tiens, qui t'aime assez pour t'épouser dans ces conditions, je n'y verrai aucun inconvénient. Je te ferai savoir où et quand tu devras me rejoindre pour la célébration du mariage. Si l'homme que tu auras choisi t'accompagne, je vous unirai... Si tu es seule, tu accepteras celui que je t'amènerai.

— Qui sera-t-il ?

— N'insiste pas ! Je ne te dirai rien de plus. Tu devras me faire confiance entière... et tu sais que je t'aime comme ma fille. Acceptes-tu ?

Lentement, Marianne baissa la tête, toute sa joie orgueilleuse de tout à l'heure envolée au souffle fade des réalités quotidiennes. Depuis qu'elle se savait enceinte, elle s'était laissée emporter par le sentiment exaltant de porter le fils de l'Aigle et, un moment, elle avait cru que cela lui permettrait de tenir tête au monde entier. Mais la raison, elle le comprenait bien, était du côté de son parrain, car, si pour elle-même elle dédaignait l'opinion d'autrui, si elle était prête à tout affronter, à tout combattre, avait-elle le droit d'imposer à son enfant le boulet de la bâtardise ? Certains hommes du monde, elle le savait, n'étaient pas les fils de ceux dont ils portaient le nom. Le charmant Flahaut était le fils de Talleyrand et tout le monde le savait, mais, s'il pouvait faire dans l'armée l'éclatante carrière qui était sienne, c'était parce que le mari de sa mère avait couvert de son nom la tache avilissante qui lui aurait fermé les portes du monde. Et Marie Walewska n'était-elle pas repartie vers les neiges de Walewice pour que le vieux comte, son époux, pût reconnaître l'enfant à venir ?... Brusquement, les lois de la société opposaient leur mur infranchissable aux rêves enchantés de Marianne. Elle avait trop de bon sens pour ne pas comprendre qu'il lui fallait faire plier son cœur, son amour devant la dure nécessité. Comme l'avait dit le cardinal, elle n'avait pas le choix. Pourtant, au moment de prononcer une acceptation qui, presque autant que le « oui » fatidique, lierait son destin, elle tenta de lutter encore.

— Je vous en supplie, laissez-moi voir au moins l'Empereur, lui parler... Il trouvera peut-être une solution. Laissez-moi un peu de temps.

— C'est la seule chose que je ne puisse te donner : le temps. Il faut aller vite, très vite... et, à ton air, je devine que tu ne sais même pas quand tu reverras Napoléon. D'ailleurs, à quoi bon ? Je te l'ai dit : si tu vas lui expliquer ta situation, il la dénouera lui-même de la seule manière possible : il te mariera à l'un ou l'autre de ses gens à blason clinquant, quelque fils d'aubergiste ou de palefrenier que tu devras, en plus, remercier humblement de vouloir bien accepter de t'épouser, toi, une d'Asselnat, dont les ancêtres sont entrés dans Jérusalem aux côtés de Godefroy de Bouillon et dans Tunis avec Saint-Louis ! L'homme auquel je pense ne te demandera rien... et ton fils sera prince !

Le dur rappel à ses origines cingla Marianne. En un éclair, elle revit, dans son cadre d'or, la silhouette racée, le beau visage hautain de son père puis, sur l'écran brumeux du souvenir, celui, plus ingrat mais plus tendre et tout aussi fier, de sa tante Ellis. Leurs ombres ne seraient-elles pas en droit de se détourner avec colère d'une fille incapable d'accepter le sacrifice qu'exigeait l'honneur, eux qui avaient subordonné leur vie entière à ce même honneur... et cela jusqu'à la suprême abnégation ? Pour la première fois, Marianne sentit qu'elle appartenait toujours à ce vieil arbre dont les racines plongeaient au plus profond de la terre d'Auvergne et dont la tête, si souvent, avait frôlé le ciel ; elle aperçut, comme s'ils se fussent tout à coup levés des ombres de cette bibliothèque, la longue lignée de ses ancêtres français et anglais qui, tous, avaient lutté, souffert pour conserver intact leur vieux nom et ce principe d'honneur que l'époque actuelle s'efforçait d'oublier. Alors, d'un seul coup, elle capitula.

— J'accepte ! articula-t-elle nettement.

— A la bonne heure ! J'étais certain...

— Entendons-nous bien, coupa la jeune femme. J'accepte le principe de me marier dans un mois, d'ici là, je ferai tous mes efforts pour pouvoir choisir moi-même mon époux.

— Je n'y vois aucun inconvénient dès l'instant que tu le choisiras digne de nous. Je te demande seulement de venir, aux lieu et heure que je te ferai connaître, seule ou accompagnée. Disons, si tu le veux, que nous concluons ce soir un pacte : tu sauves toi-même ton honneur et je te délivre de Francis Cranmere, ou bien tu t'engages à accepter le sauveur que j'amènerai. Nous sommes d'accord ?

— Un pacte est un pacte, affirma Marianne. Je m'engage à respecter celui-là.

— C'est bien... Dans ce cas, je vais commencer à remplir ma part du contrat.

Il se dirigea vers un grand secrétaire ouvert dans un coin, prit une feuille de papier, une plume et griffonna quelques mots tandis que Marianne, éprouvant le besoin de se réconforter, se versait une nouvelle tasse de café. Elle ne cherchait pas à revenir sur les mots qu'elle avait prononcés, encore qu'elle évaluât déjà l'horreur de la situation dans laquelle elle se trouvait, mais un doute, tout à coup, lui venait, qu'elle exprima sans plus tarder.

— Au cas où... de mon côté je ne trouverais personne, puis-je vous demander une grâce, parrain ?

Sans répondre, il tourna les yeux vers elle, attendant.

— Si je dois prendre le mari de votre choix, je vous en supplie, songez d'abord à l'enfant... et ne lui faites pas porter le nom d'un ennemi de son père !

Le cardinal sourit, haussa les épaules et retrempa sa plume dans l'encrier.

— Ma fidélité au Roi ne va tout de même pas jusqu'à me faire commettre de telles noirceurs ! reprochat-il doucement. Tu me connais assez cependant pour qu'une telle idée n'ait même pas dû t'effleurer.

Il acheva sa lettre, la sabla, la plia et la cacheta, puis la tendit à sa filleule.

— Prends ceci. Dans quelques minutes, je vais devoir quitter Paris et je ne veux pas te laisser dans la situation dangereuse, inextricable où tu te trouves. Demain matin, tu te présenteras avec cette lettre chez le banquier Laffitte. Il te donnera les cinquante mille livres qu'exige ce démon anglais. Ainsi, tu pourras respirer un moment... et récupérer cette folle Adélaïde que l'âge n'a pas dû améliorer.

La stupeur coupa le souffle de Marianne comme n'avait pas su le faire la conversation, cependant peu ordinaire, qu'elle venait d'avoir avec le cardinal. Elle regardait, sans oser la prendre, la lettre offerte comme si elle était un objet absolument miraculeux. Cette magnifique générosité la déroutait tout en l'obligeant à chasser la rancune que lui inspirait l'attitude sévère de son parrain. Elle l'avait trouvé implacable, intransigeant sans, cependant, parvenir un seul instant à lui donner tort. Elle avait cru qu'il obéissait à la seule notion du devoir et voilà qu'en un trait de plume il donnait à sa protection toute la réalité de son ampleur et de sa chaleur. Les larmes lui montèrent aux yeux car, un moment, elle avait cru qu'il ne l'aimait plus autant. Le cardinal s'impatienta :

— Allons, prends et ne pose pas de questions auxquelles on ne pourrait te répondre. Ce n'est pas parce que tu m'as connu pauvre comme Job qu'il ne m'est pas possible de trouver de l'argent pour te sauver la vie.

Toute question, d'ailleurs, était désormais impossible. La porte de la bibliothèque venait de s'ouvrir et livrait passage à un autre cardinal. Vêtu comme il convenait à son rang, le nouveau venu était aussi petit que son collègue de San Lorenzo, mais son visage, très beau, avait un grand air de noblesse et offrait une ressemblance assez grande avec le portrait de la cheminée.

— La voiture et l'escorte viennent d'arriver, mon pauvre ami. Il nous faut partir... Votre cheval vous attend à l'écurie avec votre bagage et les vêtements nécessaires.

— Je suis prêt, s'écria presque joyeusement Gauthier de Chazay en saisissant les mains du nouveau venu et en les serrant avec affection. Mais, mon cher Philibert, je ne vous remercierai jamais assez de vous sacrifier ainsi ! Marianne, je veux te présenter au chanoine de Bruillard qui, non content de m'avoir hébergé, pousse le souci de l'amitié jusqu'à jouer mon rôle cette nuit.

— Mon Dieu, s'écria Marianne, j'avais oublié. C'est vrai, on vous envoie à Reims. Mais alors...

— Mais alors, je n'irai pas. Tandis que, dans la voiture escortée par les gendarmes de Monsieur le duc de Rovigo, mon ami Philibert roulera tranquillement vers Reims en compagnie de l'abbé Bichette, moi, déguisé en domestique, je galoperai vers l'Italie où le Saint

Père attend que je lui rende compte d'une certaine mission.

Interdite, serrant machinalement entre ses mains la lettre précieuse qui lui assurait un an de liberté, elle regardait les deux cardinaux, le vrai et le faux en se demandant si elle avait réellement jamais connu Gauthier de Chazay. Qui était-il au juste cet homme qui avait lutté si farouchement pour sauver le bébé qu'elle était, dont la vie n'était que mystère, qui, certainement toujours sans la moindre fortune, pouvait néanmoins d'un trait de plume payer une rançon princière et qui, prince de l'Église, courait les routes à cheval sous un habit de domestique ?

Conscient, sans doute, du trouble de sa filleule, l'ancien abbé vint à elle et l'embrassa tendrement.

— Ne cherche pas à deviner ce qui est hors de ta portée, Marianne ! Pense seulement que tu es toujours mon enfant chérie et que je te veux heureuse... même si les moyens que j'emploie pour te conduire au bonheur ne te conviennent guère. Que Dieu te garde, mon petit ! Je prierai pour toi comme je l'ai toujours fait.

Vivement, il traça une bénédiction sur le front de la jeune femme puis se dirigea vers la fenêtre qu'il ouvrit.

— C'est le chemin le plus rapide pour aller à l'écurie sans rencontrer personne, fit-il. Adieu, mon cher Philibert. Renvoyez-moi Bichette où vous savez quand vous le pourrez. J'espère que vous n'aurez pas à souffrir de notre supercherie.

— N'ayez crainte. Les gendarmes de Savary n'y verront que du feu... ou tout au moins de la pourpre car, pour mon visage, je le cacherai autant que possible. D'ailleurs, nous ne sommes très connus ni l'un ni l'autre. Certes, vos frères du Sacré Collège seront quelque peu surpris en me voyant arriver, mais je les informerai et après quelques jours, sous mon aspect réel cette fois, je trouverai bien moyen de revenir ici... où mes gens auront condamné ma porte sous prétexte d'une maladie contagieuse. Bonne route, mon cher

Chazay ! Mettez aux pieds du Saint Père ma filiale affection, mon respect et mon obéissance.

— Ce sera fait. Adieu, Marianne. Quand tu l'auras retrouvée, embrasse pour moi cette folle d'Adélaïde. Nous nous sommes toujours copieusement chamaillés, mais je l'aime bien.

Ayant dit, Son Éminence enjamba la fenêtre et sauta dans la cour. Marianne le vit courir vers une remise qui s'ouvrait dans l'ombre de la haute et mince tour carrée. Le chanoine de Bruillard s'inclina légèrement devant elle.

— Il sortira par la berge de la Seine, soyez sans inquiétude pour lui. Quant à moi, permettez-moi de prendre congé. L'abbé Bichette m'attend à côté et les gendarmes dans la rue.

Tout en parlant, il endossait une vaste cape dont il releva le col de manière à masquer la plus grande partie de son visage puis, sur un dernier signe de tête, il quitta la bibliothèque. Par la porte ouverte, Marianne entrevit l'abbé Bichette qui, plus que jamais, avait l'air d'une poule affolée et les uniformes bleus de quelques gendarmes. Dans la rue, qu'elle aperçut par une fenêtre munie de barreaux, elle vit une grosse berline, toutes lanternes allumées, attendant au milieu d'un peloton de cavaliers, en bicornes noirs et plumets rouges, dont les chevaux arrachaient des étincelles au vieux pavé royal. Tout cet appareil guerrier pour encadrer deux paisibles serviteurs de Dieu parut tout à coup à la jeune femme excessif et mesquin à la fois, de toute façon intolérable. Mais, en se souvenant de la désinvolture avec laquelle Gauthier de Chazay avait escaladé la fenêtre, en retrouvant au creux de sa main la lettre qui valait tant d'argent, argent que lui compterait le propre banquier de l'Empereur, un doute lui vint. Ce petit cardinal, si frêle et si inoffensif d'apparence, ne représentait-il pas une puissance infiniment plus active et plus redoutable qu'elle ne pouvait l'imaginer ? Il semblait commander, comme Dieu lui-même, aux événements et aux hommes. Dans un mois, sur son ordre, un homme serait prêt à l'épouser, elle, Marianne, une parfaite inconnue, enceinte de surcroît. Pourquoi ? Dans quel but ? Pour se plier à quelle obéissance ?

Au-dehors, il y eut un cliquetis d'armes. Arrachée à sa songerie, Marianne vit la petite silhouette rouge du pseudo-cardinal s'engouffrer dans la berline, suivie de la longue silhouette maigre de l'abbé qui, devant le capitaine commandant l'escorte, se signa précipitamment plusieurs fois, comme s'il avait vu le Diable. Dans la nuit, elle entendit claquer la portière puis les fouets des postillons et, avec un bruit d'apocalypse, la voiture, enveloppée de son escorte piaffante, quitta la rue Chanoinesse au grand trot, sans qu'aucun visage se fût montré aux fenêtres voisines. Alors, derrière Marianne, s'éleva la voix mesurée du valet qui, tout à l'heure, l'avait accompagnée.

— Madame veut-elle que je la reconduise jusqu'à sa voiture ? Il faut maintenant que je ferme la maison.

Elle alla reprendre le manteau qu'en entrant elle avait déposé sur un siège, remit ses gants et glissa la précieuse lettre dans une poche intérieure.

— Je suis prête, dit-elle seulement.

Maintenant que son parrain était parti, qu'elle se retrouvait seule en face d'elle-même, Marianne sentit la détresse l'envahir. Un mois ! Dans un mois il lui faudrait épouser quelqu'un... Un parfait inconnu peut-être ! Comment ne pas être affolée, épouvantée devant une telle perspective ? Bien sûr, elle avait la faculté de choisir elle-même si elle voulait éviter d'être contrainte à mettre sa main dans celle de l'inconnu, dont son parrain ne voulait pas dire le nom, fidèle en cela à ce goût profond du mystère qu'elle lui avait toujours connu. Personne n'avait été aussi secret que l'abbé de Chazay et apparemment le cardinal de San Lorenzo conservait les mêmes habitudes hermétiques. Et d'ailleurs, en admettant même qu'un nom eût été prononcé, lui eût-il appris quelque chose ? Non... à tout prix, il fallait trouver quelqu'un, quelqu'un qui ne lui ferait ni peur ni horreur, un homme qu'à défaut d'aimer elle pût au moins estimer. Les filles de sa caste, elle l'avait toujours su, se mariaient le plus souvent sans connaître leur fiancé. Seules les familles entraient en jeu. C'était, là aussi, une sorte de pacte conclu à l'avance. Il était peut-être normal, après tout, que ce fût son sort à elle, mais l'indépendance qu'elle avait trouvée dans l'existence tumultueuse à laquelle le destin l'avait contrainte l'empêchait d'accepter, sans lutte, de se plier à la règle habituelle. Elle voulait choisir. Mais alors, qui épouser ?

Tout en suivant à travers les salons obscurs le valet armé d'un lourd chandelier, Marianne passait fébrilement en revue les hommes qui l'entouraient, auxquels, peut-être, elle pourrait faire appel. Fortunée lui avait fait remarquer que toute la Garde Impériale était éprise d'elle, mais, parmi tous ces hommes, elle ne pouvait distinguer un visage, un caractère auquel accrocher un espoir. Elle ne les connaissait presque pas et le temps lui manquait pour faire connaissance. Certains, d'ailleurs, étaient mariés, d'autres ne souhaitaient pas convoler... et surtout pas, sans doute, dans de telles conditions, car Marianne était assez sage pour comprendre qu'entre lui faire la cour, c'est-à-dire tenter d'obtenir ses faveurs, et l'épouser, il y avait une très large distance. Clary ? Le prince autrichien n'épouserait pas une chanteuse d'opéra. D'ailleurs il était déjà marié à la fille du prince de Ligne. De toute façon, Marianne n'accepterait jamais d'appartenir au même peuple que cette Marie-Louise détestée. Alors ?... Demander à Napoléon de lui choisir un mari n'était plus possible pour les raisons qu'avait évoquées le cardinal. De plus, elle aurait horreur d'être remise, par l'homme qu'elle aimait, à un quelconque mari qui ne pourrait être qu'un complaisant. Mieux valait l'inconnu choisi par son parrain, puisqu'il lui avait promis qu'elle ne pourrait rien lui reprocher.

Un instant, l'idée lui vint d'épouser... Arcadius, mais cette idée-là, malgré le tourment dans lequel elle se débattait, lui arracha un sourire. Non, en vérité, elle ne se voyait pas devenue Mme de Jolival. Elle aurait l'impression d'épouser son propre frère, ou tout au moins son oncle.

Mais, en retrouvant, dans la rue, Gracchus-Hannibal Pioche qui abaissait le marchepied de sa voiture, elle eut une sorte d'éblouissement. La réponse qu'elle cherchait venait de fulgurer en elle en apercevant la ronde figure et la tignasse rousse du jeune garçon, qu'aucun chapeau ne pouvait contenir convenablement. Car, à côté de ce visage et par association d'idées, elle venait d'en voir apparaître un autre. Et l'impression fut si forte qu'elle lui arracha une exclamation.

— C'est lui ! C'est lui qu'il me faut !

Elle avait parlé haut et Gracchus s'étonna.

— Plaît-il, Mademoiselle Marianne ?

— Rien, Gracchus ! Mais, dis-moi, je peux toujours compter sur toi ?

— Cette question, Mademoiselle Marianne ! Vous avez besoin de moi ? Alors, commandez.

Marianne n'hésita pas. Cette fois, elle avait choisi et elle en éprouva comme une délivrance.

— Merci, mon garçon. A dire vrai, je n'en doutais pas. Écoute, en rentrant tu iras changer de vêtements, tu prendras un costume de voyage et tu selleras un cheval. Ensuite, tu viendras me rejoindre. Je te donnerai une lettre qu'il faudra porter au plus vite.

— Je ne m'arrêterai que le temps de relayer. Je vais loin ?

— A Nantes. Mais, pour le moment, à la maison, Gracchus et ventre à terre !

Une heure plus tard, Gracchus-Hannibal Pioche, botté jusqu'au ventre, empaqueté dans un ample manteau de cheval à l'épreuve des plus fortes pluies, un chapeau rond enfoncé sur les sourcils, franchissait au galop le portail de l'hôtel d'Asselnat. Debout derrière une fenêtre de la galerie du premier étage, Marianne le regardait partir. C'est seulement quand Augustin, le portier, eut refermé le lourd vantail qu'elle quitta son poste d'observation et regagna sa chambre où flottait encore l'odeur de la cire à cacheter.

Machinalement, elle revint vers son petit bureau, referma le sous-main de maroquin bleu en prenant soin d'en tirer la lettre, sans autre signature qu'un F, qu'elle y avait laissée tout ouvert, tout à l'heure. Cette lettre, trouvée en rentrant de la rue Chanoinesse, lui donnait rendez-vous le lendemain soir avec les cinquante mille livres. Elle eut la tentation de la brûler, mais dans la cheminée le feu s'était éteint et puis elle pensa qu'il valait mieux la montrer à Jolival qui, à cette heure pourtant fort tardive, n'était pas encore rentré. Il devait chercher l'argent de la rançon. D'ailleurs, les quelques mots brefs de Francis n'avaient pas eu le pouvoir d'arracher même un tressaillement à Marianne. Elle les avait lus avec détachement, comme s'ils ne l'avaient pas vraiment concernée. Toute son attention, toute son anxiété même étaient attachées à une autre lettre, celle qu'elle venait d'écrire et que, maintenant, Gracchus emportait vers Nantes.

En fait, c'était une double lettre. La première était adressée au consul des États-Unis, Robert Patterson, et le priait de vouloir bien faire parvenir, au plus vite, la seconde à destination. Mais Marianne ne se dissimulait pas que cette seconde lettre était un peu semblable à la bouteille que jette à la mer le naufragé accroché à son rocher désert. Où était Jason Beaufort, à cette heure ? Sur quelle mer naviguait le navire dont Marianne n'avait jamais voulu savoir le nom ? Un mois était si court et le monde était si grand !... Pourtant, si hasardée qu'elle fût, Marianne n'avait pu se retenir de l'écrire, cette lettre, qui appelait à elle l'homme qu'elle avait si longtemps cru haïr et qui cependant, à cette heure, lui semblait le seul assez sûr, assez énergique, assez dévoué... assez homme vrai enfin pour qu'elle osât lui demander son nom pour l'enfant de Napoléon.

Jason, habitué dès l'enfance à empoigner la vie par les cornes, à lutter contre elle à mains nues, Jason qui n'acceptait pour maître que l'océan, Jason des quatre vents et des quatre horizons... celui-là saurait les défendre et les protéger, elle et son enfant. Ne l'avait-il pas, jadis, suppliée de le suivre pour qu'elle pût trouver la paix et le repos dans son immense et libre pays ? Ne lui avait-il pas écrit : « Souvenez-vous que j'existe, et que j'ai une dette envers vous... » ? Maintenant, cette dette, Marianne allait lui demander de la payer. Il ne pourrait pas refuser puisque si Marianne en était là où le destin l'avait conduite, c'était un peu à cause de lui. Il l'avait arrachée, une nuit, des carrières de Chaillot et des griffes de Fanchon-Fleur-de-Lys. Maintenant, il fallait à tout prix qu'il vînt et qu'il l'arrachât à cet inconnu mystérieux que son parrain voulait lui faire épouser. Il le fallait ! C'était, pour Marianne, la seule chance d'accepter, sans horreur, le mariage inévitable.

Pourtant, elle le savait, en appelant Jason auprès d'elle, Marianne s'engageait dans la voie du plus cruel sacrifice, celui qu'elle avait, tout à l'heure, repoussé avec désespoir en face de son parrain : elle renonçait à vivre dans l'orbite de Napoléon, elle se condamnait à se séparer de lui, pour toujours peut-être. Jason, s'il consentait à donner son nom à l'enfant de Marianne, n'était pas homme à accepter du même coup un rôle de grotesque, de mari postiche ou de complaisant. Devenu l'époux de Marianne, et même s'il n'en exerçait pas les droits, faveur qu'elle se faisait forte d'obtenir, Marianne n'en devrait pas moins le suivre et accepter d'aller vivre là où il le désirerait, très certainement en Amérique... Un océan la séparerait de l'homme qu'elle aimait, elle ne vivrait plus sous le même ciel, ne respirerait plus le même air... mais n'était-elle pas déjà séparée de lui par cette femme qui avait maintenant sur lui tous les droits, qui se dressait entre eux comme une barrière difficile à franchir ? Seul, l'enfant resterait et, par lui, Marianne savait qu'elle demeurerait attachée à son amour mieux encore que par les liens charnels. Il faudrait bien que cela lui suffît pour orienter sa vie et lui conférer un intérêt.

Quant à Jason, Marianne n'osait s'interroger sur le genre de sentiment qu'il lui inspirait. Affection, estime, tendresse ou simple amitié ? C'était si difficile à démêler ! Confiance, en tout cas, confiance totale, absolue en son courage, en sa valeur d'homme. Avec lui, l'enfant trouverait un père capable de lui inspirer respect, admiration... peut-être amour. Et Marianne elle-même trouverait auprès de lui, sinon le bonheur, du moins la sécurité car, entre elle et tous ceux qui, jusque-là, avaient fait peser sur elle une quelconque menace, Jason saurait interposer sa force, le rempart de ses larges épaules et de son énergie. Il n'y aurait plus de Napoléon... pour Marianne et son enfant, mais pas davantage de Francis Cranmere ou autre triste sire. Ceci compenserait un peu cela et le mystérieux candidat du cardinal ne pourrait certainement pas lui en offrir autant... Mais Jason serait-il prévenu à temps ? S'il était en Amérique, ce n'était même pas la peine d'y songer !...

Lasse de rêver auprès de son feu éteint, Marianne se leva, s'étira et se dirigea vers son lit. Elle avait froid tout à coup. Et puis la fatigue de cette terrible journée l'accablait maintenant. Dormir ! C'était le seul bien souhaitable ! Rêver peut-être à ce pays lointain dont, un soir, dans le pavillon de l'hôtel de Matignon, Jason Beaufort lui avait parlé avec une attirante nostalgie...

Marianne laissa tomber son peignoir, ouvrit son lit. Mais comme elle allait s'y glisser, elle entendit frapper à sa porte.

— Dormez-vous déjà ? chuchota une voix étouffée.

C'était Arcadius enfin rentré, très certainement bredouille de sa chasse à l'argent... et le repos n'était pas encore pour tout de suite. Avec un soupir, Marianne songea qu'il allait falloir lui raconter à peu près tout ce qui s'était passé, sauf ce qui concernait l'enfant et le mariage projeté. Cela, et jusqu'à nouvel ordre, c'était son secret...

— Je viens ! fit-elle à haute voix.

Puis, ramassant son peignoir de dentelle et de batiste, elle l'enfila et alla ouvrir sa porte.

CHAPITRE VII

LES BALADINS DU BOULEVARD DU TEMPLE

Le moment redoutable était proche. L'heure était venue de rejoindre Francis avec l'argent, mais rien ne distinguait Marianne et Arcadius des autres badauds parisiens quand, vers la fin de l'après-midi du lendemain, ils se mêlèrent à la foule qui se pressait quotidiennement autour des théâtres en plein vent, des baraques foraines et des cafés composant la majeure partie du boulevard du Temple. Vêtue d'une robe de mérinos couleur châtaigne ornée seulement de minces rubans de velours ton sur ton et d'une petite fraise de mousseline blanche, coiffée d'une capote « à l'Invisible » en même velours ornée seulement d'un bouillonné de mousseline sous la passe, une cape brune sur les épaules, Marianne, calme en apparence malgré le malaise qui l'habitait, avait tout à fait l'air d'une jeune bourgeoise venue contempler les merveilles du célèbre boulevard. Arcadius en chapeau de feutre, cravate noire et habit gris « souris effrayée », lui donnait gravement le bras.

Ils avaient laissé leur voiture derrière les jardins du Café Turc. Le temps était beau et, sous les ormes du célèbre boulevard, de nombreux groupes allaient et venaient, d'un éventaire de pâtissier à un marchand d'oublies, d'une tente de baladins aux baraques en planches qui constituaient autant de petits théâtres,

207

avides de tout voir dans cette sorte de foire perpétuelle, paradis des funambules, des bateleurs en tous genres... et des Parisiens. Ceux-ci qui, pour la plupart, avaient dîné à cinq heures cherchaient dans la promenade sous les arbres autant une heureuse digestion qu'un spectacle amusant pour la soirée.

Au milieu d'un vacarme infernal de cris, de musique, de boniments hurlés sur un contrepoint fait d'aigres appels de trompettes et du lourd battement des grosses caisses, on s'arrêtait devant l'Espagnol incombustible, un maigre garçon olivâtre en costume clinquant qui buvait de l'huile bouillante et se promenait sur des fers rougis sans paraître autrement incommodé, devant le chien tireur de cartes, devant les puces savantes qui traînaient des carrosses miniatures ou se battaient en duel avec des épingles. Sur un tréteau drapé d'orange et de bleu, un grand vieillard barbu à tête de patriarche déclamait :

— Entrez, Mesdames et Messieurs, nous donnons aujourd'hui, par extraordinaire, une représentation du « Festin de Pierre ou l'Athée foudroyé », comédie en cinq actes avec changement à vue, pluie de feu au cinquième acte, engloutissement et divertissement avec Mlle Malaga. Le célèbre d'Hauterive jouera don Juan avec toute sa garde-robe ! Faites voir l'habit du quatrième acte ! Regardez : habit mordoré, jabot et manchettes en dentelles de Flandre. Et maintenant, nous vous présentons la jeune Malaga elle-même pour vous prouver que sa beauté n'est pas une chimère. Paraissez, jeune Malaga !

Fascinée, malgré elle, autant par le bagout du bonhomme, que par l'ambiance colorée, Marianne vit surgir comme une brillante fusée une adolescente brune, ravissante sous des habits de soie bariolée, ses longues tresses noires ornées de sequins brillants, qui salua le public avec une grâce charmante, arrachant un tonnerre d'applaudissements.

— Comme elle est jolie ! s'écria-t-elle. N'est-ce pas

dommage de la produire ainsi sur des tréteaux misérables ?

— Il y a beaucoup plus de talent que vous ne l'imaginez dans toutes ces baraques, Marianne. Quant à Malaga, l'on dit qu'elle est de bonne famille, noble même et que son père, ce barbu qui jusque dans son métier de bateleur garde une sorte de grandeur, est un seigneur déchu à la suite de je ne sais quelle sombre histoire. Mais, si vous le voulez, nous reviendrons un soir les applaudir. J'aimerais que vous voyiez danser Malaga en compagnie de Mlle Rose, sa partenaire. Il y a peu de ballerines, à l'Opéra, qui aient tant de grâce... Pour le moment, je crois que nous avons autre chose à faire.

Marianne rougit. Dans cette atmosphère de fête bon enfant, au milieu de toute cette joie bruyante, factice ou réelle, elle avait oublié un instant la raison profonde de leur excursion au boulevard du Temple.

— C'est vrai. Où se trouve ce Salon des Figures puisque nous devons y rencontrer...

Elle n'alla pas plus loin. Il lui était de plus en plus difficile de prononcer le nom de Francis Cranmere. Arcadius, remontant sous son bras le portefeuille contenant les cinquante mille livres en billets à ordre que Marianne était allée chercher le matin même à la banque Laffite, désigna un peu plus loin, un grand bâtiment dont la façade néo-grecque cachait à demi une énorme rotonde et qui dominait, avec quelque hauteur, la foule des tentes et des tréteaux.

— Un peu plus loin que le cirque Olympique où M. Franconi donne ses spectacles de cavalerie et que vous voyez là-bas, cette vieille maison dont le balcon coupe quatre colonnes corinthiennes. C'est le Salon des Figures de cire du sieur Curtius. Un endroit très curieux, vous verrez... mais prenez garde où vous posez vos pieds. C'est fort boueux par ici.

En effet, pour éviter les queues en formation devant les théâtres de la Gaîté et de l'Ambigu Comique où des affiches aux couleurs criardes sollicitaient le client aussi impérieusement que les bonimenteurs, on dut se rabattre vers le couvert des arbres où le sol, détrempé par une grosse pluie tombée vers le matin, se montrait boueux à souhait. Une bande de gamins passa en braillant un refrain de Désaugiers alors fort à la mode :

> « *La seule prom'nade qu'ait du prix,*
> *La seule dont je suis épris,*
> *La seule où j'm'en donne, où c'que j'ris*
> *C'est l'boul'vard du Temple à Paris* »

— L'intention est bonne mais la rhétorique regrettable, commenta Jolival en protégeant de son mieux Marianne contre les conséquences boueuses de la charge menée par les gamins. Comme il est regrettable de vous faire passer par ici, mais je préfère ne pas longer des façades.

— Pourquoi donc ?

Du geste, Jolival montra une maison basse, blottie entre le Salon des Figures et un petit théâtre en planches encore désert qu'un grand fronton de toile peinte annonçait comme le Théâtre des Pygmées. Le rez-de-chaussée de cette maison était occupé par un estaminet assez vaste dont la porte s'ouvrait sous une enseigne représentant un épi de blé coupé par une scie.

— Ce lieu enchanteur est le cabaret de l'Épi-Scié, l'un des domaines de notre chère Fanchon-Fleur-de-Lys. Il vaut mieux ne pas l'approcher de trop près.

La seule évocation de l'inquiétante associée de Francis fit frémir Marianne déjà péniblement impressionnée par ce qui allait venir. Elle hâta le pas. Et, en quelques secondes, on fut à destination. Devant la porte du musée de cire, un superbe lancier polonais montait la garde, si bien imité que Marianne dut s'approcher de tout près pour s'assurer que c'était un mannequin, tandis qu'Arcadius, son portefeuille toujours serré sous le bras, allait payer leurs entrées. Ce lancier était d'ailleurs le seul luxe de cette entrée, des plus modestes avec ses deux lampions et l'aboyeur qui, inlassablement, appelait les Parisiens à venir contempler « plus vrais que nature » les puissants du jour.

Ce fut avec méfiance que Marianne pénétra dans une grande salle noire et assez enfumée dans laquelle la lumière pénétrait par des fenêtres qui avaient besoin d'un sérieux nettoyage. Le jour, cependant clair au-dehors, y était gris, brouillé. Cela conférait aux personnages de cire qui la peuplaient une étrange irréalité qui eût peut-être été angoissante si les exclamations et les rires des visiteurs ne se fussent chargés d'alléger l'atmosphère.

— Il fait froid, ici, murmura la jeune femme en frissonnant tandis que sous couleur d'admirer une très martiale reproduction du défunt maréchal Lannes, ils observaient les alentours pour voir si, parmi ces gens réels ou non, ils allaient reconnaître Francis.

— Oui, admit Jolival... et notre ami est déjà en retard.

Marianne ne répondit pas. Son malaise augmentait, peut-être à se trouver au milieu de ces personnages de cire, trop ressemblants. Le groupe principal, qui tenait tout le milieu de la vaste et sombre salle, représentait Napoléon lui-même, à table avec toute sa famille, servis par quelques valets. Tous les Bonaparte étaient là : Caroline, Pauline, Élisa, la sévère Madame Mère, à peine plus rigide que sa réalité dans des voiles de veuve. Mais c'était cet empereur de cire qui gênait le plus Marianne. Elle avait l'impression que ses yeux d'émail pouvaient la voir à cet instant où elle agissait avec tout le mystère d'une conspiratrice. Elle avait envie de fuir, tout à coup, la gêne se mêlant à une crainte instinctive de voir surgir Francis.

Devinant son trouble, Arcadius s'approcha de la table impériale et se mit à rire.

— Vous n'imaginez pas à quel point cette table a reflété l'histoire de France. On a vu ici Louis XV et son auguste famille, Louis XVI et son auguste famille, le Comité de Salut Public et son auguste famille, le Directoire et son auguste famille. Voici maintenant Napoléon et son auguste famille... mais vous remarquerez que l'Impératrice manque. Marie-Louise n'est pas encore prête. D'ailleurs, je ne suis pas très sûr que pour l'exécuter l'on ne récupère pas quelques morceaux de la Pompadour, devenue indésirable. Par contre, ce dont je suis sûr, c'est que ces fruits sont les mêmes depuis Louis XV... la poussière elle aussi doit être d'époque !

Mais la gaieté, feinte d'ailleurs, de Jolival n'arracha à Marianne qu'un faible sourire. Que faisait donc Francis ? Certes, Marianne redoutait de le voir paraître, mais, d'un autre côté, elle avait hâte d'en finir au plus vite et de quitter cet endroit que, pour sa part, elle ne trouvait pas amusant du tout.

Et, soudain, il fut là. Marianne le vit surgir d'un coin plus sombre encore que le reste. Il apparut brusquement, derrière la baignoire où Marat agonisait sous le couteau de Charlotte Corday, vêtu lui aussi en bourgeois, les bords de son chapeau marron et le col de son manteau cachant en partie son visage. Il se dirigea rapidement vers la jeune femme et son compagnon, et Marianne qui l'avait toujours connu si sûr de lui, put noter avec un peu d'étonnement qu'il jetait autour de lui des regards aussi inquiets que rapides.

— Vous êtes exacts, fit-il brusquement sans se donner la peine de saluer.

— Vous ne l'êtes pas ! riposta sèchement Arcadius.

— J'ai été retenu. Excusez-moi. Vous avez l'argent ?

— Nous avons l'argent, répondit encore Jolival en serrant un peu plus fort son portefeuille contre sa poitrine. Par contre, il ne nous semble pas que Mlle d'Asselnat vous accompagne.

— Je vous la remettrai plus tard. L'argent d'abord.

Qui me dit qu'il se trouve bien dans ce portefeuille ? ajouta-t-il en tendant un doigt vers l'objet mentionné.

— Ce qu'il y a d'agréable dans les affaires que l'on traite avec les gens de votre sorte, mylord, c'est l'atmosphère de confiance qui y règne. Voyez vous-même.

Vivement, Arcadius ouvrit le rabat de maroquin, montra les cinquante billets à ordre de mille livres chacun, le referma aussi rapidement et fourra de nouveau contenant et contenu sous son bras.

— Voilà ! fit-il calmement. Maintenant, votre prisonnière !

Francis eut un geste agacé.

— Plus tard, ai-je dit ! Je vous la conduirai ce soir chez vous... Pour le moment, je suis pressé et ne dois pas m'attarder ici. Je ne m'y sens pas en sécurité.

C'était l'évidence même. Depuis qu'il était arrivé, Marianne n'avait pas encore réussi à croiser le regard de Francis tant il était instable et mobile. Mais, cette fois, elle entra en lice. Posant une main sur le portefeuille comme si elle craignait qu'Arcadius ne se laissât aller à quelque intempestive générosité, elle déclara :

— Moins je vous verrai et plus je serai satisfaite, mon cher ! Ma porte ne s'ouvrira jamais pour vous. Il est donc hors de question que vous vous présentiez chez moi, seul ou accompagné. Nous avons passé un marché. Vous venez de constater qu'en ce qui me concernait, ma part était remplie. Maintenant, je vous somme de remplir la vôtre... sinon tout est remis en question.

— Ce qui veut dire ?

— Que vous n'aurez l'argent que lorsque vous m'aurez rendu ma cousine.

L'œil gris de lord Cranmere parut se rétrécir et se chargea d'une lueur menaçante. Il grimaça un sourire.

— Est-ce que vous n'oubliez pas un peu les termes de ce marché, belle dame ? Votre cousine, si ma mémoire est fidèle, n'en était qu'une partie... une très petite partie ! Elle n'était qu'une... garantie de tranquillité pour moi pendant que vous rassembliez cet argent qui est, lui, une garantie de tranquillité pour vous.

Marianne ne broncha pas sous la menace à peine déguisée. Depuis que le fer était engagé, elle avait retrouvé, comme toujours lorsqu'elle avait un combat à livrer, tout son calme et toute son assurance. Elle se permit même le luxe d'un sourire de mépris.

— Je ne l'entends pas ainsi. Depuis l'agréable entretien que vous m'avez imposé, j'ai pris quelques précautions concernant justement ma tranquillité. Vous ne me faites plus peur !

— Ne bluffez pas ! gronda Francis. A ce jeu, je suis plus fort que vous ! Si vous ne me craigniez pas, vous seriez venue les mains vides.

— Aussi ne suis-je venue que pour récupérer ma cousine. Quant à ce que vous appelez un... bluff ? c'est bien ça ?... apprenez qu'hier j'ai vu l'Empereur et que, même, je suis restée plusieurs heures dans son cabinet. Si votre service de renseignements fonctionnait aussi bien que vous le dites, vous sauriez cela !

— Je le sais. Je sais même aussi que l'on s'attendait à vous en voir sortir entre deux gendarmes...

— Mais j'en suis sortie escortée poliment par le valet de chambre de Sa Majesté jusqu'à la voiture impériale qui m'a ramenée chez moi, fit la jeune femme avec une tranquillité qu'elle était bien loin d'éprouver réellement.

Décidée à payer d'audace jusqu'au bout, elle ajouta :

— Distribuez vos libelles, mon cher, cela m'est tout à fait égal. Et, si vous ne me rendez pas Adélaïde, vous n'aurez pas un sou !

Malgré l'inquiétude profonde qu'elle ne pouvait s'empêcher de ressentir, car elle connaissait trop l'âme tortueuse du personnage pour s'imaginer l'avoir vaincu si vite, Marianne goûta une double joie à constater qu'il ne répondait pas tout de suite, semblait perplexe. En lisant sur la figure pointue de son ami, Arcadius, une expression bien proche de l'admiration, elle sentit qu'elle était en train de conquérir un avantage important. Il fallait, à tout prix, que Francis crut réellement que seule, maintenant, Adélaïde était importante pour elle. Non dans le but de garder cet argent du chantage que Jolival serrerait si tendrement sur son cœur, mais pour tenter de désamorcer pour l'avenir cette dangereuse mine. Bien sûr, cet avenir appartiendrait peut-être à Jason Beaufort mais, de même qu'elle avait eu horreur d'être considérée comme un objet de scandale par Napoléon, elle refusait de destiner à Beaufort une femme décriée, couverte publiquement de boue. Il était déjà bien suffisant de lui offrir une femme enceinte d'un autre.

Soudain, lord Cranmere grommela :

— Je voudrais bien vous la rendre, cette vieille garce ! Seulement je ne l'ai plus !

— Comment ?

— Que voulez-vous dire ?

Marianne et Arcadius avaient parlé en même temps. Avec rage Francis haussa les épaules.

— Qu'elle a disparu ! Elle m'a glissé entre les doigts ! Elle s'est sauvée, si vous préférez !

— Quand ? demanda Marianne.

— Hier soir ! Quand on est entré dans sa... chambre pour lui porter son dîner, elle avait disparu.

— Et vous vous imaginez que je vais croire cela ?

Brusquement, la crainte cachée et le malaise qui avaient habité Marianne durant tout ce temps se muèrent en une violente indignation qui éclata. Francis la prenait-il pour une sotte ? C'était trop facile, en vérité ! Il récupérait l'argent et ne donnait rien en retour, sinon une parole des plus sujettes à caution. Avec une égale fureur, Francis riposta.

— Vous n'avez pas le choix ! J'ai bien été obligé d'y croire, moi ! Je vous jure qu'elle a disparu de sa prison.

— Oh ! vos serments ! Si elle s'était enfuie elle aurait regagné immédiatement ma maison !

— Je ne peux vous dire que ce que je sais. Tout à l'heure, j'ai appris sa fuite. Et je vous le jure... sur la tombe de ma mère !

— Où l'aviez-vous cachée ? intervint Jolival.

— Dans l'une des caves de l'Épi-Scié, tout près d'ici.

Jolival éclata de rire.

— Chez Fanchon ? Oh, mon cher, je ne vous croyais pas aussi naïf ! Si vous voulez savoir où elle est, adressez-vous à votre alliée. Elle le sait sûrement ! Sans doute trouve-t-elle que vous lui avez réservé dans cette affaire une part indigne, sinon de ses talents, du moins de son appétit !

— Non, coupa sèchement lord Cranmere. C'est un genre de plaisanterie auquel Fanchon ne s'essayerait pas. Elle sait trop que je n'hésiterais pas à l'en punir... d'une manière définitive. D'ailleurs, sa colère devant la fuite de cette vieille chipie était révélatrice. Si vous y tenez, ma chère, mieux vaut pour elle ne pas retomber aux mains de Fanchon. Il faut dire qu'elle a tout fait pour l'exaspérer.

Marianne connaissait trop Adélaïde pour imaginer sans peine comment elle avait pris son enlèvement et sa captivité. Fanchon-Fleur-de-lys, malgré son cynisme et son audace, avait dû trouver à qui parler et il était bien possible, après tout, que l'intrépide demoiselle ait réussi à s'échapper. Mais, dans ce cas, où était-elle ? Pourquoi n'était-elle pas rentrée rue de Lille ?

Francis maintenant s'impatientait. Depuis quelque temps déjà, il jetait des regards de plus en plus nombreux vers l'entrée où venait d'ailleurs d'apparaître un immense grenadier de la Garde, si fastueusement barbu que sa tête surmontée du haut bonnet à plumet rouge et ornée, de surcroît, de longues moustaches à la gauloise semblait appartenir à quelque animal étrange tant elle était poilue.

— Finissons-en ! gronda Francis. Je n'ai déjà que trop perdu de temps ! J'ignore où est cette vieille folle, mais vous la retrouverez bien un jour. L'argent !

— Rien à faire, articula énergiquement Marianne. Vous ne l'aurez que lorsque j'aurai ma cousine.

— Croyez-vous ? Moi, je dis que vous allez me le donner immédiatement ! Allons ! Vite ! Passez-moi ce portefeuille, mon petit bonhomme, sinon...

Brusquement, Marianne et Jolival virent pointer, dans l'entrebâillement du manteau de Francis, un pistolet dont la gueule noire vint menacer directement le ventre de la jeune femme.

— Je savais que vous feriez des histoires à cause de la vieille, grinça lord Canmere. Alors, l'argent ou je tire ! Et ne bougez surtout pas, vous, l'homme de confiance, sinon...

Le cœur de Marianne manqua un battement. Elle lut sa mort sur le visage soudain décomposé de Francis. Telle était sa soif d'or qu'il n'hésiterait sûrement pas à tirer, mais elle refusa de lui montrer sa peur. Prenant une profonde respiration, elle se redressa de toute sa taille.

— Ici ? fit-elle avec dédain. Vous n'oseriez pas !

— Pourquoi ? Il n'y a personne, que ce soldat... et il est trop loin. J'aurais le temps de fuir.

En effet, le grand grenadier se promenait tranquillement, les mains au dos, à travers les figures de cire. Il s'approchait lentement de la table impériale et ne regardait pas de ce côté. Francis avait le temps de tirer plusieurs fois.

— Transigeons, proposa Arcadius. La moitié tout de suite et l'autre moitié quand nous aurons retrouvé Mlle Adélaïde !

— Non ! Il est trop tard et je n'ai pas le temps. Il me faut l'argent pour retourner en Angleterre où j'ai à faire. Alors, donnez vite sinon je le prends de force et, avant de partir, je trouverai bien le temps de distribuer mes petits papiers jaunes. Leur effet sera ce qu'il sera...

Il est vrai qu'une fois morte... vous n'aurez plus à vous en soucier beaucoup.

Le pistolet s'agitait dangereusement au bout des doigts de Francis. Marianne jeta autour d'elle un regard éperdu. Oh ! pouvoir appeler ce soldat !... Mais, tout à coup, il avait disparu... Francis était le plus fort. Il fallait capituler.

— Donnez-lui l'argent, mon ami, dit-elle d'une voix blanche, et qu'il aille se faire pendre ailleurs.

Sans un mot, Arcadius tendit le portefeuille. Francis le prit avec avidité, l'escamota sous son grand manteau. Le pistolet, lui aussi, disparut, au soulagement de Marianne qui, un instant, avait lu la folie dans les yeux glacés de Francis et craint qu'il ne tirât malgré tout. Elle ne voulait pas mourir, surtout de cette manière stupide. La vie, elle ne savait trop pourquoi, avait acquis à ses yeux un prix extraordinaire. Elle avait trop de choses à lui donner encore, à commencer par l'enfant, pour que Marianne acceptât de la perdre ainsi, sous les balles d'un forcené. Francis ricana, répondant à ses derniers mots.

— N'y comptez pas trop ! Les gens de ma trempe ont la vie dure, vous êtes payée pour le savoir. Nous nous reverrons, douce Marianne ! Souvenez-vous que ceci ne vous accorde qu'un an de tranquillité ! Profitez-en !

Touchant son chapeau d'un doigt insolent, il s'éloignait déjà entre les dignitaires de la Cour figés en des gestes pompeux quand, brusquement, il s'effondra. Surgi de derrière la gigantesque effigie du maréchal Augereau, le grenadier venait de lui tomber dessus.

Stupéfaits, Marianne et Arcadius regardèrent les deux hommes se livrer dans la poussière un combat sauvage. Le grenadier avait l'avantage de la taille et du poids mais Francis, entraîné comme tout noble anglais à de nombreux sports, était d'une souplesse et d'une vigueur peu communes. Surtout, une rage folle le possédait de se voir ainsi arrêté au moment même où, une fortune sous le bras, il allait partir vers quelques mois de la vie fastueuse qu'il aimait. En luttant, il poussait des cris de colère alors que l'autre, silencieux, se battait sans un mot, cherchant à maîtriser sous son poids un adversaire aussi glissant et remuant qu'une anguille. S'appuyant l'un sur l'autre, les deux combattants s'étaient relevés et, tête contre tête, leurs mains nouées comme des pierres scellées, ils s'affrontaient, soufflant et grognant comme deux taureaux dans une arène.

Un coup de genou, appliqué traîtreusement, assura la victoire à l'Anglais. Avec un gémissement de douleur, le grenadier se plia en deux, tomba sur les genoux, tenant son ventre. Sans s'attarder à lui laisser reprendre son souffle, Francis ramassa la serviette qui avait glissé jusque près de la porte et, haletant, s'enfuit en titubant. D'un même mouvement, Marianne et Arcadius se précipitèrent vers son adversaire malheureux pour l'aider à se relever. Mais l'homme, toujours à genoux, portait déjà un sifflet à sa bouche et en tirait un appel strident.

— Je dois me rouiller, ou alors je bois trop ! commenta-t-il avec bonne humeur. De toute façon, l'ira pas loin. Bien sûr, j'aurais préféré le cueillir moi-même ! Il m'a fait un mal de chien... sans compter ce qu'il m'a fait courir ! C'est égal ! Ça fait plaisir de te revoir, petite !

Il se relevait, sous les yeux d'une Marianne incrédule qui écoutait avec une joie à laquelle elle n'osait croire une voix bien connue sortir de tout cet appareil de barbe, de moutache et de cheveux.

— Ce n'est pas possible ? murmura-t-elle. Je rêve ?

— Hé non, c'est bien moi. On se souvient encore de son oncle Nicolas ? J'avoue que ça a été une vraie surprise de te reconnaître tout à l'heure ! Je ne m'attendais pas à toi !

— Nicolas ! Nicolas Mallerousse ! soupira Marianne ravie tandis que le revenant se débarrassait tranquillement de ses postiches superflus. Mais d'où sortez-vous ? J'ai si souvent pensé à vous !

— Moi aussi, petite, j'ai souvent pensé à toi ! Quant à l'endroit d'où je sors, c'est toujours le même : l'Angleterre ! Il y a longtemps que je file l'animal qui vient de me glisser si prestement entre les doigts... mais qui doit être actuellement aux mains de mes collègues ! Il est malin, habile. Pour tout dire, j'avais perdu sa trace à Anvers et j'ai eu quelque peine à le retrouver ici.

— Pourquoi le suiviez-vous ?

— J'ai des comptes à régler avec lui... des comptes singulièrement lourds et que j'entends lui faire payer jusqu'au dernier centime ! Tenez ! Qu'est-ce que je vous disais ? Les voilà qui reviennent.

Francis Cranmere, en effet, réapparaissait dans le salon des figures de cire, mais cette fois solidement maintenu par quatre vigoureux policiers. Malgré ses mains liées, il se débattait encore comme un diable et ses gardiens devaient le porter ou le traîner plus qu'il ne marchait. Blême, il écumait de fureur, jetant des regards meurtriers à la foule qui s'amassait à l'entrée de la maison et que des gendarmes écartaient de leur mieux.

— On l'a, chef ! dit l'un des policiers.

— C'est bien ! Conduisez-le-moi à Vincennes et sous bonne garde, hein ?

— Je vous conseille de me lâcher, gronda Francis, sinon vous pourriez vous en repentir.

Nicolas Mallerousse, alias Black Fish, marcha jusqu'à lui et se baissa un peu pour le regarder sous le nez.

— Tu crois ? J'ai dans l'idée, moi, que tu regretteras d'être venu au monde quand j'en aurai fini avec toi ! Allez, ouste ! Au cachot !

— On a trouvé ça sur lui, dit l'un des hommes en tendant le portefeuille. C'est plein d'argent...

A voir le regard affamé dont Francis enveloppa la sacoche, Marianne comprit que cet argent lui importait plus encore que sa liberté et que, si on le lui arrachait, il pourrait devenir mortellement dangereux au cas, improbable peut-être, mais toujours possible, où il s'échapperait. Arcadius ne l'avait-il pas vu sortir de chez Fouché ? Ne s'était-il pas, pour obtenir l'argent, livré aux pires vilenies, au plus abject chantage ? La sagesse aurait voulu, peut-être, et si l'on tenait compte des étranges révélations faites par Arcadius sur les relations secrètes entre lord Cranmere et Fouché, qu'elle fît en sorte qu'on lui laissât cet argent mal acquis. Mais, après tout, le coup de chance qui avait fait tomber Black Fish sur eux, juste au moment où elle remettait sa rançon, n'était-il pas un signe du destin ? Entre les mains du redoutable Breton, Francis n'avait guère de chance d'échapper à un sort très certainement peu enviable. Enfermé dans ce Vincennes dont on lui avait montré, un jour, les tours moyenageuses, il ne serait plus dangereux pour elle. Et puis, la tentation d'exercer la vengeance qui s'offrait à elle était trop forte. Avec un sourire, elle tendit la main vers le portefeuille.

— Cet argent est à moi, dit-elle doucement. Cet homme nous l'avait extorqué sous la menace d'un pistolet... que l'on devrait trouver sur lui. Puis-je le reprendre ?

— J'ai vu, en effet, le prisonnier prendre le portefeuille des mains de Monsieur, approuva Black Fish en désignant Arcadius. Il n'y a aucune raison qu'on ne vous le rende pas puisqu'il s'agit seulement d'argent. J'ai cru, tout d'abord, qu'il s'agissait de quelque chose d'infiniment plus dangereux et, à ne rien te cacher, petite, tu as eu de la chance que nous nous connaissions depuis longtemps. Cela aurait pu te coûter cher. Fouillez-le, vous autres !

Tandis que les policiers fouillaient un Francis écumant de fureur et découvraient, en effet, l'arme qu'il portait, Marianne demanda :

— Pourquoi est-ce que cela aurait pu me coûter cher ?

— Parce qu'avant de te reconnaître je t'avais prise pour un agent de l'étranger.

— Elle ? lança Francis hors de lui. A qui ferez-vous croire que vous ne savez pas ce qu'elle est ? Une garce ! Une espionne de Buonaparte dont elle est d'ailleurs la maîtresse !

— Et si nous parlions de vous ? riposta Marianne méprisante. De quel nom puis-je vous appeler en dehors du fait que vous êtes un espion ? Maître chanteur ? Et peut-être aussi...

— Tu me paieras tout cela un jour ou l'autre, petite traînée ! J'aurais dû me douter que tu me tendrais un piège. C'est toi, hein, qui m'a vendu ?

— Moi ? Comment aurais-je pu le faire ? Qui de nous deux a décidé de ce rendez-vous ?

— Moi, c'est entendu ! Mais malgré ce que je t'avais dit, tu as posté ces argousins.

— Ce n'est pas vrai ! s'écria Marianne. J'ignorais que l'on vous suivait. Comment l'aurais-je su ?

— Assez de mensonges, gronda Francis avec un geste violent de ses mains liées, comme s'il voulait frapper la jeune femme. Tu as gagné cette fois, Marianne, mais ne te réjouis pas trop vite ! Je sortirai de cette prison... et alors gare à toi !

— En voilà assez ! tonna Black Fish, dont l'œil s'était arrondi de surprise à l'énoncé de la situation de Marianne auprès de l'Empereur. J'ai déjà dit de l'emmener. Embarquez-moi cet homme et bâillonnez-le puisqu'il ne veut pas se taire. Quant à toi, petite, ne tremble pas. J'en sais suffisamment sur lui pour le faire monter sur l'échafaud et ce que tiennent les cachots de Vincennes, ils ne le lâchent plus.

— Avant six mois, je serai vengé ! hurla Francis tandis que l'un des policiers lui appliquait brutalement sur la bouche un crasseux mouchoir à carreaux qui parvint enfin à étouffer ses menaces.

Il était maîtrisé, ligoté. Pourtant, Marianne le regarda partir, traîné par ses gardiens, avec une sorte d'horreur. Elle savait combien était puissant le génie du mal qui habitait cet homme, elle savait à quel point il la haïssait, d'une haine appliquée, tenace, qui ne pouvait que croître maintenant qu'il la croyait coupable de l'avoir dénoncé. Mais, depuis la nuit de leurs noces, elle avait toujours su qu'entre eux c'était une lutte à mort qui ne trouverait son aboutissement que dans la disparition de l'un d'entre eux.

Devinant le cours que suivaient les pensées de son amie, Jolival glissa son bras sous le sien et le serra fermement comme pour la rassurer et lui faire entendre qu'elle n'était pas seule en cause, mais ce fut à Black Fish qui, les poings sur les hanches, regardait partir ses hommes et son prisonnier, qu'il s'adressa.

— Qu'a-t-il donc fait, en dehors du fait qu'il est anglais, demanda-t-il. Et pourquoi le suiviez-vous depuis l'Angleterre ?

— C'est un espion du Hareng Rouge et un dangereux !

— Le Hareng Rouge ? s'étonna Marianne.

— Lord Yarmouth, si tu préfères, actuellement le directeur du Home Office dans le cabinet de lord Wellesley et bien connu dans la haute société parisienne qui lui a donné ce surnom. J'ajoute que sa femme, la belle Maria Fagiani, habite toujours Paris où elle occupe son temps de la plus agréable façon avec quelques amis dont notre gibier fait partie. Mais c'est pour une tout autre raison que j'ai juré la perte de ce Cranmere.

— Laquelle ?

— Les prisonniers des pontons de Portsmouth auxquels il s'est particulièrement intéressé. Ce gentilhomme aime la chasse et, pour meubler ses loisirs, il s'est constitué une meute de chiens dont la spécialité est la traque des prisonniers évadés... J'ai vu quelques-uns de ces malheureux rattrapés par les fauves de Cranmere... ou tout au moins ce qu'ils en laissaient ! Bien peu de choses !

Une effrayante colère grondait dans la voix assourdie de Black Fish, tremblait dans ses poings crispés, entre ses dents serrées. Marianne, épouvantée, ferma les yeux sur les visions de cauchemar qu'il venait d'évoquer. Quel être abominable était donc l'homme auquel on l'avait liée ? Quel abîme d'horreur, de cruauté sadique, dissimulait ce trop beau visage, cette allure de prince ? Un instant la pensée lui revint du pacte conclu avec le cardinal de San Lorenzo et, pour la première fois, elle eut une pensée reconnaissante envers son parrain. Tout plutôt que garder le moindre lien avec un tel monstre !

— Pourquoi ne pas l'avoir tué ? Tué de vos mains ? demanda-t-elle tout bas.

— Parce que je suis avant tout un serviteur de l'Empereur ! Parce que je veux qu'il soit jugé et parce que je ne veux pas priver la guillotine de sa tête. Mais, si les juges ne l'envoient pas à l'échafaud, je jure de l'abattre moi-même de mes mains... ou d'y laisser ma peau ! Maintenant, laissons cela ! Les visiteurs reviennent. Il faut rendre la scène aux figures de cire !

En effet, deux ou trois curieux pénétraient avec prudence dans le Salon libéré par les policiers. Leurs yeux inquiets cherchaient une suite au drame qui venait de se dérouler, bien plus que les personnages de cire qu'ils étaient censés admirer.

— Il n'est si bonne compagnie qui ne se quitte, soupira Jolival. Si vous n'y voyez pas d'inconvénient, nous pourrions sortir d'ici. J'avoue qu'à la longue tous ces gens figés...

— Partez, vous n'avez en effet plus rien à faire ici. Dites-moi seulement où je peux vous retrouver. Moi, je reste puisque je n'ai pas trouvé sur l'Anglais les papiers que je cherchais. Ils ont encore une chance de venir sur quelqu'un d'autre. C'est ce quelqu'un qu'il me faut attendre.

— Quelqu'un qui doit venir ici ?

— Je le suppose... Maintenant, sauve-toi, petite. Tu as eu de la chance que nous nous connaissions depuis longtemps, sinon, toi et ton ami, je vous embarquais avec l'Anglais ! Ce qui doit suivre ne te regarde pas. Et ne t'en fais pas pour ses menaces ! Il n'est pas près de les mettre à exécution.

Marianne avait très envie de poser encore des questions. Depuis que Black Fish était entré en scène, il régnait ici une atmosphère de mystère que renforçait encore la lumière pauvre des quinquets au moyen desquels le sieur Curtius s'efforçait de remédier à la chute du jour. Mais elle comprenait qu'il ne lui était pas possible de s'immiscer ainsi dans les secrets d'État ni dans les opérations de police. Celle qui venait de se dérouler... et qui, peut-être, la débarrasserait de Francis, lui suffisait. Elle avait pleine confiance en Black Fish. Ni les hommes, ni les éléments n'avaient de prise sur lui. Dans son bateau ravagé par la tempête, comme dans sa maison de Recouvrance, ou sous n'importe quel déguisement, il avait quelque chose d'indestructible et Francis avait en lui un adversaire à sa taille...

Tandis qu'Arcadius griffonnait hâtivement leur adresse sur une feuille arrachée d'un calepin, elle tendit sa main au pseudo-grenadier... au moment précis où l'un des valets de cire de la table impériale éclatait en un prodigieux éternuement, beaucoup trop vigoureux et trop involontaire, surtout, pour qu'il soit désormais possible de garder un doute sur l'humanité réelle du personnage. D'ailleurs le malheureux, pris d'une sorte de crise, éternuait de plus belle en portant, à sa poche, une main tremblante pour en tirer sans doute un mouchoir. Mais Black Fish avait déjà bondi et, d'un revers de main, faisait voler, au milieu d'un nuage de poussière, la perruque soi-disant blanche qui coiffait le pseudo-valet de cire.

— Fauche-Borel ! s'écria-t-il. J'aurais dû m'en douter !

Avec un gémissement de terreur, l'interpellé sauta en arrière en bousculant un Roustan de cire qui s'effondra sur le plancher à grand fracas et prit ses jambes à son cou sans demander son reste. Black Fish se lança sur sa trace. Filant comme l'animal poursuivi qu'il était, le faux valet, qui était mince et de petite taille, se faufila entre les visiteurs ébahis qui n'eurent pas le temps de se reconnaître avant de prendre, de plein fouet, la masse imposante du faux grenadier. Arcadius se mit à rire et, saisissant Marianne par la main, voulut l'entraîner vers la sortie.

— Allons voir ! Cette fois, cela promet d'être amusant.

— Pourquoi ? Qui est ce Fauche...

— Fauche-Borel ? Un libraire suisse de Neufchâtel qui se prend pour le roi des agents secrets et qui sert sa fantomatique majesté Louis XVIII dans l'espoir d'être un jour chef de la bibliothèque Royale. Il a toujours adoré les figures de cire. En fait, j'ai rarement vu un maladroit comme lui ! Venez donc, j'aimerais voir ce qu'en va faire votre pittoresque ami !

Mais Marianne n'avait aucune envie de se lancer sur la trace du faux grenadier et du faux valet de cire. L'affrontement avec Francis lui avait laissé un goût trop amer pour qu'elle pût s'amuser de quoi que ce soit et, malgré l'extrême confiance mise par elle en Black Fish, elle ne pouvait évoquer sans frissonner le dernier regard que lui avait jeté l'Anglais par-dessus le mouchoir qui lui fermait la bouche. Jamais la haine à l'état pur ne s'était offerte si nettement à elle, ni la cruauté implacable. Et en rapprochant ce regard de ce qu'avait raconté Black Fish, Marianne se sentait glacée d'horreur. C'était comme si, tout à coup, Francis dépouillant sa superbe apparence humaine, avait laissé surgir devant elle le monstre que cette apparence recouvrait car, jusqu'à présent, elle avait jugé lord Cranmere sans scrupules et sans la moindre honnêteté, de cœur sec et d'un égoïsme poussé au fanatisme, mais les paroles de Black Fish avaient ouvert devant ses yeux, en un abîme de cruauté sadique, les troubles perspectives d'un esprit habile et rusé mêlées aux aberrations d'un fou dangereux. Non, elle n'avait pas envie de chercher à son souci la moindre distraction. Elle avait envie de rentrer chez elle, de retrouver le calme de sa maison pour y songer à tout cela.

— Allez sans moi, Arcadius, dit-elle d'une voix blanche. Je vais retourner à la voiture pour vous y attendre.

— Marianne, Marianne ! Allons ! Réveillez-vous ! Cet homme vous a fait peur, n'est-ce pas ? Et ce que l'on vous a dit vous a recrue d'horreur ?

— Vous me comprenez si bien, mon ami ! fit-elle avec un petit sourire. Pourquoi me le demander alors ?

— Pour en être tout à fait sûr ! Mais, Marianne, vous n'avez plus rien à craindre ! L'Anglais est désormais sous les meilleurs verrous de France. Il ne s'en échappera pas.

— Avez-vous donc oublié ce que vous m'avez dit vous-même ? Cette facilité avec laquelle il se rend chez Fouché ? Ces accointances bizarres qu'il a auprès du ministre français de la Police, les plans de paix auxquels celui-ci travaille secrètement avec l'Angleterre. Black Fish, lui, les ignore. Il était là-bas. Il peut avoir une surprise désagréable, être désavoué...

Arcadius hocha la tête, reprit Marianne par le bras et l'entraînant lentement vers la sortie affirma gravement :

— Je n'oublie rien. Black Fish ignore les plans de son ministre mais, de son côté, Fouché ignore certainement l'affreuse activité de son hôte, de l'autre côté du détroit. Il ne peut rester insensible à la mort atroce que lui doivent certains prisonniers français. Relâcher ce monstre serait, selon moi, signer son propre arrêt de mort. Napoléon, qui aime réellement, profondément ses soldats, ne le lui pardonnerait jamais. Il est des crimes sur lesquels on ne peut passer l'éponge et, si vous voulez mon avis, Fouché, tout au contraire, s'arrangera pour que lord Cranmere soit si bien mis au secret... qu'il est très possible que l'on n'en entende plus jamais parler. Il n'y a pas que l'argent qui sache faire taire les gens dangereux. Soyez donc en paix et rentrons puisque vous le désirez.

Elle le remercia d'un sourire et s'accrocha fermement à son bras. Sur le boulevard la nuit était venue, mais une profusion de chandelles et de quinquets éclairaient comme en plein jour. Toutes les façades de tous les petits théâtres, le Cirque et les tréteaux des bateleurs étaient illuminés. Seul l'Épi-Scié était silencieux et morne, montrant seulement une pâle lueur derrière ses carreaux ternis. Mais une grosse foule, qui semblait singulièrement remuante, était attroupée devant la maison voisine, le Théâtre des Pygmées, où la parade était interrompue. Ses deux protagonistes debout au bord des planches, les mains aux genoux, regardaient avec stupeur ce qui se passait devant leur théâtre.

— Mais... on se bat ici ? s'exclama Jolival. Et je parierais que votre ami et Fauche-Borel sont dans cette mêlée ! Ils l'ont certainement déclenchée en fonçant à travers la foule. Cela semble d'ailleurs amuser prodigieusement Messieurs Bobèche et Galimafré.

— Qui ?

— Ces deux pitres que vous voyez là-bas se taper sur les cuisses ! fit Arcadius en les désignant de sa canne. Ce beau garçon qui porte veste rouge, culotte jaune, bas bleus, perruque rousse et cet ahurissant tricorne dominé par un énorme papillon au bout d'un fil de laiton, c'est Bobèche. L'autre, le grand maigre dégingandé avec une figure interminable et le rire le plus niais que l'on puisse voir, c'est Galimafré. Il n'y a pas longtemps qu'ils sont au boulevard, mais ils ont déjà beaucoup de succès. Écoutez-les rire et interpeller leur public.

En effet, les deux pitres encourageaient les combattants à grand renfort de plaisanteries et de conseils burlesques, mais Marianne hocha la tête.

— Laissons cela, je vous en prie ! Black Fish a notre adresse, il saura bien venir nous raconter la fin de l'histoire.

— Oh ! Elle ne fait aucun doute. Fauche-Borel n'est pas de taille... et vous, vous êtes très fatiguée n'est-ce pas ?

— Un peu... oui.

Lentement, évitant la foule, ils regagnèrent les alentours du Jardin Turc où ils avaient laissé leur voiture. Jolival fit monter Marianne, jeta l'adresse au cocher et monta à son tour, après avoir placé entre eux deux le portefeuille.

— Qu'allons-nous faire de cela ? demanda-t-il. Il est dangereux de garder chez soi de telles sommes. Déjà, nous avons les vingt mille livres de l'Empereur.

— Demain vous les reporterez à la banque Laffitte... mais à notre nom. Il est possible que nous en ayons encore besoin. Sinon... je les rendrai, tout simplement.

Arcadius approuva de la tête, enfonça son chapeau et s'accota dans son coin comme s'il voulait dormir, mais, au bout d'un moment, il murmura :

— Je voudrais bien savoir où est passée Mlle Adélaïde.

— Moi aussi, dit Marianne, un peu honteuse de constater que la scène dramatique avec Francis lui avait fait momentanément oublier sa vieille cousine. Mais le principal n'est-il pas qu'elle ne soit plus entre les mains de Fanchon-Fleur-de-Lys ?

— Il faudrait s'en assurer peut-être. Mais quelque chose me dit que nous aurions tort de nous tourmenter pour elle.

Et le silence revint. Plus personne ne parla jusqu'à ce qu'on fût arrivé rue de Lille.

Il était environ onze heures, ce soir-là, et Marianne était aux mains d'Agathe qui brossait interminablement sa longue chevelure noire, quand Arcadius frappa à la porte de sa chambre et demanda à lui parler d'urgence et seule. Aussitôt, elle envoya sa femme de chambre se coucher.

— Qu'y a-t-il ? demanda-t-elle tout de suite en alerte par ce préambule mystérieux.

— Adélaïde est là.

— Elle est rentrée ? Comment cela ? Je n'ai pas entendu sonner, ni aucune voiture s'arrêter.

— C'est moi qui ai ouvert. Je faisais quelques pas dans la cour avant d'aller au lit. En fait... j'allais sortir moi-même, marcher un peu jusqu'à la Seine et je venais d'ouvrir la petite porte quand je l'ai vue arriver. J'avoue que j'ai eu quelque peine à la reconnaître.

— Pourquoi ? s'écria Marianne tout de suite affolée. Elle n'est pas blessée ou...

— Non, non, rien de tout cela ! coupa Jolival en riant. Je vous réserve la surprise. Elle vous attend en bas. J'ajoute qu'elle n'est pas seule.

Marianne, qui allait se précipiter dehors, en nouant seulement le large ruban rose qui fermait son peignoir de guipure, s'arrêta.

— Pas seule ? Avec qui est-elle ?

— Avec celui qu'elle appelle son sauveur. Autant vous prévenir tout de suite, cet ange gardien n'est autre... que Bobèche, l'un des deux pitres du boulevard du Temple que je vous ai montrés tout à l'heure.

— Quoi ? Vous vous moquez ?

— Je n'en ai pas la moindre envie. C'est bien lui. J'ajoute que, ce soir, son aspect est celui d'un homme de bonne compagnie. Voulez-vous le voir ?

— C'est insensé ! Mais pourquoi Adélaïde nous l'a-t-elle ramené ?

— Elle vous le dira elle-même. Je crois qu'elle tient beaucoup à vous le présenter.

Marianne avait eu son compte d'émotions pour la

journée mais, outre la satisfaction d'avoir retrouvé sa cousine, elle était poussée par une curiosité plus forte que sa fatigue. Hâtivement, elle tordit ses cheveux en chignon qu'elle attacha de son mieux avec un ruban, puis, passant dans sa garde-robe, elle prit une robe au hasard et l'enfila à la place de son peignoir. Après quoi, elle rejoignit Arcadius qui l'avait attendue dans sa chambre. Il l'accueillit avec un tel sourire qu'elle s'indigna.

— On dirait que cette histoire vous amuse ?

— Ma foi... oui. J'avoue. Et, qui plus est, je pense qu'elle vous amusera aussi dès que vous aurez jeté un coup d'œil sur votre cousine... et cela vous fera tous les biens du monde. Cette maison manque singulièrement de gaieté depuis quelque temps.

Bien que prévenue, Marianne eut un haut-le-corps en apercevant Adélaïde installée dans l'un des fauteuils du salon de musique et dut y regarder à deux fois pour s'assurer qu'il s'agissait bien d'elle. Une extraordinaire perruque blonde apparaissait sous son chapeau à la dernière mode et une épaisse couche de maquillage rendait son visage à peu près méconnaissable. Seuls, les yeux bleus, incroyablement joyeux et pleins de vie, et le grand nez impérieux, lui appartenaient bien en propre, le reste parut à Marianne tout à fait étranger.

Mais, sans paraître remarquer la mine désorientée de sa cousine, Adélaïde courut vers elle dès qu'elle l'aperçut, et l'embrassa sur les deux joues, y laissant quelque peu de ses fards. Machinalement, Marianne lui rendit ses baisers mais s'exclama :

— Mais enfin, Adélaïde, où étiez-vous passée ? Est-ce que vous ne saviez pas que nous étions mortellement inquiets à votre sujet ?

— Je l'espère bien ! fit joyeusement Mlle d'Asselnat, mais vous allez avoir toutes les explications que vous pouvez souhaiter. Auparavant, ajouta-t-elle en allant prendre son compagnon par la main pour l'amener devant Marianne, il vous faut remercier mon ami

231

Antoine Mandelard, autrement dit Bobèche. C'est lui qui m'a sortie de ce bouge où l'on me tenait prisonnière, lui encore qui m'a cachée, protégée...

— ... et invitée à ne pas rentrer à la maison ? coupa Jolival moqueur. Auriez-vous trouvé une vocation au boulevard, ma chère amie ?

— Vous ne croyez pas si bien dire, Jolival !

Marianne, cependant, regardait avec curiosité le grand garçon blond qui s'inclinait correctement devant elle. Il avait un visage ouvert, un sourire franc, des yeux gais et des traits pleins de malice qui lui plaisaient. Il était vêtu de sombre, avec une simplicité qui n'excluait pas une certaine élégance. Elle lui tendit la main.

— Je vous dois beaucoup, monsieur, et je voudrais pouvoir vous l'exprimer mieux qu'en paroles.

— Porter secours à une dame en péril ne mérite aucun remerciement, fit-il avec gentillesse. C'est un simple devoir.

— Comme il a bien dit ça ! soupira Adélaïde. Et si vous êtes si contente que cela de retrouver votre vieille cousine, ma chère, offrez-nous donc une espèce de souper. Nous mourrons de faim... moi tout au moins !

— J'aurais dû m'en douter ! fit Marianne en riant. Mais les domestiques sont couchés. Allez donc mettre le couvert, Adélaïde, je vais voir à la cuisine ce que nous pouvons faire.

Apparemment, la cuisinière était une femme de précautions. Marianne trouva tout ce qu'il fallait pour organiser un très acceptable souper froid et, quelques minutes plus tard, les quatre convives de ce repas improvisé s'installaient autour d'une table brillante de cristaux et d'argenterie où Adélaïde n'avait même pas oublié quelques roses dans un cornet de cristal.

Tout en absorbant une prodigieuse quantité de poulet froid, de salade et de tranches de bœuf fumé de Hambourg, arrosés de champagne, Mlle d'Asselnat raconta son odyssée. Elle dit comment un valet, portant la livrée de Mme Hamelin, était venu la prier de vouloir bien rejoindre sa cousine chez la créole et comment, à peine montée dans la voiture qui attendait à la porte, elle avait été ligotée, bâillonnée, aveuglée au moyen d'un mouchoir, puis transportée à travers Paris jusqu'à un endroit alors impossible à déterminer. Elle n'avait retrouvé l'usage de ses sens qu'une fois parvenue à destination : un réduit fermé de planches mal jointes, pris sur une grande cave éclairée par un soupirail placé trop haut pour qu'il soit possible de l'atteindre même en escaladant le tas de charbon qui formait, avec une brassée de paille, le plus clair de l'ameublement de cette curieuse prison.

— Par les interstices des planches, continua Adélaïde en se taillant une large part d'un brie crémeux qui était son fromage préféré, je pouvais voir la cave qui prolongeait mon logis. Des tonneaux, des bouteilles vides ou pleines, des pots de toute sorte et un matériel complet de sommelier l'encombraient. On y respirait, en outre, une forte odeur de vin et d'oignons dont il pendait des chapelets au plafond. Aussi au vacarme de pas qui allaient et venaient sans cesse au-dessus de ma tête, aux voix plus ou moins avinées qui me parvenaient, je conclus que cette cave était celle d'un cabaret.

— J'espère au moins, fit Arcadius moqueur, que dans un lieu aussi bien fourni on ne vous a pas laissée mourir de soif ?

— De l'eau ! fit Adélaïde avec rancune, voilà tout ce que j'ai eu et du pain à peine mangeable ! Dieu que ce brie est bon ! J'en reprends !

— Mais, dit Marianne, vous avez tout de même vu quelqu'un dans ce bouge ?

— Bien sûr ! J'ai vu une abominable vieille, vêtue comme une reine et que l'on appelait Fanchon. Elle m'a laissé entendre que mon sort dépendait uniquement de vous et d'une certaine somme d'argent que vous deviez payer. Je dois dire que notre entretien a beaucoup manqué de cordialité et que la moutarde m'est montée au nez quand cette vieille a prétendu me donner des leçons de patriotisme. Oser vilipender l'Empereur et glorifier cette outre à deux pattes qui se fait appeler le roi Louis XVIII ! Ma foi, elle n'est pas près d'oublier la paire de claques que je lui ai administrée. Si on ne me l'avait pas ôtée des mains, je la tuais !

Jolival se mit à rire.

— Cela n'a pas dû l'inciter à améliorer votre ordinaire, ma pauvre Adélaïde, mais je vous félicite de tout mon cœur. Permettez que je baise cette main si fine et si vigoureuse.

— Voilà pour la prison, dit Marianne. Mais comment en êtes-vous sortie ?

— Je crois que, pour cela, il vaut mieux vous adresser à mon ami Bobèche. Il vous dira tout le reste.

— Oh ! c'est assez simple fit le jeune homme avec un sourire qui semblait s'excuser d'attirer l'attention sur lui, le cabaret de l'Épi-Scié étant notre voisin immédiat, nous y allons assez fréquemment, mon ami Galimafré et moi-même, pour nous rafraîchir. Ils ont un petit vin de Suresnes qui n'est pas désagréable. Je dois dire que nous y allons aussi pour voir et écouter, car nous n'avons pas été sans remarquer les nombreuses allées et venues de personnages plus étranges que la normale, et nous n'avons pas tardé à découvrir que ce cabaret était un lieu plein d'intérêt. Personnellement, j'y vais assez peu souvent par prudence, mais Galimafré y fait de longues stations. Son air naïf, sa balourdise qui n'est, je vous le jure, qu'apparente, font que l'on ne se méfie pas de lui. On le croit simple d'esprit et l'on attribue son succès à son grand naturel. Or, Galimafré sous ses paupières tombantes et son air endormi cache un œil vif et un esprit alerte... l'un et l'autre tout au service de Sa Majesté l'Empereur, comme moi-même.

En prononçant le nom de l'Empereur, Bobèche se leva, son verre en main et salua. Ce qui lui valut un beau sourire de Marianne. Ce baladin lui plaisait. Peu importait qu'il fût le fils d'un tapissier du faubourg Saint-Antoine ! Débarrassé de son maquillage et de son costume trop voyant, il avait une sorte de distinction et une gentillesse auxquelles la jeune femme était sensible... comme d'ailleurs aux regards discrètement admiratifs dont il la couvrait. Elle était heureuse de plaire à un homme qui s'avouait aussi simplement fidèle serviteur de Napoléon. Un instant, elle se demanda s'il était l'un des nombreux agents de Fouché, mais qu'il le fût ou non n'avait après tout que très peu d'importance. A quoi bon s'attacher à la façon dont il servait son maître, puisqu'il le servait ? Par contre, elle remarqua aussi la mine émerveillée avec laquelle Adélaïde, oubliant de manger, écoutait le jeune homme. Et, un instant, elle se demanda s'il ne lui inspirait pas un peu plus que de la reconnaissance... Bobèche, cependant, poursuivait son récit :

— Galimafré remarqua l'autre soir que l'on descendait dans la cave de la maison un pain qui ne devait pas avoir grand-chose à y faire, à moins qu'il ne fût destiné à quelqu'un et, tard dans la nuit, nous sommes allés explorer la ruelle, le boyau plutôt, qui sépare notre Théâtre des Pygmées du cabaret. Nous savons depuis longtemps que, derrière un tas d'objets de rebut et d'ordures, il y a un soupirail qui ouvre sur la cave de l'Épi-Scié. Cela nous a permis d'être témoins d'un entretien assez orageux entre Mademoiselle et Fanchon Desormeaux. Cela nous a éclairés et...

— ... et la nuit suivante, conclut joyeusement Adélaïde, ils sont revenus avec des outils et une corde à nœuds. Les outils pour ouvrir le soupirail, la corde pour me tirer de la cave. Je ne me serais jamais crue aussi agile !

— Mais pourquoi n'être pas rentrée ici ? demanda Marianne.

— Bobèche m'a expliqué que c'était plus prudent. De plus, je ne pouvais traverser Paris couverte de charbon comme je l'étais. Enfin... j'avais appris qu'il pouvait être très intéressant de rester aux environs de l'Épi-Scié. D'ailleurs, Marianne, autant vous le dire tout de suite, je repars avec Bobèche. Nous avons à faire.

Marianne fronça les sourcils puis haussa les épaules.

— C'est stupide ! Que pouvez-vous avoir à faire là-bas ? Ces messieurs n'ont certainement aucun besoin de vous.

Ce fut Bobèche qui lui répondit, avec un sourire amical en direction de la vieille fille.

— C'est ce qui vous trompe, Mademoiselle. Votre cousine a bien voulu accepter de nous servir de caissière.

— De caissière ? fit Marianne abasourdie.

— Parfaitement ! affirma Adélaïde d'un ton plein de défi. Et ne venez pas me dire que ces modestes fonctions sont incompatibles avec mes nobles origines. J'ai appris, il n'y a pas si longtemps, qu'il n'est pas de sot métier.

Marianne, cette fois, rougit. L'allusion n'était que trop transparente. Elle serait, en effet, mal venue de reprocher à sa cousine ces curieuses fonctions, alors qu'elle-même était montée sur les planches. Théâtre pour théâtre, celui des Pygmées n'était pas plus méprisable que l'élégant Feydeau... mais depuis qu'elle savait le désir d'Adélaïde de repartir, elle se sentait envahie de tristesse. Ce n'était pas seulement en apparence que la vieille fille avait changé ; elle semblait tout à coup décidée à se lancer à corps perdu dans un bien curieux chemin et, de plus, elle y mettait une note de provocation qui blessait Marianne. Son regard croisa celui d'Arcadius par-dessus la table. Il lui sourit, cligna de l'œil puis, prenant la bouteille de champagne, il emplit de nouveau le verre d'Adélaïde.

— Si c'est là votre vocation, ma chère, vous auriez tort d'y résister. Et... vous avez vraiment l'intention de rester caissière ? Ou pensez-vous tâter de la parade ?

— Pendant un temps tout au moins, fit-elle en riant. De toute façon, je vous l'ai dit, je ne risque rien, bien au contraire, alors qu'en demeurant ici nous pourrions voir se rééditer mon enlèvement et même vous mettre tous en danger. Cela, je ne le veux à aucun prix ! Et puis... l'aventure m'amuse : je veux savoir si les fameux papiers de l'ambassadeur Bathurst vont passer par l'Épi-Scié.

— Les papiers ? Mais quels papiers enfin ? s'emporta Marianne. Toute la journée je n'ai entendu parler que de papiers. Je n'y comprends rien.

Doucement, Arcadius posa sa main sur celle de son amie.

— Je crois comprendre, moi. Notre affaire, à nous, s'est trouvée mêlée à une autre affaire, bien plus importante sans doute et où devait tremper votre... enfin l'Anglais. D'où l'arrivée imprévue de ce gigantesque grenadier que vous connaissez si bien et peut-être l'irruption de ce farfelu de Fauche-Borel. C'est bien cela ?

— C'est bien cela, approuva Bobèche. Pardonnez-moi de ne pas entrer plus avant dans les détails, mais certains papiers qui ont été volés sur un ambassadeur anglais disparu récemment ont toutes chances de passer par l'Épi-Scié qui est une sorte de relais pour les agents étrangers. D'autant plus sûr que la Police n'y met jamais les pieds, du moins officiellement ! Voilà pourquoi il y avait tant d'agitation ces temps derniers dans mon voisinage et pourquoi l'un des agents qui s'y rendent et qui s'était cru reconnu avait jugé astucieux d'aller se cacher parmi les figures de cire.

— Au fait, dit Arcadius, il a été pris ?

Bobèche fit signe que oui, puis s'absorba dans la dégustation de son champagne, marquant ainsi sa volonté de ne pas en dire plus. Marianne le regardait maintenant avec une stupeur doublée d'une certaine admiration. Qu'il était donc étrange d'entendre d'aussi graves paroles sortir d'une bouche faite si visiblement pour le rire et la plaisanterie. Qui était donc ce pitre et pour qui travaillait-il au juste ? Il s'était proclamé au service de l'Empereur mais il ne semblait pas être à celui de Fouché. Faisait-il donc partie de ce cabinet noir, personnel à l'Empereur comme il l'avait été aux derniers rois de France et qui formait, à ce que l'on disait, une police parallèle à côté de l'officielle ? Son métier de baladin de plein vent devait lui permettre de voir beaucoup de choses sans que l'on s'en méfiât et, sans doute, possédait-il une grande aptitude à se transformer. Ce soir, avec son habit vert sombre et son impeccable cravate, ses épais cheveux dorés soigneusement coiffés, il n'aurait détonné dans aucun salon et nul n'aurait soupçonné un pitre sous la forme policée de ce garçon élégant.

Le regard perplexe de Marianne alla du jeune homme à sa cousine qui, renversée sur sa chaise, grignotait des cédrats confits sans quitter des yeux son nouveau compagnon. Elle buvait littéralement ses paroles et, dans ses yeux bleus, il y avait une flamme que Marianne n'y avait encore jamais vue, tandis qu'un rose juvénile colorait ses pommettes. Malgré ses quarante ans, son absurde perruque, son maquillage et son grand nez, Adélaïde transfigurée était presque belle, presque jeune.

« Mais... elle est amoureuse ! » songea Marianne stupéfaite, plus attristée qu'amusée, car elle craignait de voir la pauvre fille aventurer son cœur sur un chemin sans issue. Certes Bobèche s'était montré secourable, chevaleresque même et il semblait éprouver une véritable admiration pour l'intelligence, le courage et le talent de comédienne d'Adélaïde mais entre la plus folle admiration et le plus modeste amour, il y avait tant d'espace ! Aussi ne put-elle s'empêcher de protester quand Adélaïde, se levant et secouant sa robe avec un soupir de satisfaction, déclara :

— Voilà ! vous savez tout. Maintenant, je crois qu'il est temps de rentrer au théâtre. Cette visite n'avait d'autre but que de vous rassurer sur mon sort. Vous l'êtes, je repars !

— C'est ridicule ! soupira Marianne. Vous serez malgré tout en danger et moi je ne vivrai plus !

— Vous auriez tort, Mademoiselle, dit doucement Bobèche. Je vous promets de veiller sur Mlle Adélaïde comme sur ma propre sœur. Entre Galimafré et moi, elle ne risquera rien, je vous le promets... et nous sommes heureux de cette amitié spontanée qu'elle a bien voulu nous donner, bien que nous en soyons fort indignes.

— De toute façon, ajouta Mlle d'Asselnat qui avait écouté ce petit discours avec une joie visible, rien ni personne ne pourra m'empêcher de retourner là-bas. Pour la première fois de ma vie, j'ai l'impression d'exister réellement.

Cette fois, Marianne, vaincue, garda le silence. Exister réellement ? Elle qui avait été jetée en prison pour avoir osé protester contre le divorce de Napoléon, qui avait vécu cachée dans les combles de l'hôtel d'Asselnat, abandonnée en compagnie d'un portrait, qui avait voulu une nuit mettre le feu à ce même hôtel parce qu'elle le croyait tombé en des mains indignes ? Qu'avait-elle appelé vivre jusque-là ? Et ce fut avec une profonde tristesse qu'elle se laissa embrasser à l'instant du départ.

Devinant la pensée de son amie, Arcadius glissa son bras sous le sien et chuchota :

— Laissez-la faire, Marianne. Elle est follement heureuse de jouer les agents secrets... et je me demande d'ailleurs si elle n'a pas la vocation. De plus, il vaut mieux pour vous, comme pour elle, qu'elle ne revienne pas ici maintenant. Ce garçon a raison : nul, pas même Fanchon, ne songera à la chercher au Théâtre des Pygmées.

— C'est vrai, soupira Marianne. Mais elle va tellement me manquer !

Elle avait tant compté sur Adélaïde pour ces jours

difficiles qui allaient venir, pour aussi l'aider quand viendrait l'enfant, pour la guider de ses conseils quand arriverait le moment de rejoindre le cardinal... si jamais Jason ne venait pas. Pourquoi fallait-il donc qu'elle se laissât emporter ainsi par ce démon inattendu où la politique et le plaisir de jouer la comédie avaient sans doute moins d'importance que la séduction d'un pitre ? Une voix secrète lui souffla bien : « Si elle savait la vérité, elle resterait près de toi. » Mais, cette vérité, Marianne ne pouvait la dire ; elle avait promis le silence à son parrain. Et puis... même si Adélaïde apprenait que l'on avait besoin d'elle, aurait-elle le courage de renoncer d'un seul coup à ce mirage qu'elle s'était créé : partager un moment la vie d'un garçon jeune, beau et qui lui plaisait ? Non, il fallait laisser Adélaïde s'engager dans la route absurde qu'elle avait choisie, faire elle-même son expérience. Marianne n'y pouvait rien.

Le cœur soudain très lourd, elle écouta retomber dans la nuit le vantail de la grande porte sur ceux qui partaient. Elle avait froid tout à coup et, frissonnante, alla tendre ses mains à la flamme de la cheminée. Le silence enveloppa le salon, troublé seulement par le léger reniflement d'Arcadius qui prisait. Lentement, il s'approcha de son amie. Le parquet cria sous son pas.

— Pourquoi tant vous tourmenter, Marianne ? dit-il avec douceur. Adélaïde ne risque pas grand-chose, tout compte fait... que perdre quelques illusions ! Quittez cette mine sombre ! Souriez-moi ! La vie va de nouveau être pleine de charme, vous verrez. Regardez Adélaïde ! Elle trouve son bonheur dans un théâtre en planches. Qui sait ce que vous réserve demain ?

Retenant ses larmes, Marianne parvint tout de même à sourire. Cher Arcadius, si bon, si dévoué ! Elle avait honte de ce secret qu'il lui fallait garder pendant un mois et qui, selon elle, ne rimait à rien. Mais quoi, un pacte est un pacte. Elle devait jouer le jeu.

— Vous avez raison, dit-elle gentiment. Qu'Adélaïde s'amuse comme elle l'entend. Puisque je vous ai, je ne suis pas perdue.

— A la bonne heure ! Allez vous reposer maintenant et tâchez de faire de beaux rêves.

— J'essaierai, mon ami, j'essaierai.

Ensemble, ils se dirigèrent vers le grand escalier, obscur à cette heure tardive et Arcadius prit sur une console un chandelier pour éclairer leur marche. Ils étaient à peu près à mi-chemin du palier quand, brusquement, il demanda :

— Au fait. Où donc est passé Gracchus ? Personne ici ne l'a vu de la journée et Samson manque à l'écurie.

Marianne se sentit rougir jusqu'à la racine des cheveux et bénit la semi-obscurité qui la dissimulait, mais elle ne put empêcher sa voix d'être un peu trop rapide, un peu trop tendue en expliquant :

— Il m'a demandé... la permission de partir quelques jours en province... dans sa famille. Il a reçu de mauvaises nouvelles.

Marianne n'avait jamais su mentir mais, cette fois, cela nécessita un véritable effort. Elle maudit sa maladresse, persuadée qu'Arcadius allait tout de suite flairer le mensonge. Pourtant, sa voix à lui demeura calme, unie, en remarquant :

— Je ne savais pas qu'il avait de la famille en province. Je croyais que toute sa parenté se résumait à sa grand-mère qui est blanchisseuse à Boulogne, sur la route de la Révolte. De quel côté est-il allé ?

— Vers... Nantes, je crois, fit Marianne au supplice et incapable de trouver autre chose que cette semi-vérité tout de même un peu consolante.

Arcadius, d'ailleurs, ne poussa pas plus loin son interrogatoire, se contenta d'un « Ah ! très bien... » tellement détaché que la jeune femme eut l'impression qu'il pensait déjà à autre chose. Parvenu à la porte de la chambre de Marianne, il la salua galamment, lui souhaita une bonne nuit et s'éloigna en direction de ses propres appartements en chantonnant une ariette. Il y avait longtemps qu'il n'avait fait preuve d'une gaieté semblable. Cela prouvait un esprit redevenu parfaitement libre et Marianne, en rentrant chez elle, se dit que, peut-être, il croyait fermement que Francis était désormais hors d'état de nuire.

Cela lui apporta une sensation de délivrance, une sérénité toute nouvelle et, cette nuit-là, Marianne dormit comme l'enfant qu'elle était encore un peu. Quelle chose était plus merveilleuse que la paix de l'âme ? Et, durant trois jours et trois nuits, Marianne la goûta pleinement, en même temps qu'un agréable sentiment de victoire sur elle-même et sur Francis.

Une idée s'était fait jour en elle que, durant ce temps de rémission, elle caressa tendrement. Si Black Fish gagnait lui aussi sa bataille, s'il parvenait à effacer Francis de la surface de la terre... l'annulation devenait sans objet. L'inquiétant mariage aussi. Elle serait veuve, libre et, n'ayant plus à craindre les attaques de Cranmere, elle pourrait, avec le père de son enfant, chercher une solution moins cruelle pour son amour.

Cent fois, elle fut sur le point de prendre une plume, du papier pour écrire à son parrain. Mais, chaque fois, l'impossibilité se dressait devant elle. Où écrire ? A Savone où était le Pape ? La lettre n'arriverait pas. Elle tomberait immanquablement entre les mains de Fouché. Non, mieux valait, à tout prendre, attendre que le cardinal se manifestât. Il serait temps alors de lui apprendre le changement survenu et ce serait peut-être lui qui proposerait une nouvelle solution... C'était si bon de rêver, de faire des projets qui n'étaient pas dictés par la contrainte !

C'est au matin du quatrième jour que tout cela vola en éclats. Le coup fut porté par un petit billet blanc, bien plié et très soigneusement cacheté, qu'Agathe porta à sa maîtresse qui paressait au lit. Sa lecture arracha un cri d'angoisse à la jeune femme et la jeta, éperdue, à bas de son lit. Prenant à peine le temps de passer un saut-de-lit, pieds nus, elle courut jusque chez Jolival qui prenait son petit déjeuner paisiblement en lisant le journal du matin. L'entrée en trombe de Marianne, blême et visiblement terrifiée, le fit se lever si brusquement que la table devant laquelle il était assis bascula entraînant dans sa chute tout le contenu du plateau qui se brisa en mille morceaux. Mais ce cataclysme en miniature n'intéressa personne. Incapable de proférer une seule parole, Marianne lui tendit le billet puis se laissa tomber dans un fauteuil en lui faisant signe de lire.

En quelques mots hâtifs et rageurs, Black Fish apprenait à sa jeune amie que lord Cranmere s'était enfui de Vincennes, de façon d'ailleurs inexplicable, que sa trace allait vers Boulogne et, sans doute, de là, vers l'Angleterre. Le Breton ajoutait qu'il se lançait à ses trousses. « Que Satan lui vienne en aide quand je mettrai la main sur lui », écrivait-il en guise de conclusion « ce sera lui ou moi... »

Plus maître de lui-même que ne l'était Marianne, Arcadius n'en pâlit pas moins. Froissant la lettre entre ses mains, il la jeta rageusement dans la cheminée, puis revint vers la jeune femme qui, livide et les yeux clos, respirait avec peine et semblait sur le point de s'évanouir. Vivement, il lui administra quelques tapes sèches sur les joues puis, saisissant ses mains glacées, se mit à les frictionner.

— Marianne ! appela-t-il avec angoisse, allons, Marianne, remettez-vous ! Ouvrez les yeux ! Regardez-moi !... Marianne...

Elle ouvrit les paupières révélant à son ami deux lacs sombres habités par la terreur.

— Il est libre... balbutia-t-elle... Ils l'ont laissé s'enfuir... ce monstre ! Et, maintenant, il ne me lâchera plus ! Il va venir ici, il va vouloir se venger... Il me tuera... Il nous tuera tous !

Sa voix avait atteint un aigu insupportable. Jamais Arcadius n'avait vu Marianne en proie à une peur aussi atroce. Elle, toujours si brave, si prête à affronter le danger ! Ces quelques mots l'avaient menée aux portes de la folie. Il comprit que, pour l'en sauver, il fallait la rendre brutalement à elle-même et que, lui faire honte de sa peur, était encore le meilleur moyen. Il se redressa, laissa tomber la main qu'il tenait encore.

— C'est pour vous que vous avez peur ? fit-il durement. N'avez-vous pas compris ce que vous dit Nicolas Mallerousse ? L'homme s'est enfui, certes, mais c'est vers l'Angleterre qu'il se dirige... vers l'Angleterre où, sans doute, il va reprendre ses activités de chasseur d'évadés ! Depuis quand avez-vous appris à trembler pour vous-même, Marianne d'Asselnat ? Vous êtes chez vous, entourée de serviteurs fidèles, d'amis, de gens comme Gracchus et moi-même ! Vous pouvez demander le secours de l'homme qui tient l'Europe dans sa main et vous savez qu'un impitoyable limier s'est attaché à celui que vous craignez, un homme prêt à y laisser sa vie. Et c'est pour vous que vous tremblez ? Songez plutôt à ces misérables que va jeter dans le plus affreux danger leur désir passionné d'échapper à une atroce misère et de redevenir des hommes libres !

A mesure qu'il parlait, appliquant les mots comme autant de coups de fouet, Jolival voyait les yeux de Marianne redevenir clairs, se charger d'incrédulité puis, peu à peu, de ce qu'il avait espéré y voir : la honte. Il vit aussi ses joues blêmes reprendre leur couleur et même s'enflammer. Elle se redressa, passa sur son visage une main qui ne tremblait plus qu'à peine.

— Pardon !... murmura-t-elle au bout d'un instant. Pardon ! J'ai perdu la tête ! C'est vous qui avez raison... comme toujours ! Mais quand j'ai lu cela... tout à l'heure, j'ai cru... que ma tête éclatait... que je devenais folle ! Vous ne pouvez pas savoir...

Doucement, Arcadius s'agenouilla près d'elle et posa ses deux mains sur ses épaules.

— Si... je devine ! Mais je ne veux pas que vous vous laissiez détruire par l'ombre de cet homme. Il est loin, sans doute, à cette heure et, avant de s'attaquer à la vôtre, c'est sa propre vie qu'il lui faudra défendre.

— Il peut revenir très vite... sous un déguisement.

— Nous ferons bonne garde.

— Et puis, vous voyez bien qu'il est plus fort que nous puisqu'il a pu s'enfuir... malgré les murailles, les chaînes, les portes énormes, les gardiens et même Black Fish... malgré ce qu'il a fait et ce que nous savons de lui !

Arcadius se releva et, machinalement, remit la table sur ses pieds. Son visage de souris avait pris une expression sévère.

— Vous n'osez pas me dire que je me suis trompé, n'est-ce pas ? Pourtant, c'est vrai. Je me suis trompé. Mais comment imaginer que Fouché oserait aller jusque-là ? Quel rôle joue donc ce misérable Anglais dans la trame politique qu'il a ourdie ?

— Un rôle très important, sans doute.

— Il n'est pas de projet politique, si important soit-il, qui mérite que l'on laisse la vie et la liberté de nuire à un démon. Marianne ! Il faut prévenir l'Empereur !

— Le prévenir ? De quoi ? De ce qu'un espion s'est échappé de Vincennes ? Il doit déjà le savoir.

— Sûrement pas. Il demanderait trop d'explications. Le rapport quotidien que lui fournit Fouché n'en parlera certainement pas. Allez le trouver, dites-lui tout... et à la grâce de Dieu !

— L'Empereur n'est plus là !

— Il est à Compiègne, je sais. Allez-y.

— Non. C'est à moi que je pensais en disant qu'il n'est plus là. Il ne désire pas me revoir maintenant... plus tard peut-être. Je vous ai dit comment nous nous étions quittés.

— Allons donc ! Il vous aime toujours !

— Peut-être... mais je ne veux pas en tenter la preuve actuellement ! J'aurais trop peur... de faire encore erreur. Non, Arcadius, laissons-le à sa lune de miel... à ce voyage qu'il veut faire dans les provinces du Nord. A son retour, peut-être... Voyons comment les choses vont tourner et... faisons confiance à Nicolas Mallerousse. Sa haine est trop vive pour ne pas être efficace. Vous avez raison quand vous dites qu'avec ce genre de Némésis attachée à lui, lord Cranmere est en danger continuel.

Avec un soupir, Marianne se leva, repoussa d'un pied distrait les débris de la cafetière de Sèvres et alla se placer devant une glace. Son visage était pâle et creusé, mais son regard avait retrouvé son assurance. Le combat reprenait et elle l'avait tacitement accepté. Qu'il en soit comme l'avait décidé le destin !

Tandis qu'elle se dirigeait vers la porte, Jolival demanda, presque timidement :

— Vous ne voulez vraiment rien faire ? Vous voulez attendre ?

— Je n'ai pas le choix. Ne m'avez-vous pas dit que ces négociations secrètes de Fouché pouvaient être très bénéfiques pour la France ? Cela vaut bien que l'on risque des vies humaines... même la mienne.

— Je vous connais, Marianne. Vous n'en montrerez rien, votre front demeurera serein, votre visage lisse et pur... mais vous allez mourir de peur au fond de vous-même.

Au seuil de la porte, elle se retourna vers lui, eut un pâle sourire :

— C'est bien possible, mon ami. Mais c'est une habitude à prendre... tout simplement ! Rien qu'une habitude.

CHAPITRE VIII

UNE AUSSI LONGUE ATTENTE

Le temps semblait arrêté. Pour Marianne, enfermée dans sa maison, par prudence autant que par manque total d'envie de sortir, les jours se succédaient, tous pareils, sans que rien ne vint en troubler la désespérante monotonie. La seule différence résidait en ce que le lendemain était plus long encore que le jour présent et le surlendemain pire que les deux précédents. Comme une impitoyable goutte d'eau, l'incertitude minait Marianne, changeant peu à peu son attente en angoisse...

Parti depuis plus de quinze jours, Gracchus n'avait pas encore reparu et cela devenait inexplicable. S'il avait chevauché nuit et jour comme il l'avait annoncé, il avait dû atteindre Nantes très rapidement... trois jours au plus. Remettre la lettre au consul des États-Unis ne demandait pas non plus beaucoup de temps et, en une bonne semaine, il aurait dû être rentré. Alors, pourquoi ce retard ? Que s'était-il passé ?... Les journées de Marianne s'écoulaient toutes dans un petit salon du premier étage, dont les fenêtres donnaient sur la cour d'entrée et sur la rue de Lille, à épier les bruits de la rue. Le pas d'un cheval lui faisait battre le cœur plus vite, laissant une déception quand il s'éloignait. C'était pire encore lorsqu'il s'arrêtait et quand le son un peu fêlé de la cloche d'entrée se faisait entendre. Marianne alors se jetait vers la fenêtre mais se retirait presque aussitôt, les larmes au bord des yeux parce que ce n'était pas encore Gracchus.

Les nuits devenaient peu à peu infernales. Marianne ne dormait plus qu'à peine et très mal. La claustration volontaire, l'absence d'exercice physique, son état et l'anxiété chassaient le sommeil. Elle usait ses interminables heures d'insomnie à échafauder toutes sortes d'hypothèses, plus folles les unes que les autres, touchant Gracchus. La plus affreuse de toutes celles qui la laissaient tremblante et baignée de sueur dans son lit brûlant étant que le pauvre garçon avait dû être victime d'une attaque. Les routes étaient peu sûres, infestées de brigands malgré la sévère police impériale. Un cavalier solitaire était une proie facile et il y avait tant de broussailles où l'on pouvait laisser pourrir un corps sans que l'on s'en aperçût avant des semaines. Marianne s'affolait à la pensée que, s'il était arrivé quelque chose à son fidèle cocher, personne ne viendrait le lui dire. Elle attendait peut-être en vain le retour d'un ami dévoué et une réponse qui ne viendrait jamais.

Une seule éclaircie dans toute cette grisaille : de Compiègne, Napoléon lui avait fait parvenir un court billet dont l'écriture avait accéléré la course de son sang mais dont la teneur l'avait laissée désenchantée :

« Ma bonne Marianne. Quelques mots en hâte pour t'assurer que tu occupes toujours mon esprit. Veille bien à une santé qui m'est chère et à une voix qui, au retour de mes voyages, saura alléger le poids des affaires de l'État qui accablent ton N. »

Le poids des affaires de l'État ? Paris était vide et calme, toute la Cour s'étant transportée à Compiègne, mais la « bonne Marianne » savait, par Arcadius qui, lui, ne demeurait pas enfermé, que les plaisirs de la cour et de la lune de miel occupaient l'Empereur infiniment plus que les affaires de l'État qu'il paraissait, au contraire, fuir avec obstination ces temps-ci. Ce n'étaient que bals, chasses, promenades, théâtre et plaisirs de toute sorte et, hormis une présidence du Conseil de la Maison Impériale et une audience à Murat au sujet des questions italiennes, l'Empereur n'avait pas fait grand-chose... Bien sûr, c'était gentil de lui avoir écrit mais, chose qu'elle aurait cru impensable quelques semaines plus tôt, Marianne avait jeté le billet sur la cheminée puis, avec un soupir et sans plus le regarder, elle était retournée à son tourment.

Si grand était son désir de voir revenir Gracchus et d'apprendre si elle pouvait espérer la venue de Jason, que même la peur folle que lui avait inspirée la nouvelle de l'évasion de lord Cranmere s'était atténuée. Elle ne tressaillait plus à chaque bruit insolite entendu dans la nuit, elle ne s'effrayait plus quand, de sa fenêtre, elle apercevait dans la rue une silhouette rappelant celle de l'Anglais. Il y avait Black Fish en qui elle avait mis sa confiance et puis elle savait que l'arrivée de Jason serait le meilleur remède contre la peur. S'il acceptait de la prendre, pour toujours, sous sa protection, les menaces de dix Cranmere déchaînés contre elle ne lui feraient plus peur. Jason était fort, audacieux, le type même de l'homme auprès duquel il devait faire bon être une femme. Il fallait qu'il vînt, il le fallait absolument... Mais Dieu que c'était long !...

Il y avait cependant quelqu'un, en dehors du fidèle Jolival, que Marianne aurait aimé voir : c'était Fortunée Hamelin. En effet, si la panique inspirée par Francis avait diminué, la jeune femme n'en avait pas moins longuement réfléchi à cette évasion extraordinaire. Elle n'en avait recueilli aucun détail, mais il apparaissait assez clairement que, sans l'aveu du ministre de la Police, elle n'aurait pu avoir lieu. Or, elle ne pouvait admettre qu'un ministre de Napoléon se fût abaissé à cela : bafouer le dévouement de ses propres agents, libérer un criminel dangereux, un mortel ennemi de son pays. Et Fortunée, qui savait tant de choses, Fortunée qui, sans doute, faisait partie de l'immense foule des agents de Fouché par dévouement envers Napoléon, Fortunée peut-être aurait pu éclaircir le mystère. Mais Fortunée, prise par son renouveau d'amour pour le beau Fournier-Sarlevèze, avait disparu comme l'avait prédit Jonas, son majordome noir.

— Décidément, songeait Marianne mélancoliquement, les deux femmes en qui j'ai vraiment confiance, les deux seules que j'aime réellement ont toutes deux été emportées par un vent d'amour irrésistible. Moi seule traîne un amour inutile et qui, pour le moment, ne semble intéresser que moi.

Napoléon, un jour, citant Ovide en riant, lui avait dit que l'amour était une espèce de service militaire. Pour Marianne c'était pire encore : une sorte d'entrée en religion avec, pour seuls compagnons, la solitude et les souvenirs qui ne faisaient qu'aggraver un pénible sentiment de frustration.

Or, un matin qui, selon le calendrier, était celui du lundi 19 avril et à l'heure du petit déjeuner, Fortunée tomba sans prévenir chez son amie. Vêtue un peu à la diable, coiffée n'importe comment, ce qui chez elle était signe de grand trouble, elle embrassa distraitement Marianne, lui assura qu'elle avait une « mine éblouissante », ce qui était pour le moins exagéré, et s'affala dans un petit fauteuil en réclamant à Jérémie un grand pot de café très fort avec beaucoup de sucre.

— Tu ferais mieux de boire du chocolat ! remarqua Marianne alarmée par les effets que pouvait avoir cette grande débauche de café sur quelqu'un de visiblement agité. C'est très excitant le café, tu sais ?

— Je veux être excitée, exaspérée, hors de moi ! Je veux que la colère continue à bouillonner en moi, s'écria la créole dans un grand élan dramatique. Il faut que je me souvienne longtemps de la perfidie des hommes. Retiens bien cela, malheureuse ! Croire ce que murmure un homme, c'est croire à ce que racontent les courants d'air. Le meilleur est un monstre abject et nous sommes toutes de pauvres victimes.

— Si je comprends bien, ton hussard a fait des siennes ? fit Marianne à qui la grande fureur de Fortunée faisait l'effet d'une bouffée d'air frais.

— C'est un misérable, affirma la jeune femme en se servant une solide portion d'œufs brouillés qu'elle accompagna de vastes tartines beurrées. Conçois-tu cela ? Un homme que j'aime depuis des années, que j'ai soigné durant des jours et des nuits avec un dévouement de fille de Saint-Vincent ? Me faire ça ?

Marianne retint un sourire. Les dispositions où elle avait laissé Fortunée et le beau Fournier, au soir du mariage impérial, n'avaient en effet que de très lointains rapports avec l'apostolat et la pieuse charité.

— Ça ? demanda-t-elle. Qu'est-ce que c'est au juste ?

Fortunée eut un petit rire sec, tout à fait dépourvu de gaieté, mais qui n'en était pas moins amusant dans sa résonance tragique.

— Presque rien ! Imagines-tu qu'il a osé amener avec lui, à Paris, cette Italienne ?

— Quelle Italienne ?

— Une fille de Milan... je ne sais même plus son nom ! Une folle qui s'est amourachée de lui là-bas au point de tout abandonner pour le suivre, famille, fortune. On m'avait bien dit qu'il l'avait ramenée avec lui et installée dans son Périgord natal, à Sarlat où il a une maison, mais je ne voulais pas le croire. Or, non seulement elle était bien à Sarlat, mais encore elle est venue avec lui jusqu'ici ! C'est un comble, non ?

— Comment l'as-tu appris ?

— C'est lui qui me l'a dit ! Tu ne peux pas avoir idée du cynisme de ce garçon ! Il m'a quittée, cette nuit, en me disant simplement qu'elle devait commencer à se faire du souci à son sujet – il avait osé, étant chez moi, lui envoyer un message pour lui apprendre qu'il était blessé et devait être soigné dans une maison où elle ne pouvait venir – et qu'il était temps, pour lui, d'aller la rejoindre ! Je l'ai jeté dehors ! Et j'espère bien qu'elle va en faire autant, cette dinde !

Cette fois Marianne ne put y tenir plus longtemps. Elle se mit à rire, ce qui lui parut étrange car, depuis trois semaines, c'était bien la première fois.

— Tu as tort de te mettre dans cet état. S'il est resté enfermé avec toi pendant quinze jours, il a certainement beaucoup plus besoin de repos et de sommeil que de passion. Et, après tout, il était en convalescence, cet homme ! Laisse-le donc rejoindre son Italienne. Si elle vit avec lui, elle doit avoir dans sa maison une sorte de statut conjugal, et, au fond, c'est toi qui as le beau rôle. Tu peux lui abandonner les joies du pot-au-feu !

— Le pot-au-feu ? Avec lui ? On voit bien que tu ne le connais pas ! Sais-tu ce qu'il m'a demandé en partant ?

Marianne fit signe que non. Il valait mieux que Fortunée continuât à croire qu'en effet elle ne connaissait pas du tout Fournier.

— Il m'a demandé ton adresse, lança-t-elle triomphalement.

— Mon adresse ? Pour quoi faire ?

— Pour te rendre visite. Il pense qu'avec ton « immense crédit » auprès de l'Empereur, tu pourrais obtenir sans peine sa réintégration dans l'armée. Ce en quoi il commet une lourde erreur.

— Pourquoi ?

— Parce que Napoléon le déteste déjà bien suffisamment sans avoir à se demander, de surcroît, quelles sont au juste ses relations avec toi.

C'était l'évidence même. D'ailleurs, Marianne n'avait aucune envie de revoir le bouillant général avec son regard impudent et ses mains trop agiles. Qu'il eût l'audace de songer à lui demander son aide était tout de même un peu fort, étant donné la façon dont ils avaient fait connaissance. Et puis, elle en avait assez de ces hommes qui avaient toujours quelque chose à

lui demander, qui ne donnaient jamais rien pour rien...
Aussi fut-ce avec sécheresse qu'elle déclara :

— Je regrette de te dire cela, Fortunée, mais je ne
m'occuperai jamais de ton hussard. Au surplus, Dieu
seul sait quand je reverrai l'Empereur.

— Bravo ! approuva Fortunée. Laisse mes tendres
amis se débrouiller tout seuls, tu n'as déjà pas trop à
t'en louer, n'est-ce pas ?

Marianne haussa les sourcils.

— Que veux-tu dire ?

— Que je n'ignore rien de la façon ignoble dont
Ouvrard s'est conduit avec toi. Que veux-tu, Jonas a
l'oreille particulièrement fine... et il adore écouter aux
portes !

— Oh ! fit Marianne soudain très rouge. Tu sais ?
Et, bien sûr, tu as dit quelque chose à Ouvrard ?

— Rien du tout ! Mais il ne perdra rien pour attendre. Je saurai bien, sois tranquille, nous venger l'une
et l'autre et avant qu'il soit longtemps. Quant à toi, je
me jetterais dans le feu à ta place si besoin était. Tu
n'as qu'à parler ! Je suis à toi corps et âme ! Tu as
toujours besoin d'argent ?

— Non, plus maintenant. Tout va bien.

— L'Empereur ?

— L'Empereur, approuva Marianne non sans peine
devant ce nouveau mensonge, mais elle ne voulait pas
raconter à Fortunée sa rencontré avec son parrain et ce
qui s'en était suivi.

Elle n'avait pas le droit de parler de son insupportable situation, de l'enfant à venir, du mariage auquel
elle était contrainte et, au fond, c'était mieux ainsi.
Fortunée, douée d'une religiosité légère qui tenait
davantage de la superstition et se teintait fortement de
paganisme, n'aurait pas compris. C'était une petite
créole insouciante et impudique et elle eut, sans sour-
cillé, étalé au grand jour une armée de bâtards, fruits
de ses multiples passions, si la nature ne l'avait créée
aussi habile en amour. Marianne savait que, de toutes

ses forces, elle eût combattu les projets du cardinal et le genre de conseils qu'elle eût donné à son amie n'était guère difficile à deviner : aller informer Napoléon de sa prochaine maternité, se laisser marier par lui au premier imbécile venu... et ensuite se consoler avec autant d'amants qu'il lui en tomberait sous les griffes. Mais Marianne ne voulait pas, même pour sauver son honneur et celui de l'enfant, mettre sa main dans une main vile et bassement intéressée. Jason n'avait rien de vil et elle connaissait assez son parrain pour être certaine que l'homme choisi par lui, le cas échéant, n'obéirait pas, en l'épousant, à un bas calcul : elle n'aurait pas à le mépriser ni à se mépriser elle-même... En vérité, il valait mieux, à tous les points de vue, ne rien dire à son amie. Il serait bien temps après... ou, tout au moins, dès que Jason serait là... s'il arrivait un jour...

Perdue dans cette songerie triste et, malheureusement, familière, Marianne ne s'était pas rendu compte que le silence était tombé entre elle et Fortunée ni de l'attention avec laquelle, maintenant, son amie la regardait. Mais tout à coup, Fortunée dit, très sérieusement :

— Tu as des ennuis, n'est-ce pas ? Ton mari ?

— Lui ? On l'a arrêté, fit Marianne avec un petit rire, mais il paraît qu'il s'est échappé trois jours après.

— Échappé ? D'où ?

— Mais... de Vincennes !

— De Vincennes ! s'écria Fortunée péremptoire, ce n'est pas possible ! On ne s'évade pas de Vincennes ! S'il s'en est échappé, c'est qu'on l'y a aidé. Et il faut être diablement puissant pour obtenir ce beau résultat. As-tu une idée ?

— Mais... non.

— Allons donc ! Non seulement tu as une idée, mais tu as la même que moi. Personne n'a rien su de cette évasion et je parierais que l'Empereur l'ignore... comme il doit d'ailleurs ignorer l'incarcération. Or, veux-tu me dire qui est assez fort pour faire filer de

Vincennes un espion anglais sans que personne ne le sache et sans que les journaux n'en parlent ?

— Mais enfin, il y a les geôliers, le greffe...

— Veux-tu parier que, si nous allions à la prison, nous ne trouverions que de bonnes figures naïves et les plus convaincantes dénégations ; personne ne saurait de quoi nous voulons parler. Non, selon moi, l'affaire est signée... mais ce que je ne comprends pas, c'est la raison pour laquelle Fouché a laissé filer un ennemi.

— Et encore, tu ne sais pas tout...

Rapidement, Marianne retraça pour son amie la scène qui s'était déroulée au Salon des Figures de Cires et rapporta les affreuses confidences de Black Fish. Fortunée l'écouta avec une expression significative et soupira enfin :

— C'est immonde ! La seule chose que j'espère, pour l'honneur de Fouché, c'est qu'il ignore encore tout ceci.

— Comment l'ignorerait-il ? Crois-tu que Black Fish le lui ait caché ?

— Il n'est pas certain qu'il ait pu voir le ministre après l'arrestation. Fouché pouvait être à Compiègne, ou sur sa terre de Ferrières. De plus, quand il a été informé de l'arrestation, il ne s'est certainement pas empressé de voir celui qui l'avait provoquée, d'entendre ses raisons... qui pouvaient être gênantes : la preuve ! C'est un renard subtil que notre ministre et si je dis qu'il ignore peut-être les exploits cynégétiques de ton... enfin de cet Anglais, c'est parce que c'est tout à fait possible et parce que cela lui ressemblerait assez. Mais je t'affirme que je le saurai.

— Comment feras-tu ?

— C'est mon affaire. De même que je saurai la raison de cette étrange indulgence envers un espion anglais.

— Arcadius prétend que Fouché a entrepris, sans l'aveu de l'Empereur, des négociations avec l'Angleterre, négociations qui passeraient par des banquiers : Labouchère, Baring... et Ouvrard !

Les yeux sombres de Mme Hamelin s'illuminèrent d'une joie maligne.

— Tiens, tiens !... Cela expliquerait bien des choses, mon cœur. J'ai remarqué, en effet, qu'il se passait ces temps-ci de curieuses choses aux alentours de l'hôtel de Juigné, comme aux environs de la banque du cher Ouvrard. Si Jolival, qui est homme de grand jugement, a vu juste, il doit être question pour tous ces messieurs de très fortes sommes... en dehors du bien de la France qui est le cadet de leurs soucis ! Et comme je suis d'un naturel curieux, je vais tirer toute cette belle affaire au clair.

— Comment vas-tu faire ? demanda Marianne inquiète de voir son amie se lancer sur ce dangereux sentier de la guerre.

Fortunée se leva et alla déposer un baiser maternel sur le front de Marianne.

— Ne fatigue pas ta jolie tête avec ces tortueuses histoires et laisse-moi faire ! Je te promets que nous rirons bien et que ni Ouvrard, ni Fouché ne l'emporteront en Paradis... ou plutôt dans l'enfer qui les attend. Pour le moment, va t'habiller et viens avec moi.

— Où veux-tu aller ? protesta Marianne avec une visible répugnance en se recroquevillant dans son fauteuil comme pour défier son amie de l'en sortir.

— Dans Paris, faire des courses. Il fait un temps superbe. Contrairement à ce que je t'ai dit, tu as une mine affreuse, cela te fera tous les biens du monde de prendre l'air.

Marianne fit la grimace. Il lui semblait que si elle sortait, ne fût-ce qu'une minute, Gracchus en profiterait pour arriver !

— Allons, insista Fortunée, viens avec moi. J'ai un petit souper, demain soir, et il faut que j'aille chez Cheret au Palais-Royal voir s'ils ont des huîtres. Viens avec moi, cela te changera les idées. Ce n'est pas bon de rester claquemurée ainsi, à ruminer tes idées noires... et ta peur ! Car tu as peur, n'est-ce pas ?

— Mets-toi à ma place ? Tu n'aurais pas peur, toi ?

— Moi ? Je serais terrifiée, mais je crois, justement, que je sortirais d'autant plus que j'aurais plus peur. On est bien mieux au milieu d'une foule qu'isolée derrière des murs. Et puis qu'est-ce que tu crains au juste de ton Anglais ? Qu'il te tue ?

— Il a juré de se venger de moi, balbutia Marianne.

— Nous sommes d'accord. Mais il y a vengeance et vengeance. Si, comme tu l'affirmes, c'est un garçon intelligent...

— Trop ! Il est diabolique.

— Alors il ne tuera pas en toi la poule aux œufs d'or. Ce serait trop simple, trop facile... trop vite fait et surtout sans rémission. Il peut, en outre, supposer que l'Empereur mettrait tout en œuvre pour retrouver ton meurtrier. Non, je croirais plutôt qu'il essaiera de se venger en t'empoisonnant l'existence... peut-être au point de t'amener à te détruire toi-même, mais il ne viendra pas, froidement, t'assassiner. C'est un monstre, cet homme... ce n'est pas un imbécile ! Songe à tout ce qu'il peut encore espérer de toi en fait d'or.

A mesure qu'elle parlait, l'esprit inquiet de Marianne enregistrait avidement chacune de ses paroles, chaque développement de ce raisonnement sans faille.

Fortunée avait raison. C'était la perte de la grosse somme, si facilement gagnée, qui avait déchaîné la fureur de Francis au moment de son arrestation, non la perte de sa liberté. L'homme était trop sûr de lui pour ne pas dédaigner les prisons, les geôliers et tout l'appareil de la justice. Mais l'or, cet or dont il avait soif plus encore que de l'air nécessaire à sa vie Francis ne pouvait qu'enrager de l'avoir perdu. Marianne se leva.

— Je viens, dit-elle enfin, mais ne m'invite pas à ton souper. Je n'accepterai pas !

— Mais... je ne t'invite pas non plus. C'est un sou-

257

per à deux, ma toute belle. Et un souper à deux perd tout son charme quand on y ajoute un troisième convive.

— Ah ! je comprends ! Tu attends le retour de ton hussard.

Cette suggestion parut du plus haut comique à Mme Hamelin, car elle éclata de rire, ou plutôt elle se mit à roucouler joyeusement, ce qui était sa manière à elle de rire.

— Tu n'y es pas du tout ! Au diable Fournier ! C'est un autre hussard que j'attends, si tu veux savoir.

— Mais... qui cela ? fit Marianne tout de même un peu abasourdie devant cette Fortunée qui était arrivée chez elle crachant le feu, en pleine fureur jalouse, et qui maintenant parlait tout tranquillement de souper, dès le lendemain, avec un autre homme.

Les rires de la créole reprirent de plus belle.

— Qui ? Mais voyons, Dupont, l'éternel adversaire de Fournier, l'homme qui lui avait si bien lardé l'épaule l'autre soir ! C'est un garçon tout à fait charmant, tu sais ?... Et tu n'imagines pas comme la vengeance peut avoir un goût agréable avec lui ! Va t'habiller !

Marianne ne se le fit pas répéter. Essayer de comprendre quelque chose à la logique de Fortunée était, pour le moment, tout à fait en dehors de ses possibilités. Sans parler de sa morale. Vraiment, c'était une femme peu ordinaire que Mme Hamelin.

Une heure plus tard, Marianne se retrouva trottant aux côtés de son amie sous les galeries du Palais-Royal où se trouvaient les meilleures maisons d'alimentation. Il faisait beau, un clair soleil faisait briller les jeunes feuilles des arbres, le jet d'eau dans son bassin et les yeux des jolies filles qui se pressaient dans ce lieu voué depuis si longtemps au plaisir sous toutes ses formes.

Marianne se sentit revivre un peu. On passa d'abord chez Hyrment, où la créole commanda un panier de truffes fraîches, de la moutarde Maille et des condiments variés en déclarant qu'il n'était jamais mauvais d'encourager les hommes à se montrer galants envers les dames. De là, on alla chez Cheret, le spécialiste du gibier de plume et de poil. C'était un étroit magasin où les clients s'entassaient tant bien que mal entre des barils de harengs et de sardines fraîches, des bourriches d'huîtres, des paniers d'écrevisses, tandis que deux chevreuils pendus de chaque côté de la porte montaient la garde. Avec amusement, Marianne reconnut le célèbre Carême au nombre des clients. Flanqué de deux valets compassés et de trois aides de cuisine chargés de grands paniers, le chef de Talleyrand, habillé en bourgeois cossu, faisait son choix avec toute la gravité d'un joaillier procédant à un assortiment de gemmes précieuses.

— Il y a trop de monde, dit Fortunée, et puis Carême en a toujours pour un temps fou. Nous reviendrons. Allons chez Corcellet.

A l'extrémité de la galerie de Beaujolais, le célèbre épicier ouvrait son vaste magasin, véritable paradis des gourmands et des gourmets. On y trouvait, servis par une nuée de garçons attentifs, la mortadelle de Lyon, les foies gras de Strasbourg ou du Périgord, le saucisson d'Arles, les terrines de Nérac, les langues de Troyes, les mauviettes de Pithiviers, les poulardes du Mans, sans compter les pains d'épice de Dijon ou de Reims, les pruneaux d'Agen, les pâtes de fruits de Clermont et aussi le véritable Cotignac.

La clientèle y était huppée. Fortunée désigna discrètement à son amie deux ou trois femmes de la haute société venues là pour passer commandes. L'une, courtaude, joviale et sympathique semblait avoir à ses pieds tout le personnel qu'elle traitait avec familiarité.

— Une excellente femme, cette maréchale Lefebvre, chuchota Mme Hamelin, mais pas duchesse de Dantzig pour un sou ! On dit qu'elle a été blanchisseuse et les distinguées pimbêches de la Cour la traitent de haut, mais elle ne s'en émeut guère. Si elle a, en effet, des mains de blanchisseuse, elle a, bien plus que les autres, un cœur de duchesse ! Je n'en dirais pas autant de celle-là, ajouta-t-elle en désignant discrètement une grande femme brune, un peu maigre mais pourvue de magnifiques yeux noirs, qui arborait une toilette un peu trop fastueuse pour le matin et donnait des ordres avec une hauteur qui frisait la vanité.

— Qui est-ce ? demanda Marianne qui avait déjà vu cette femme, mais avait oublié son nom.

— Églé Ney. Elle est de bonne famille bourgeoise et fille d'une femme de chambre de Marie-Antoinette, mais le souvenir de son origine, le sentiment de sa grande fortune et du renom de son époux lui ont donné une sorte de snobisme royal regrettablement banlieusard. Vois le mal qu'elle se donne pour ne pas s'apercevoir de la présence de Mme Lefebvre ? Les hommes sont frères d'armes, les femmes se détestent. C'est une représentation assez fidèle de la cour des Tuileries.

Mais Marianne n'écoutait plus. Debout près de la vitrine, elle observait, depuis un instant, une silhouette de femme qui venait de sortir du café voisin et, arrêtée sur le seuil, semblait prendre le vent. Une silhouette qu'elle croyait bien reconnaître.

— Eh bien, s'étonna Fortunée, que regardes-tu là ? Je t'assure que ce café des Aveugles n'offre aucun intérêt pour toi. C'est un lieu assez mal famé où se mélangent des prostituées, des souteneurs, des mauvais garçons et quelques provinciaux que l'on y attire pour les plumer proprement.

— Ce n'est pas le café... c'est cette femme, avec son châle rouge et sa robe gris souris. Je suis certaine de la connaître ! Je... Oh !...

La femme au châle rouge avait tourné la tête et Marianne, plantant là son amie sans autre explication, se précipitait au-dehors poussée par une impulsion dont elle n'avait pas été la maîtresse. Cette fois, elle avait nettement reconnu la femme. C'était la Bretonne Gwen, la maîtresse de Morvan le Naufrageur qui, depuis la fameuse nuit de Malmaison, avait retrouvé sa place dans les prisons impériales.

Peut-être n'y avait-il pas tant à s'étonner de retrouver à Paris, vêtue comme une petite bourgeoise modeste, la fille sauvage des rochers de Paganie. Après tout, si Morvan était à Paris, même en prison, pourquoi donc sa maîtresse n'y serait-elle pas, elle aussi ? Mais une voix mystérieuse, dont elle eût été bien incapable de préciser la provenance, soufflait à Marianne que ce n'était pas uniquement pour se rapprocher de son amant captif que Gwen était à Paris. Il y avait autre chose... Mais quoi ?

Sans se presser, la Bretonne suivit la galerie de Beaujolais. Elle affectait un maintien modeste, presque timide, baissant la tête pour que son visage se trouvât autant que possible à l'abri des bords de sa capote grise, simplement ornée d'une coque de ruban rouge. Visiblement, elle ne voulait pas risquer d'être confondue avec les nombreuses filles de joie qui, toutes outrageusement fardées et abondamment décolletées, arpentaient les galeries du Palais-Royal. Marianne pensa qu'en dissimulant si soigneusement sa réelle beauté, Gwen ne voulait pas non plus courir le danger d'attirer l'attention d'un des nombreux oisifs qui erraient dans ce lieu voué au plaisir et de se faire accoster.

Pour ne pas risquer le même inconvénient, Marianne avait, d'ailleurs, vivement baissé devant son visage le grand voile vert amande qui drapait son propre chapeau. Cela lui permettait, de plus, de suivre la Bretonne sans être reconnue.

L'une derrière l'autre, les deux femmes parcoururent la galerie jusqu'à l'ancien théâtre de la Montansier. Là, Gwen prit à gauche, sous la voûte à colonnes qui menait à la rue de Beaujolais. Avant de s'engager dans la rue, néanmoins, Gwen s'était retournée une fois ou deux, ce qui avait immédiatement incité Marianne à la prudence. Elle s'était arrêtée à l'abri de l'une des imposantes colonnes de pierre, semblant s'intéresser à l'entrée du fameux restaurant Le Grand Véfour. Puis, prudemment, elle jeta un regard dans la rue.

Gwen était arrêtée, un peu plus loin, auprès d'une voiture noire qui stationnait, une voiture noire qui en rappela singulièrement une autre, toute semblable, à Marianne et réveilla de proches et peu agréables souvenirs. La Bretonne et le cocher, dont le visage était dissimulé par le collet relevé de son manteau, échangèrent quelques paroles sur le mode animé, puis la fille revint vers l'endroit où se tenait Marianne, mais celle-ci remarqua qu'elle jetait plusieurs coups d'œil à l'intérieur du célèbre restaurant que fermaient de larges vitres gravées. Elle avait l'air de s'intéresser à quelque chose ou à quelqu'un qui se trouvait au Grand Véfour.

L'impression de Marianne se confirma en voyant que Gwen demeurait sous la voûte et commençait à y faire les cent pas. Du coup, la jeune femme recula jusque dans la galerie de Beaujolais, mais sans perdre de vue son ancienne ennemie, dont le comportement lui paraissait au moins étrange. Heureusement, il passait beaucoup de monde entrant ou sortant des fameux jardins et le manège des deux femmes passa à peu près inaperçu. A ce moment, d'ailleurs, Fortunée Hamelin rejoignit enfin son amie.

— Me diras-tu ce qui s'est passé ? demanda-t-elle. Tu as quitté la boutique de Corcellet comme si tu étais poursuivie.

— Je n'étais pas poursuivie, mais je souhaitais suivre quelqu'un. Faisons quelques pas, si tu le veux bien, ma chère Fortunée, afin que l'on ne nous remarque pas trop.

— Comme c'est aisé ! ironisa la créole. Malgré ton voile baissé, tu as une tournure qui attire l'œil, ma chère... et sans parler de la mienne dont je ne suis pas trop mécontente. Mais marchons, puisque tu le veux ! C'est toujours cette femme grise et rouge qui t'occupe ? Qui est-elle donc ?

En quelques mots, Marianne eut mis Fortunée au courant et la folle jeune femme convint alors qu'il y avait vraiment là matière à réflexion. Pourtant, elle objecta :

— Tu ne crois pas que cette femme cherche simplement... à gagner sa vie ? Elle est très jolie et il y en a, parmi les filles qui fréquentent ici, quelques-unes qui misent sur le genre respectable. D'après ce que tu m'en as dit, ce n'est pas une nature si farouche, du moins envers les hommes.

— C'est possible, mais je ne le crois pas. Sinon, pourquoi cette voiture qui attend dans la rue, pourquoi reste-t-elle devant ce restaurant, à aller et venir sans quitter la porte des yeux. Elle attend quelqu'un, cela est certain et moi je veux savoir qui !

— Il est évident, soupira Fortunée, que les relations de ce genre de femmes peuvent intéresser certaines personnes... entre autres notre ami Fouché. Après tout, voyons la suite ! Ce sera peut-être plein d'intérêt.

Bras dessus bras dessous, au pas lent de la flânerie, les deux femmes firent mine de se diriger vers le quinconce de tilleuls et de thuyas qui ornaient le centre du jardin, mais ne tardèrent pas à revenir vers leur point de départ. Elles semblaient tenir une conversation animée qui se perdait dans le brouhaha que les nombreux cafés, salles de billards, librairies et magasins de toutes sortes entretenaient jour et nuit au Palais-Royal. Elles ne perdaient pas de vue la Bretonne qui, sous la voûte, allait et venait elle aussi, lentement, de la rue au jardin. Soudain, Gwen se figea. Ses deux observatrices aussi. La porte du restaurant venait de s'ouvrir...

— Je sens qu'il va se passer quelque chose ! souffla Fortunée en serrant plus fort le bras de son amie.

En effet, un homme venait de sortir. De carrure solide, vêtu d'une redingote bleue à boutons dorés, coiffé d'un haut-de-forme gris crânement planté sur le côté, il s'arrêta au seuil, répondit d'un geste amical au profond salut du maître d'hôtel qui l'avait escorté jusque-là et alluma un long cigare. Mais Marianne, avec un battement de cœur, l'avait déjà reconnu.

— Surcouf ! souffla-t-elle. Le baron Surcouf !

— Le fameux corsaire ? fit Mme Hamelin très excitée. Ce bonhomme taillé comme un coffre de navire ?

— C'est bien lui et je sais maintenant qui guettait cette fille. Regarde !

En effet, Gwen avait discrètement quitté l'abri de sa colonne et d'un pas soudain alourdi, comme celui d'une femme recrue de fatigue, elle s'apprêtait à passer devant la porte du Grand Véfour.

— Que va-t-elle faire ? chuchota Fortunée. Chercher à l'aborder ?

— Rien de bon sûrement, répondit Marianne sourcils froncés. Morvan hait Surcouf plus encore que l'Empereur. Et je me demande... Viens, avançons, ajouta-t-elle.

Une crainte lui venait : que cette fille ne dissimulât une arme et ne s'en servît pour frapper. Mais non. Parvenue près du roi des corsaires qui, son cigare allumé, rangeait posément son briquet dans sa poche, elle s'arrêta, vacilla sur ses jambes en portant à sa tête une main tremblante et s'abattit sur le sol.

Voyant cette jeune femme s'évanouir devant lui, Surcouf, bien entendu, se précipita pour lui porter secours et la prit dans ses bras pour la relever. Marianne, elle aussi, s'élança et parvint auprès du couple, juste à temps pour entendre la Bretonne murmurer d'une voix éteinte :

— Ce n'est rien... par grâce, monsieur, menez-moi à la voiture... qui m'attend ici près. On prendra... soin de moi.

En même temps, elle écartait d'un geste las les autres personnes qui s'approchaient. Mais Marianne avait compris le plan de Gwen. Surcouf n'avait besoin de personne pour aider une fille mince et légère à gagner une voiture et dans cette voiture il devait y avoir des gens qui l'attendaient. En une seconde, il serait entraîné à l'intérieur et enlevé, en plein Paris, le plus proprement du monde. La belle monnaie d'échange que représenterait le corsaire contre la liberté du naufrageur... si même on lui rendait jamais la liberté !... Et Marianne était prête à jurer que la bande de Fanchon-Fleur-de-Lys n'était pas étrangère à l'affaire. Elle n'hésita pas une seconde.

Abordant Surcouf, qui soulevait déjà de terre la pseudo-malade, elle posa sur son bras sa main gantée et déclara d'une voix nette :

— Reposez cette femme, Monsieur le baron : elle n'est pas plus malade que vous et moi ! Et surtout n'approchez pas de la voiture vers laquelle elle souhaite vous entraîner.

Surcouf considéra avec étonnement cette femme voilée qui disait des choses si étranges et, dans son trouble, reposa à terre Gwen qui eut un grognement de colère.

— Mais, Madame, qui êtes-vous ?

Vivement, Marianne releva son voile.

— Quelqu'un qui vous doit beaucoup et qui est bien heureuse de s'être trouvée là juste à temps pour empêcher que l'on ne vous enlève.

Une double exclamation, de joie chez Surcouf, de fureur chez la Bretonne, salua l'apparition de ses traits.

— Mademoiselle Marianne ! s'écria le corsaire.

— Toi ? gronda la Bretonne. Est-ce que je te retrouverai toujours sur mon chemin ?

— Je n'y tiens pas, répliqua froidement Marianne, et si vous consentiez à vivre comme tout le monde, cela n'arriverait pas.

— De toute façon, tu as menti ! Tout le monde peut avoir un malaise.

— ... dont il ne reste rien présentement ! Mon intervention vous a guérie bien rapidement !

Autour des trois personnages s'attroupait déjà du monde. L'altercation entre les deux femmes avait augmenté le petit nombre de ceux qui s'étaient arrêtés pour porter secours à la malade. Voyant que le coup était manqué, la Bretonne voulut s'esquiver avec un haussement d'épaules, mais la grosse main brunie de Surcouf s'abattit sur son bras et l'empêcha de fuir.

— Pas si vite, la belle ! Quand on en veut aux gens, on s'explique... et quand on vous accuse, on se défend !

— Je n'ai rien à expliquer.

— Je crois que si, intervint la voix chantante de Fortunée qui venait de percer la foule, deux hommes sur les talons. Ces messieurs seront justement enchantés de vous entendre.

Les redingotes noires, hermétiquement boutonnées, les chapeaux râpés, les gros souliers et les gourdins des nouveaux venus, leur assez mauvaise mine aussi, annonçaient la police. Devant eux, la foule s'écarta et se tint à distance. D'un mouvement bien réglé, ils encadrèrent Gwen qui se mit à se débattre comme une furie.

— Je n'ai rien fait ! Lâchez-moi ! De quel droit m'arrêtez-vous ?

— Pour tentative d'enlèvement du baron Surcouf ! Allez, ouste, la fille ! Tu t'expliqueras devant le juge impérial ! fit l'un des deux hommes.

— On n'a pas le droit de m'accuser sans preuve ! C'est un déni de justice.

— A défaut de preuve, on a tes complices : tu sais, les gens de la voiture noire ? Cette dame, ajouta-t-il en désignant Mme Hamelin, nous a prévenus à temps. Deux de nos collègues sont en train de s'en occuper. Et maintenant, assez de bruit, viens avec nous.

D'une poigne vigoureuse, ils entraînèrent la Bretonne qui écumait et se tordait comme une vipère captive. Avant de s'éloigner, elle se retourna, cracha en direction de Marianne et cria ;

— On se retrouvera et je saurai bien te faire payer tout ça, garce !

Les policiers disparus, la foule entoura Surcouf et lui fit une ovation. Tout le monde voulait l'approcher et serrer la main du célèbre marin. Il se défendit avec une timidité qui n'était pas feinte, sourit, serra des mains et, finalement, entraîna Marianne vers le café de la Rotonde, dont la terrasse s'avançait au milieu du jardin.

— Venez ! Allons prendre une glace pour refaire connaissance. Après ces émotions, vous en avez besoin et votre amie aussi.

Ils s'installèrent dans la rotonde de verre et Surcouf commanda les consommations. Ses yeux bleus, souriants, allaient de Marianne à Fortunée qui, pour lui, déployait toutes ses grâces d'oiseau des îles, mais revenaient toujours à sa jeune amie.

— Savez-vous que je me demandais ce que vous étiez devenue. Je vous ai écrit, plusieurs fois, chez Fouché, sans jamais recevoir de réponse.

— Je ne suis pas restée chez le duc d'Otrante, fit Marianne en attaquant son sorbet à la vanille, mais il aurait pu prendre la peine de me faire tenir vos lettres.

— C'est un peu ce que je pense. Aussi avais-je l'intention d'aller le voir tantôt avant de reprendre le chemin de ma Bretagne.

— Quoi ? Vous repartez si vite ?

— Il le faut bien. Je ne suis venu que pour affaires et puisque je vous ai revue, tout est bien. Je peux rentrer tranquille. Savez-vous que vous êtes superbe ?

Son regard admiratif parcourait la toilette élégante de la jeune femme, s'attardait aux bijoux d'or qui ornaient ses poignets et Marianne éprouva tout à coup un peu de gêne. Comment lui expliquer ce qu'elle était devenue ? Son aventure avec l'Empereur était si extraordinaire, si fantastique qu'il serait peut-être difficile à un homme, aussi simple et direct que le corsaire, d'y croire aisément. Ce fut Fortunée qui, devinant son embarras, la tira d'affaire.

— C'est que, mon cher baron, vous avez devant vous la reine de Paris.

— Comment cela ? Notez que je ne doute nullement

que vous n'ayez tout ce qu'il faut pour conquérir un royaume mais...

— Mais cela vous paraît étrange en si peu de temps ? Eh bien, sachez qu'il n'y a plus de Marianne. Je suis heureuse de vous présenter la signorina Maria-Stella.

— Comment ? C'est vous ?... Mais il n'est bruit, dans Paris, que de votre beauté et de votre talent. Et vous êtes, alors, celle que l'Empereur...

Il s'arrêta. Sa large figure léonine rougit brusquement sous son hâle, tandis qu'une identique rougeur montait aux pommettes de Marianne. Il était gêné de ce qu'il avait failli dire et elle se sentait atteinte par ce que son brusque silence sous-entendait. D'un seul coup, les choses entre eux avaient pris leurs vraies dimensions. Elle avait compris que Surcouf, bien que provincial et depuis peu de temps à Paris, n'ignorait rien des potins courant rues et salons, qu'il savait, désormais, avoir en face de lui la maîtresse de Napoléon et elle crut remarquer que cela ne lui faisait guère plaisir. Son regard bleu, qui, dans ce visage tanné, rappelait étrangement à Marianne celui de Jason Beaufort, s'était assombri. Il y eut un petit silence, tellement pesant malgré sa brièveté que même la bavarde Fortunée n'osa pas le rompre. Elle fit toute une affaire de déguster sa glace au chocolat et parut se désintéresser du débat. Et ce fut Marianne qui, bravement, rompit les chiens la première.

— Vous me jugez mal, n'est-ce pas ?

— Non... Je crains seulement que vous ne soyez guère heureuse, si vous l'aimez... ce qui ne fait sûrement aucun doute.

— Pourquoi ?

— Parce qu'il est des choses qu'une femme comme vous ne fait pas sans amour. J'ajoute... qu'il a de la chance ! J'espère qu'il s'en rend compte.

— J'en ai plus encore. Mais pourquoi pensez-vous que je ne suis pas heureuse ?

— Justement parce que vous êtes vous et que vous l'aimez. Il vient de se marier, n'est-ce pas ? Vous ne pouvez qu'en souffrir !

Marianne baissa la tête. Le marin, avec la simple clairvoyance des gens accoutumés à compter autant avec la nature qu'avec les hommes, lisait en elle comme en un petit livre écrit en gros caractères.

— C'est vrai, admit-elle avec un petit sourire crispé, je souffre mais je ne voudrais pas que les choses fussent différentes. J'ai appris, à mes dépens, qu'ici-bas tout se paie et je suis prête à solder la facture du bonheur que j'ai eu, même si elle est exceptionnellement lourde.

Il se levait, se courbait un peu pour prendre sa main qu'il baisait légèrement. Devant son visage de marbre, elle s'affola soudain.

— Vous partez ? Est-ce que cela veut dire que... vous n'êtes plus mon ami ?

Son rare sourire, timide et brusque, apparut un court instant, mais toute la chaleur du monde se réfugia dans ses yeux bleus, délavés par trop de tempêtes et trop de nuits de veille sur un pont balayé par le vent.

— Votre ami ? Je le serai jusqu'à mon dernier souffle, jusqu'au bout du monde. Mais il faut que je parte, simplement. Voici venir mon frère et deux de nos capitaines auxquels j'avais donné rendez-vous en ce jardin.

Doucement, Marianne retint les doigts rugueux qui serraient les siens.

— Je vous reverrai, n'est-ce pas ?

— Si cela ne dépend que de moi. Mais où puis-je vous retrouver ?

— Hôtel d'Asselnat, rue de Lille... Vous y serez toujours le bienvenu.

A nouveau, il posa ses lèvres sur la petite main douce qui le retenait prisonnier et sourit, mais cette fois son sourire avait la gaieté malicieuse d'un sourire d'enfant.

— Ne m'invitez pas trop, je serais capable de

m'installer. Vous n'imaginez pas combien les gens de mer s'attachent aisément.

Tandis qu'il s'éloignait avec le groupe d'hommes qui, le voyant en compagnie, l'avaient attendu un peu plus loin, Fortunée Hamelin poussa un énorme soupir.

— C'est tout juste s'il m'a regardée ! fit-elle avec une moue désappointée. Décidément quand tu es là, ma chère, on ne peut vraiment garder aucune chance ! J'aurais pourtant bien voulu l'intéresser ! Voilà un homme comme je les aime.

Marianne se mit à rire.

— Tu en aimes tellement, Fortunée ! Laisse-moi mon corsaire ! Il y en a tant qui te le feront oublier. Dupont, par exemple !

— Chaque chose en son temps ! Celui-là est exceptionnel et si tu ne me préviens pas immédiatement au moment où il fera son entrée dans ta noble demeure, je ne te parle plus de ma vie.

— C'est bien. Je te le promets.

Il était midi. Le petit canon préposé à l'office d'annoncer le milieu du jour venait de tonner avec un élégant panache de fumée blanche et un bruit modéré pour une bouche à feu. Marianne et son amie se dirigèrent vers la sortie des jardins pour regagner leur voiture, stationnée devant la Comédie-Française. Comme on atteignait les voûtes de l'ancien palais des ducs d'Orléans, Fortunée dit brusquement :

— Cette Bretonne me tourmente. Je n'ai pas aimé son dernier regard. Et, en ce moment, tu n'avais pas besoin d'un surcroît d'ennemis ! Il est vrai que celle-là n'a aucune chance de se voir ouvrir les portes de la prison, mais prends garde tout de même.

— Je ne la crains pas. Que pourrait-elle me faire ? Devais-je laisser enlever Surcouf ? Je me le serais reproché toute ma vie.

— Marianne, dit Fortunée soudain très grave, ne sous-estime jamais la haine d'une femme. Tôt ou tard, elle cherchera à te faire payer ce que tu viens de lui faire.

— Moi ? Et pourquoi pas toi ? Qui donc est allée chercher la police ? Et d'ailleurs, comment as-tu fait pour la découvrir si vite ?

Mme Hamelin haussa ses belles épaules et s'éventa d'un geste désinvolte, avec un pan de son écharpe.

— Il y a toujours une collection de policiers dans les lieux publics. Et avoue qu'il n'est pas difficile de les reconnaître, ne fût-ce qu'à leur très particulière élégance... Ceci dit, tu as eu parfaitement raison et au fond je t'admire. Tu es très brave.

Marianne ne répondit pas. Elle songeait à cette bizarre suite de coïncidences qui, depuis quelque temps, semblaient prendre à tâche de ramener devant elle tous ceux qui, en bien ou en mal, avaient joué un rôle dans sa vie depuis ce malheureux jour de son mariage. Était-ce parce que cette vie devait maintenant prendre une toute nouvelle orientation ? Elle avait entendu dire qu'à la minute où la mort s'approche d'un être, celui-ci revoit, en quelques secondes, son existence tout entière. C'était un peu cela qui se produisait pour elle. La vie de l'éphémère lady Cranmere et celle de la chanteuse Maria-Stella venaient peut-être de reparaître à ses yeux parce qu'elles allaient s'évanouir, mais pour faire place à quoi ? Quel nom porterait demain Marianne d'Asselnat ? Mrs Beaufort... ou bien le nom d'un parfait inconnu ?

Bien que la visite des deux jeunes femmes au Palais Royal ait été, en effet, des plus distrayantes, jamais Marianne n'avait vécu journée si longue. Elle éprouvait le désir, à la fois impérieux et enfantin, de rentrer chez elle avec l'impression que quelque chose l'y attendait, mais, craignant de s'attirer les moqueries de Fortunée, elle se contraignit à demeurer avec elle jusqu'au bout de son interminable suite de courses puisqu'elle n'avait pas le moindre prétexte valable pour rentrer plus tôt rue de Lille. Pour y retrouver quoi d'ailleurs ? Le vide, le silence, l'absence...

Fortunée était dans une de ses crises de prodigalité. Elle éprouvait toujours un plaisir puéril à dépenser de l'argent, mais parfois elle le gaspillait avec une sorte de rage. Ce jour-là, elle le jeta littéralement par les fenêtres, achetant plus de denrées qu'elle n'en avait besoin, empilant écharpes sur paires de gants, bottines sur chapeaux qu'elle eut soin de choisir tous plus extravagants les uns que les autres. Et comme Marianne s'en étonnait, demandant à son amie pourquoi elle renouvelait ainsi toute sa garde-robe, Mme Hamelin éclata de rire :

— Je t'ai dit qu'Ouvrard me paierait la jolie petite infamie qu'il t'a faite. Je commence ! J'ai l'intention... entre autres choses, de l'étouffer sous les factures.

— Et s'il ne payait pas ?

— Lui ? Il est bien trop vaniteux ! Il paiera, ma toute belle, et rubis sur l'ongle. Tiens, regarde cette ravissante capote avec ses plumes frisées ! Elle est exactement du même vert que tes yeux ! Ce serait dommage qu'elle allât à une autre ! Je te l'offre !

Et, malgré les protestations de Marianne, un joli carton rose contenant la capote verte alla rejoindre le tas déjà imposant de colis qui encombraient la voiture de la belle créole.

— Tu la porteras en pensant à moi ! dit-elle en riant. Cela te consolera des idées folles de ta cousine. A son âge ! Aller s'enticher d'un pitre ! Note qu'à mon sens elle n'a pas mauvais goût. Il est séduisant ce Bobèche... très séduisant même.

— Dans cinq minutes tu vas me demander d'aller assister à sa parade, s'écria Marianne. Non, Fortunée, tu es un amour mais tu vas mettre un comble à tes bienfaits en me ramenant chez moi.

— Tu en as déjà assez ? Moi qui voulais t'emmener prendre un chocolat chez Frascati.

— Une autre fois, si tu veux bien. Il y aura un

monde fou, et, hormis toi, je n'ai envie de voir personne.

— Toujours tes idées d'un autre âge ! maugréa Mme Hamelin. Toujours ton absurde fidélité à Sa Majesté corse qui, pendant que tu te morfonds, chasse, danse, joue et applaudit « Phèdre » en compagnie de sa rougissante moitié !

— Cela ne m'intéresse pas ! coupa Marianne sèchement.

— Ah non ? Et si je te disais que la chère Marie-Louise est déjà en train de se mettre à dos une grosse moitié des dames de sa cour et quelques hommes par-dessus le marché ? On la trouve gauche, raide, peu aimable ! Ah ! cela les change de la pauvre et adorable Joséphine qui savait recevoir avec tant de grâce ! Comment Napoléon peut-il y résister !

— Il doit la voir toujours avec l'aigle autrichienne sur ses épaules et la couronne de Charlemagne sur la tête. C'est une Habsbourg ! Elle l'éblouit, fit machinalement Marianne qui n'aimait pas parler de Marie-Louise.

— Il est bien le seul ! Et cela m'étonnerait qu'elle éblouisse les bons peuples du Nord qui, dans une semaine, seront admis à l'honneur de l'admirer. La Cour quitte Compiègne le 27...

— Je sais, dit Marianne distraite, je sais.

Le 27 ? Où en serait-elle, pour sa part ? Le cardinal lui avait donné un mois pour se préparer au mariage qu'il lui aurait choisi. Le jour de leur entrevue avait été le 4 avril. En bonne logique, elle devait rejoindre son parrain vers le 4 mai. Et l'on était déjà le 19 avril ! Et Gracchus n'était pas revenu ! Et le temps fuyait avec une terrible rapidité.

Traduisant machinalement son malaise intime, elle répéta :

— Rentrons, je t'en prie.

— Comme tu voudras, soupira Fortunée. Au surplus, tu as peut-être raison. J'ai dépensé suffisamment pour aujourd'hui.

A mesure que l'on approchait de la rue de Lille, une hâte s'emparait de Marianne. Elle devint bientôt si intense que, à peine arrivée devant le portail de son hôtel, la jeune femme sauta dans la rue, sans attendre que la voiture eût pénétré dans la cour, sans même laisser au cocher le temps de descendre pour abaisser le marchepied.

— Ah ça ! fit Mme Hamelin stupéfaite. Tu es tellement pressée de me quitter ?

— Ce n'est pas toi que j'ai hâte de quitter, lui jeta Marianne, c'est ma maison que j'ai hâte de retrouver ! Je viens de me souvenir que j'ai quelque chose d'important à faire.

L'échappatoire n'était guère brillante, mais Fortunée eut le bon goût de s'en contenter. Avec un haussement d'épaules, un sourire et un geste d'adieu de la main, elle ordonna à son cocher de continuer et Marianne, avec un soulagement dont elle aurait été bien incapable d'expliquer la provenance, poussa la petite porte de côté et pénétra dans la cour.

La première chose qu'elle vit fut l'un des deux garçons d'écurie, Guillaume, qui rentrait un cheval couvert de sueur. Du coup, le cœur de Marianne manqua un battement et elle sut que son instinct l'avait bien conseillée en la poussant à revenir. Ce cheval, c'était Samson. Donc Gracchus était rentré. Enfin !... Grimpant le perron deux marches à la fois, elle donna tout juste à Jérémie le temps de lui ouvrir la porte. Encore tomba-t-elle presque sur lui en se ruant dans le vestibule.

— Gracchus ? fit-elle haletante. Il est rentré ?

— Mais... oui, Mademoiselle ! Il y a dix minutes environ. Il a demandé à parler à Mademoiselle, mais je lui ai dit que Mademoiselle...

— Où est-il ? coupa Marianne impatientée.

— Dans sa chambre. Il se change, j'imagine. Est-ce que je dois le prévenir de...

— Inutile, j'y vais !

Sans faire attention à la mine scandalisée de son majordome, Marianne prit ses jupes à deux mains et se mit à courir vers les communs. Elle grimpa sans respirer l'escalier de bois qui menait chez Gracchus et, négligeant de frapper, entra tout droit. Elle eut à peine le temps d'apercevoir le jeune garçon, car, surpris dans un appareil assez sommaire, il se jeta derrière son lit avec un hurlement d'effroi, empoigna la courtepointe et s'en drapa de son mieux.

— Mademoiselle Marianne ! Seigneur, ce que vous m'avez fait peur ! Je suis confus.

— Laisse ta confusion ! coupa la jeune femme et réponds : Pourquoi as-tu mis si longtemps ? Voilà des jours et des jours que je me ronge d'inquiétude ! Je te croyais enlevé par des brigands, mort peut-être.

— Si j'ai failli être enlevé, grogna Gracchus, ce n'est pas par des brigands mais bien par les sergents recruteurs de Sa Majesté l'Empereur qui, à Bayonne, voulaient à toute force m'envoyer en Espagne rejoindre le roi Joseph.

— A Bayonne ? Mais je t'avais envoyé à Nantes, il me semble ?

— Aussi est-ce à Nantes que je suis allé d'abord, mais m'sieur Patterson m'a dit que m'sieur Beaufort devait toucher terre à Bayonne ces jours derniers avec une cargaison de denrées coloniales. Alors j'ai repris mon cheval, la lettre et j'ai couru.

Puis, changeant de ton, il reprocha :

— Dites, Mademoiselle Marianne, vous auriez pu me le dire tout de suite que c'était à m'sieur Beaufort que vous écriviez, ça m'aurait évité du chemin inutile. J'y serais allé tout droit à Bayonne !

— Comment cela ? fit Marianne avec étonnement.

Gracchus rougit. Sa bonne figure qu'une longue che-vauchée avait déjà bronzée vira au rouge brique. Il détourna les yeux et haussa les épaules, gêné tout autant par le regard fixe de Marianne que par son provisoire costume romain.

— Faut vous dire, commença-t-il péniblement, que m'sieur Beaufort et moi on est toujours restés en correspondance... oui, ça peut vous étonner, mais il faut comprendre. Le jour où il est parti, après l'histoire des carrières de Chaillot, il m'a fait venir à son hôtel. Il m'a donné... une jolie petite somme d'argent et puis il m'a dit : « Gracchus, il faut que je parte et j'ai bien peur que ce départ ne fasse pas beaucoup de peine à Mlle Marianne. Elle m'oubliera vite, mais moi je ne serai tranquille que lorsque je la saurai heureuse... définitivement. Alors, si tu veux bien, je te ferai savoir quand je viendrai en France et toi tu me mettras un bout de lettre, dans les endroits que je te dirai, pour que je sache si tout va bien, si elle n'a pas d'ennuis, si... »

— Oh ! coupa Marianne avec indignation. Ainsi, tu lui servais d'espion et, en plus, il t'avait payé pour cette besogne !

— Non ! s'indigna le jeune garçon en récupérant autant de dignité que le permettait sa tenue. Faut pas confondre ! L'argent c'était pour me remercier de ce que j'avais fait à Chaillot. Quant au reste... tiens, si vous voulez le savoir, les fleurs, le soir du théâtre Feydeau, c'était moi qui les avais achetées et déposées sur son ordre avec la carte !

Le bouquet de camélias ! C'était donc ainsi qu'il était venu dans sa loge ? Marianne se souvenait de l'émotion qui s'était emparée d'elle en le découvrant sur sa table de toilette, de sa joie aussi, puis de sa déception en s'apercevant que Jason n'était pas dans la salle. Au lieu de l'ami qu'elle cherchait, elle avait aperçu Francis...

En retrouvant l'émotion violente qu'elle avait éprouvée à cette minute, Marianne oublia son indignation passagère. Après tout, c'était plutôt touchant ce complot des deux hommes, cette sollicitude de Jason, cette fidélité de Gracchus à son compagnon de combat d'une nuit... Et puis c'était du meilleur augure pour ce qu'elle espérait de l'Américain !

— Ainsi, fit-elle avec un demi-sourire, tu avais de ses nouvelles. Mais où les recevais-tu ?

— Chez ma grand-mère, avoua Gracchus en rougissant plus fort encore que la première fois, la blanchisseuse de la route de la Révolte.

— Mais alors, reprit Marianne, si tu savais qu'il devait passer à Bayonne pourquoi n'y es-tu pas allé directement ? Tu n'avais pas deviné qu'il s'agissait de lui quand je t'ai envoyé chez M. Patterson ?

— Mademoiselle Marianne, répondit gravement le jeune homme, quand vous me donnez un ordre, je ne le discute jamais. C'est un principe. Je le pensais bien un peu, mais puisque vous n'aviez pas jugé bon de me le dire tout de suite, c'est que vous aviez vos raisons.

Il n'y avait rien à redire à cette preuve de discrétion et d'obéissance. Marianne s'inclina.

— Je te demande pardon, Gracchus, j'avais tort et toi tu avais raison. Tu es un fidèle ami. Maintenant, dis-moi vite ce qu'a dit M. Beaufort quand tu lui as remis ma lettre ?

Sans plus de façon, elle s'installa sur le pied du lit avec la joie impatiente d'une enfant. Mais Gracchus secoua la tête.

— Je ne l'ai pas trouvé, Mademoiselle Marianne. Quand je suis arrivé, la « Sorcière de la Mer » était partie depuis douze heures sans indiquer sa nouvelle destination. Tout ce que l'on a pu me dire, c'est qu'elle avait mis cap au nord.

Toute la joie de l'instant précédent s'évanouit en Marianne, pour laisser l'angoisse reprendre la place un court moment abandonnée.

— Qu'as-tu fait, alors ? demanda-t-elle la gorge sèche.

— Que pouvais-je faire ? Je suis revenu à Nantes à

toute vitesse, pensant que peut-être M. Jason y aborde-
rait. J'ai remis la lettre à M. Patterson et j'ai attendu.
Mais nous n'avons rien vu venir.

Marianne baissa la tête, envahie soudain d'une peine
amère qu'elle n'avait pas la force de dissimuler.

— Allons, murmura-t-elle, c'est fini. Il n'aura pas
ma lettre.

— Et pourquoi donc pas ? protesta Gracchus qui,
désolé de voir une larme glisser sur la joue de
Marianne, faillit bien en lâcher sa courtepointe. Il
l'aura toujours plus vite que s'il était en Amérique !
M'sieur Patterson a dit que c'était bien rare s'il dou-
blait les parages de Nantes sans s'y arrêter. Il dit aussi
que la « Sorcière de la mer » devait avoir à faire d'urgence ailleurs, mais qu'elle ne tarderait sans doute pas
à venir à Nantes. J'aurais bien attendu un peu plus,
mais j'avais peur à la fin que vous vous tourmentiez.
J'avais raison, ajouta-t-il logique, puisque vous m'avez
cru mort... Et, de toute façon, poursuivit-il avec une
force accrue pour tenter de faire passer en Marianne sa
confiance, le consul m'a promis qu'il donnerait consi-
gne à tous les capitaines de navires en partance d'avertir la « Sorcière » au cas où ils la rencontreraient,
qu'une lettre urgente l'attend à Nantes. Alors, vous
voyez !

— Tu es un brave garçon, Gracchus, soupira
Marianne un peu réconfortée en se levant, et je te
récompenserai comme tu le mérites.

— Pas la peine ! Vous êtes contente ? C'est bien
vrai ?

— Bien vrai. Tu as fait tout ce qu'il était possible
de faire. Le reste ne nous appartient plus... Repose-toi
maintenant, je n'aurai pas besoin de toi ce soir.

— Au fait, demanda Gracchus soupçonneux, comment est-ce que vous avez fait, sans moi, tous ces jours
passés ? Vous m'avez remplacé ?

Marianne haussa les épaules et sourit.

— C'est bien plus simple que ça, mon garçon. Je

ne suis pas sortie, voilà tout ! Tu sais bien que tu es irremplaçable...

Et, laissant le fidèle Gracchus tout rasséréné par cette assurance, Marianne rentra chez elle. Ce fut pour y trouver un Jérémie plus lugubre que jamais. La mine longue, il l'attendait au pied de l'escalier, dans une attitude si accablée que l'on pouvait supposer toutes les catastrophes. Marianne savait bien qu'il n'en était rien et, en général, elle s'amusait de cette étrange propension qu'avait son majordome à prendre une figure sinistre pour annoncer les choses les plus anodines : la visite de quelque ami ou le menu préparé par la cuisinière, mais ce soir elle avait les nerfs à fleur de peau et la figure de Jérémie l'exaspéra.

— Qu'y a-t-il encore ? s'écria-t-elle. L'un des chevaux a-t-il perdu un fer ou bien Victoire a-t-elle préparé une tarte aux pommes pour le souper ?

Du coup, l'air accablé du majordome tourna à la consternation offensée. D'un pas solennel, il se dirigea vers une console, y prit une lettre qui attendait sur un plateau d'argent et vint offrir le tout à sa maîtresse.

— Si Mademoiselle n'était pas partie aussi vite, soupira-t-il, j'aurais eu le loisir de remettre à Mademoiselle cette lettre urgente qu'un messager couvert de poussière m'a remise un peu avant le retour de notre cocher.

— Une lettre ?

C'était un pli étroit, cacheté de cire rouge et qui avait dû fournir une longue route car son papier épais était un peu froissé et sali, mais à son contact les doigts de Marianne se mirent à trembler. Le cachet n'avait d'autre signe distinctif qu'une croix, mais elle avait immédiatement reconnu l'écriture de son parrain. Cette lettre, c'était sa sentence à elle, une sentence de vie, plus cruelle peut-être qu'une sentence de mort.

Très lentement, Marianne monta l'escalier sans ouvrir la lettre. Elle avait toujours su qu'un jour elle arriverait, cette missive, mais elle avait tant espéré qu'elle pourrait lui donner sa propre réponse ! Et maintenant, elle retarderait autant qu'il était possible le moment de la décacheter, le moment où ses yeux prendraient possession du texte parce que, bien certainement, il aurait l'apparence implacable d'un arrêt du destin.

Parvenue dans sa chambre, elle y trouva Agathe, sa femme de chambre, qui rangeait du linge dans une commode et voulut la renvoyer.

— Mademoiselle est bien pâle ! remarqua la jeune fille en jetant un regard inquiet au visage décoloré de sa maîtresse. Il vaudrait mieux qu'elle me laisse d'abord la déshabiller, lui ôter ses chaussures. Elle se sentirait mieux. Ensuite, j'irai lui chercher quelque chose de chaud.

Marianne hésita puis, posant la lettre sur son secrétaire, poussa un soupir.

— Vous avez raison, Agathe. Merci. Je serai mieux, en effet.

C'étaient encore quelques secondes de gagnées, mais, tandis qu'Agathe lui ôtait ses vêtements de sortie et les remplaçait par une moelleuse robe d'intérieur en lainage vert amande garnie de rubans mordorés et par des pantoufles assorties, son regard demeura rivé à la lettre. Elle la reprit enfin, et, un peu honteuse de sa faiblesse puérile, alla s'étendre auprès du feu dans sa bergère préférée. Tandis qu'Agathe sortait sans bruit de sa chambre, emportant les vêtements qu'elle venait de quitter, Marianne d'un coup d'ongle décidé fit sauter le cachet rouge, déplia la lettre. Le texte était court et laconique. En quelques mots, le cardinal informait sa filleule qu'elle ait à se rendre, le 15 du mois suivant, à Lucques, en Toscane et de s'installer à l'auberge del Duomo. Il ajoutait :

« *Aucune difficulté ne sera faite par la police pour délivrer un passeport si tu déclares vouloir prendre les eaux de Lucques pour ta santé. Depuis que Napoléon a fait de sa sœur Élisa une grande-duchesse de Tos-*

cane, il voit d'un bon œil que l'on se rende à Lucques.
Sois exacte au rendez-vous. »

Rien de plus ! Marianne, incrédule, retourna le billet
dans tous les sens.

— Comment ? C'est tout ? murmura-t-elle abasourdie. Pas une parole d'affection ! Rien qu'un rendez-
vous sans explication, sans autre indication qu'un conseil pour l'obtention de son passeport. Pas un mot sur
l'homme qu'on lui destinait !

Car, enfin, pour être si péremptoire, il fallait que le
cardinal marchât à coup sûr. Ce rendez-vous, cela voulait dire que le mariage avec Francis Cranmere était
cassé, mais cela voulait dire aussi que, quelque part
sous le soleil, un inconnu était prêt à l'épouser. Comment le cardinal n'avait-il pas compris tout ce que cet
inconnu pouvait avoir d'effrayant pour Marianne ?
Était-il vraiment si difficile de dire quelques phrases le
concernant. Qui était-il ? Quel âge, quelle figure, quel
caractère ? C'était comme si Gauthier de Chazay avait
mené sa filleule par la main jusqu'à l'entrée d'un tunnel plein de ténèbres... Bien sûr, il l'aimait, bien sûr il
ne voulait que son bonheur, mais, tout à coup,
Marianne eut l'impression de n'être plus qu'un pion
sur l'échiquier d'un joueur habile, qu'un simple jouet
entre des mains puissantes qui, au nom de la famille
et de l'honneur, avaient sur elle tous les pouvoirs. Et
Marianne découvrait qu'elle avait lutté pour rien en
luttant pour une liberté illusoire, que tout avait été inutile. Elle se retrouvait fille de grande maison, attendant
passivement le mariage que d'autres avaient arrangé
pour elle. Les siècles d'impitoyable tradition se refer-
maient sur elle comme la pierre d'un tombeau.

Avec lassitude, Marianne alla jeter le billet dans la
cheminée, le regarda se consumer puis revint prendre
la tasse de lait qu'Agathe lui avait montée, serrant,
autour de la porcelaine chaude, ses doigts glacés. Une
esclave ! Rien de plus qu'une esclave ! Aux ordres de
Fouché, aux ordres de Talleyrand, aux ordres de Napo-

léon, de Francis Cranmere, du cardinal de San Lorenzo... aux ordres de la vie !... Quelle dérision !...

Une révolte la gonfla tout entière. Au diable ce secret ridicule qu'on avait exigé d'elle pour mieux la lier ! Elle avait besoin, désespérément, d'un conseil, d'un ami et, pour une fois, elle ferait ce qu'elle avait envie de faire ! Elle se sentait étouffer de colère, de chagrin, de déception. Parler la soulagerait... Avec décision, elle marcha vers le cordon de la sonnette, tira deux fois. L'appel fit accourir Agathe.

— M. de Jolival n'est pas encore là, n'est-ce pas ?

— Si, Mademoiselle, il vient de rentrer.

— Alors, priez-le de venir jusqu'ici. J'ai à lui parler.

— Je savais que quelque chose n'allait pas, se contenta de dire tranquillement Arcadius quand Marianne l'eut mis au courant de la situation. Je savais aussi que, si vous ne disiez rien, c'était parce que vous ne le pouviez certainement pas.

— Et cela ne vous a pas choqué ? Vous ne m'en voulez pas ?

Arcadius se mit à rire, mais, si ce rire était franc, il était sans gaieté et n'éclaira pas ses yeux.

— Je vous connais bien, Marianne. Quand vous êtes obligée de cacher quelque chose à un ami sincère, vous en souffrez tellement que vous en vouloir serait non seulement absurde mais cruel. Et, en l'occurrence, vous ne pouviez faire autrement. Les précautions de votre parrain étaient légitimes, sages mêmes. Qu'allez-vous faire maintenant ?

— Je vous l'ai dit : attendre jusqu'à la dernière minute l'arrivée de Jason. Sinon... me rendre au rendez-vous que me donne mon parrain. Voyez-vous une alternative ?

A la grande surprise de Marianne, Arcadius rougit violemment, se leva, fit un tour dans la chambre, les mains au dos, puis l'air gêné, revint vers son amie.

— Il y en aurait bien eu une autre et qui eut été la plus simple pour vous. Malgré ma vie agitée, je suis bon gentilhomme et vous auriez pu sans déchoir devenir Mme de Jolival, notre différence d'âge vous mettant à l'abri de toute... revendication de ma part. J'aurais pu être pour vous un mari aussi paternel que factice. Malheureusement ce n'est pas possible.

— Pourquoi donc ? demanda doucement Marianne qui s'était attendue un peu à cette réaction sans laquelle Arcadius n'eût pas été lui-même.

Arcadius devint ponceau et lui tourna carrément le dos pour répondre, dans un souffle :

— Je suis déjà marié. Oh ! c'est une vieille histoire, ajouta-t-il très vite en se retournant, et j'ai toujours fait tout ce que je pouvais pour l'oublier, mais il n'en demeure pas moins qu'il y a, quelque part au monde, une Mme de Jolival qui a sur moi, sinon tous les droits, du moins celui de m'empêcher de reconvoler.

— Mais enfin, Arcadius, pourquoi ne le disiez-vous pas ? Quand je vous ai connu, dans les carrières de Chaillot, vous étiez même en litige contre Fanchon-Fleur-de-Lys parce que, si ma mémoire est fidèle, cette créature voulait vous marier de force à sa nièce Philomène et vous tenait en prison pour cela. Pourquoi ne lui aviez-vous pas dit que vous étiez marié ?

— Elle ne m'a pas cru, avoua Jolival piteusement. De plus, elle m'a dit que, même dans ce cas-là, cela ne constituerait pas un obstacle. Il suffirait de s'arranger pour supprimer ma femme. Or, je déteste Marie-Simplicie... mais pas à ce point-là tout de même ! Quant à vous, si je ne vous ai pas dit la vérité, tout d'abord c'est parce que, ne vous connaissant pas encore, je craignais que vous ne fussiez encombrée de principes qui vous empêcheraient de me conserver auprès de vous... et vous êtes exactement la fille que j'aurais voulu avoir.

Émue, Marianne se leva à son tour et, allant jusqu'à

son vieil ami, passa affectueusement son bras sous le sien.

— Nous sommes à égalité en fait de dissimulation, mon ami ! Mais vous n'aviez rien à craindre. Moi aussi je tenais à vous garder, car, depuis la mort de ma tante, personne n'a veillé sur moi comme vous l'avez fait. Permettez-moi seulement une question. Où est votre femme ?

— En Angleterre, grogna Jolival. Avant, elle était à Mittau et avant encore à Vienne. Elle a émigré dès le premier coup de feu tiré contre la Bastille. Elle était au mieux avec Mme de Polignac, tandis que moi... enfin nous avions des idées politiques diamétralement opposées !

— Et... pas d'enfant ? demanda presque timidement Marianne.

Mais, contrairement à son attente, Jolival se mit à rire.

— On voit bien que vous n'avez jamais vu Marie-Simplicie la mal nommée. Je l'ai épousée pour faire plaisir à ma pauvre mère et régler une interminable histoire de famille... mais je me suis bien gardé d'y toucher ! D'ailleurs sa religion et sa hauteur de vues lui auraient sans doute rendu insupportables, laideur mise à part, ce grossier contact humain que l'on appelle l'amour. Actuellement, elle est des dames de la duchesse d'Angoulême et, très certainement, parfaitement heureuse, si j'en crois ce qu'on murmure du caractère de cette princesse. Ensemble, elles doivent prier éperdument un dieu de colère et de vengeance de pourfendre l'Usurpateur et de rendre la France aux joies de la monarchie absolue, ce qui leur permettrait de rentrer à Paris au crépitement des pelotons d'exécution et au tintement joyeux des chaînes conduisant aux galères des dignitaires de l'Empire et les ex-révolutionnaires pêle-mêle. C'est une femme d'une grande douceur que Marie-Simplicie !...

— Pauvre Arcadius, fit Marianne en posant un baiser rapide sur la joue de son ami. Vous n'aviez pas mérité cela ! N'en parlons plus désormais. Je suis désolée de vous avoir obligé à remuer tous ces souvenirs que vous vous donniez tant de peine pour oublier. Vous y parviendrez très vite. Quant à moi, c'est déjà fait. Dites-moi seulement combien de temps il me faut pour gagner Lucques.

— Il y a environ trois cents lieues, s'empressa de répondre Arcadius avec une hâte qui prouvait combien il était heureux de changer de conversation, en passant par le Mont-Cenis et Turin. Grâce au ciel, la saison doit nous permettre de franchir le col et, avec une bonne chaise de poste, on fait aisément vingt-cinq à trente lieues par jour.

— A condition de s'arrêter, coupa Marianne. Mais en dormant dans la voiture et en relayant sans arrêter ?

— Cela me paraît difficile, surtout pour une femme. Et il faudrait au moins deux cochers. Gracchus ne tiendrait pas si longtemps. Les postillons, c'est différent, on les change aux relais. Au mieux, Marianne, il vous faut compter quinze jours car, outre les montagnes qui ralentissent sérieusement l'allure, vous devez compter avec les accidents de parcours...

— Quinze jours ! Il faut donc partir le 1er mai ! Cela ne laisse pas beaucoup de temps à Jason pour arriver. Et... à cheval, irait-on plus vite ?

Cette fois Jolival se mit à rire.

— Certainement moins. Vous ne résisteriez pas longtemps au même train de vingt lieues par jour. Il faut être entraîné, avec un cuir tanné de grenadier à cheval, pour couvrir un long parcours. Connaissez-vous l'histoire du courrier de Friedland ?

Marianne fit signe que non. Elle adorait les histoires d'Arcadius qui en avait toujours plein ses poches.

— Parmi les courriers de l'Empereur, commença Jolival, il en est un particulièrement rapide, c'est le cavalier Esprit Chazal, surnommé Moustache. Au lendemain de la bataille de Friedland, Napoléon a voulu que la nouvelle parvint à Paris le plus vite possible. Cette nouvelle, il décida d'abord de la confier à son beau-frère, le prince Borghèse, l'un des meilleurs cavaliers de l'Empire. Mais, vingt-quatre heures plus tard, il faisait partir, porteur de la même nouvelle son fameux Moustache. Au bout de cinquante lieues, Borghèse a troqué son cheval contre sa berline et a roulé jours et nuits. Moustache, lui, s'est contenté de ce qu'il avait : les chevaux des relais et son endurance. Il a couru jours et nuits et, en neuf jours, vous m'entendez ? il a couvert les quatre cent cinquante lieues séparant Friedland de Paris... et il est arrivé avant Borghèse. Un extraordinaire exploit ! Mais il a failli en mourir et Moustache est un géant taillé dans le granit le plus dur. Vous n'êtes pas Moustache, chère Marianne, même si vous avez plus de courage et plus d'endurance que la majorité des femmes. Je vais vous procurer une berline aussi solide que possible et nous ferons le chemin...

— Non, coupa Marianne, je préfère que vous demeuriez ici.

Arcadius eut un haut-le-corps et fronça les sourcils.

— Ici ? Pourquoi ? A cause de cette promesse faite à votre parrain ?... Vous craignez...

— Pas du tout. Mais je voudrais que vous restiez pour attendre Jason autant que faire se pourra. Il peut arriver après mon départ, puisqu'il ignore ce que j'attends de lui... et, s'il n'y a personne pour le recevoir, il ne pourra pas tenter de me rejoindre. Il est, lui, un homme vigoureux, un marin et j'en jurerais un excellent cavalier. Peut-être..., ajouta-t-elle en rougissant à son tour..., qu'en ma faveur il pourrait essayer de renouveler l'exploit de Moustache... ou quelque chose d'approchant...

— ... et relier Paris à Lucques en une semaine ? Je crois qu'en effet, pour vous, il en serait capable. Je resterai donc... vous ne pouvez cependant partir seule. Cette longue route...

— J'ai déjà fait de longues routes seule, Arcadius !

J'emmènerai Agathe, ma femme de chambre et, avec Gracchus-Hannibal sur le siège, je n'aurai pas grand-chose à craindre.

— Voulez-vous que j'aille chercher Adélaïde ?

Marianne hésita.

— Je n'en ai pas de nouvelles, commença-t-elle.

— Moi, j'en ai. Je suis allé la voir plusieurs fois. Bien sûr, elle ne manifeste aucune envie de rentrer. Sans vouloir vous affliger, je crois bien qu'elle est folle. Ma parole, elle est amoureuse de ce Bobèche !

— Alors, laissez-la. Je peux très bien me passer d'elle. J'avais pensé un instant emmener Fortunée, mais elle aime trop les romans. Cette aventure la séduirait trop pour qu'elle résiste au désir d'en parler. Pour tout le monde, je vais aux eaux de Lucques... et vous voudrez bien, mon cher ami, vous charger de mes passeports.

Arcadius fit signe que oui, mais ne répondit pas. Lentement il alla jusqu'à la fenêtre, souleva le rideau et regarda au-dehors. La nuit enveloppait doucement le petit jardin. Le sourire de l'Amour, dans le bassin de pierre, s'effaçait un peu et, devenant vague, se chargeait de mystère. Jolival poussa un soupir.

— Si votre parrain n'était pas au bout de ce chemin, je ne vous laisserais pas le prendre, Marianne. Avez-vous pensé à ce que dira l'Empereur ? N'eut-il pas été plus naturel d'aller d'abord vers lui, puisqu'il est le premier intéressé ?

— Que ferait-il d'autre ? fit la jeune femme un peu sèchement. Il m'offrirait un époux de son choix... et j'en souffrirais affreusement. Je ne veux pas être donnée par lui à un autre. Je préfère de beaucoup affronter sa colère. Elle me fera moins de mal.

Arcadius de Jolival n'insista pas. Il laissa retomber le rideau, revint vers Marianne. Un instant, ils demeurèrent face à face, se regardant sans rien dire, mais un monde d'affection et de compréhension s'exprimait dans leurs yeux. Marianne comprit que l'appréhension qui s'était levée en elle devant l'étrange perspective ouverte par le cardinal de Chazay passait maintenant dans l'esprit d'Arcadius et que le temps de son absence serait pour lui une longue pénitence. Il l'exprima, d'ailleurs, d'une voix qui s'étouffait

— J'espère de tout mon cœur... oui, j'espère que Jason Beaufort arrivera à temps ! A peine sera-t-il ici qu'il devra repartir et, cette fois, je l'accompagnerai. Mais, en attendant, moi, qui ne crois pas en grand-chose, je prierai, Marianne, je prierai de tout mon cœur pour qu'il vienne... pour que...

Incapable de maîtriser plus longtemps son émotion, Arcadius de Jolival éclata en sanglots et sortit en courant...

DEUXIÈME PARTIE

LE CAVALIER MASQUÉ

CHAPITRE IX

LE TOMBEAU D'ILARIA

La pluie, qui avait duré toute la nuit et une partie de la matinée, cessa brusquement comme la voiture quittait Carrare où l'on avait relayé. Le soleil creva d'un seul coup les nuages, les repoussa vers la montagne, étendant à la place la grande toile azurée du ciel. Les blanches montagnes de marbre, si ternes l'instant précédent, se mirent à briller, éclatantes, semblables à des glaciers taillés par la hache d'un géant, chacune de leurs arêtes renvoyant la lumière en flèches aveuglantes. Mais Marianne, exténuée, ne leur accorda même pas un regard. Du marbre, il y en avait partout à Carrare, en blocs bruts, en cubes taillés, en stèles, en poussière blanche sur toutes choses, jusque sur les nappes de l'auberge où l'on avait pris un rapide repas.

— Nous fournissons toutes les cours d'Europe et même le monde entier. Notre grande-duchesse en envoie vers la France de pleines cargaisons. Pas une statue de l'Empereur Napoléon qui ne vienne d'ici ! avait affirmé l'aubergiste avec un naïf orgueil mais sans arracher à la jeune femme autre chose qu'un sourire figé.

Outre qu'elle faisait pleine confiance à Élisa Bonaparte pour étouffer sa remuante famille sous les tonnes de marbre dont elle tirerait ses bustes, ses stèles, ses bas-reliefs et ses statues, Marianne n'avait aucune envie, aujourd'hui d'entendre parler du plus petit Bonaparte... et de Napoléon encore moins !

Partout, sur la longue route qu'elle avait parcourue, elle avait rencontré des villages en fête, des villes pavoisées depuis un bon mois en l'honneur du mariage impérial. C'était une suite ininterrompue de bals, de concerts, de réjouissances de toute sorte qui laissaient supposer que les fidèles sujets de Sa Majesté l'Empereur et Roi n'en finiraient jamais de célébrer une union que Marianne, pour sa part, en était arrivée à considérer comme une injure personnelle. On avait roulé pratiquement entre une double haie de drapeaux plus ou moins frais, de fleurs fanées, de bouteilles vides et d'arcs de triomphe fléchissants qui lui avaient laissé une impression déprimante. Cet envers du décor, cette dérision convenaient trop bien à ce voyage étrange au bout duquel attendaient un inconnu et un mariage qui ne pouvait lui inspirer que répugnance.

Le trajet avait été terrible. Espérant toujours voir arriver Jason, Marianne, au départ, avait réduit autant qu'il avait été possible le temps nécessaire au parcours, malgré les remontrances d'Arcadius inquiet. Elle ne pouvait se résigner à quitter Paris et c'est seulement le 3 mai à l'aube qu'elle avait enfin consenti à monter en voiture. Encore avait-elle eu la sensation pénible, quand les quatre vigoureux chevaux de poste avaient arraché la berline au pavé de la rue de Lille, quand avaient disparu le visage soucieux d'Arcadius et la main qu'il agitait machinalement, de laisser chez elle une partie d'elle-même. C'était un peu la même chose que lorsqu'elle avait quitté Selton et le tombeau palladien d'Ellis. Cette fois encore elle s'en allait vers une aventure qu'elle ne pouvait s'empêcher de trouver menaçante.

Pour ne pas risquer d'être en retard au rendez-vous du destin et pour rattraper le temps perdu, elle avait exigé des marches forcées. Durant trois jours, jusqu'à ce que l'on eut atteint Lyon, elle avait refusé de s'arrêter pour autre chose que les relais de chevaux et de hâtifs repas dans les auberges, payant les postillons double et triple les guides pour les inciter à gagner du temps. Malgré les mauvaises routes, défoncées ou détrempées, on allait à un train d'enfer, ce qui n'empêchait cependant pas Marianne de se pencher fréquemment à la portière pour regarder derrière elle. Mais, si parfois un cavalier apparaissait à l'horizon, ce n'était jamais celui qu'elle espérait.

Après quelques heures de repos à Lyon, la voiture s'était dirigée vers la montagne et l'allure avait dû se ralentir. La nouvelle route du Mont-Cenis, que Napoléon avait fait tracer depuis sept ans et qu'Arcadius lui avait conseillé d'emprunter, bien qu'elle fût tout juste terminée, raccourcissait beaucoup le trajet mais n'en avait pas moins été plutôt rude pour Marianne, Agathe et Gracchus qui avaient dû gravir à pied une bonne partie du col, tandis que des mulets hissaient la voiture. Pourtant, grâce peut-être à l'accueil réconfortant des moines de l'hospice, grâce surtout à la splendeur du grandiose paysage de montagnes, le premier qu'elle eut jamais contemplé de sa vie, Marianne connut là un instant de rémission. Griserie peut-être aussi de savoir que sa voiture était sans doute la deuxième ou la troisième à emprunter cette route, sinon la première, mais elle n'avait pas senti la fatigue et, oubliant que le temps la pressait, elle était demeurée un long moment assise au bord du lac bleu du sommet, avec l'envie étrange de rester là pour toujours, à respirer cet air si pur, à regarder passer, sur la neigeuse majesté des sommets, le vol noir et lent des choucas. Le temps, ici, s'arrêtait. Il devait y être facile d'oublier le monde, ses replis tortueux, ses roueries, son vacarme, ses fureurs et ses amours impossibles. Ici, pas de banderoles fanées, pas de vers de mirliton, pas de fleurs piétinées détruisant l'harmonie d'une campagne, mais seulement, au creux d'un rocher, l'étoile bleue d'une gentiane, la dentelle argentée d'un lichen. Il n'était jusqu'à la silhouette presque militaire de l'hospice, agrandi lui aussi par l'Empereur – tout dans ce pays de France ne portait-il pas sa marque ? –, qui n'en prît une noblesse et une étrange spiritualité, comme si les murs austères de cette étape du ciel irradiaient la prière et la charité qui les habitaient. Dieu, qu'en bas chacun tentait d'accommoder selon ses convenances, reprenait ici sa redoutable grandeur... Et il avait fallu qu'un moine vînt, doucement, frapper sur l'épaule de Marianne pour lui rappeler qu'un peu plus loin l'attendaient une femme de chambre, recrue de fatigue, un cocher à moitié gelé et une berline prête à redescendre, pour qu'elle consentît à reprendre la route vers Suse.

Et le rythme infernal avait recommencé. On avait traversé Turin sans un regard, Gênes sans rien en voir. Ni le soleil, ni les fleurs débordant de tous les jardins, ni la mer indigo n'avaient réussi à tirer Marianne de l'humeur noire où elle s'enfonçait à chaque tour de roue de sa voiture. Une rage la possédait qui la forçait d'aller plus vite, toujours plus vite, et qui arrachait parfois à Gracchus un regard inquiet. Jamais il n'avait vu sa maîtresse à la fois si nerveuse et si froide, si tendue et si facilement irritable. Le pauvre garçon ne pouvait deviner que peu à peu, à mesure que se rapprochait le but final, la déception et le dégoût d'elle-même se glissaient dans l'âme malade de sa maîtresse. Jusqu'à ce moment, contre vents et marées, elle avait espéré voir arriver Jason qu'elle s'était habituée à considérer comme son obligatoire sauveur. Désormais, elle n'espérait plus.

La dernière nuit, on avait dormi tout juste quatre heures dans une mauvaise auberge cachée dans un repli de l'Apennin et, pour Marianne, ce sommeil n'avait été qu'une suite rapide de cauchemars et de réveils fiévreux qui l'avaient laissée si lasse que, avant même le chant du coq, elle s'était jetée à bas de la mauvaise paillasse qu'on lui avait allouée et avait crié d'atteler. Et l'aube de ce jour qui devait être le dernier du voyage avait trouvé la berline et son contenu dévalant vers la mer à folle allure. On était le 15 mai, le dernier jour, mais Lucques n'était plus loin.

— Treize lieues à peu près, avait dit l'aubergiste de Carrare.

Maintenant, la voiture roulait sur une route plate et sablonneuse, presque aussi douce qu'une allée de parc et qui longeait la mer. Seules quelques vieilles dalles affleurant ici et là rappelaient qu'il s'agissait de l'ancienne voie Aurelia, construite par les Romains. Marianne ferma les yeux et laissa aller sa joue contre le drap des coussins. Auprès d'elle, Agathe dormait comme une bête harassée, repliée sur elle-même, son bonnet retombant sur son nez. Marianne aurait bien voulu en faire autant mais, malgré la fatigue qui l'accablait, ses nerfs tendus lui refusaient le repos. En dépit du soleil revenu, le paysage de dunes et de roseaux, piqué de loin en loin d'un large pin maritime noir sur le ciel de nouveau floconneux, ajoutait à sa tristesse. Incapable de garder les yeux clos, elle suivit sur la mer le bondissement d'une tartane qui, sous sa voile triangulaire, fuyait vers le large. Le petit bateau semblait si léger, si heureux d'être libre ! « S'en aller avec lui », songea Marianne avec une douloureuse envie, « fuir dans le vent, droit devant soi en oubliant tout le reste, ce serait si bon !... »

Elle comprenait d'un seul coup ce que pouvait représenter la mer pour un homme comme Jason Beaufort et pourquoi il lui demeurait si passionnément fidèle. C'était elle, sans doute, qui s'était mise entre eux, qui l'avait empêché de venir vers Marianne quand elle avait tellement besoin de lui... Car, maintenant, elle en était sûre : Jason ne viendrait pas... Il était peut-être à l'autre bout du monde... il avait peut-être rejoint son lointain pays, mais, quoi qu'il en soit, le cri d'appel de Marianne s'était perdu dans le vent et, s'il parvenait jamais jusqu'à lui, ce serait trop tard, beaucoup trop tard.

Une idée folle lui vint alors, née d'une subite panique et parce que, sur une mauvaise planche de bois plantée sur un poteau, elle avait lu qu'il n'y avait plus que huit lieues avant Lucques. Pourquoi ne pas fuir, elle aussi, sur la mer ? Il devait y avoir, non loin de là, des bateaux, un port ? Elle pourrait s'embarquer, chercher elle-même cet homme qui, peut-être parce qu'elle n'avait pu l'atteindre, lui était tout à coup devenu étrangement cher, presque indispensable comme le symbole même de sa liberté menacée. Par trois fois, il lui avait proposé de l'emmener, par trois fois elle avait refusé dans sa poursuite aveugle d'un amour chimérique... Avait-elle été assez sotte !...

Mue par cette impulsion, elle appela Gracchus qui, infatigable et sans problèmes, sifflait tranquillement le dernier succès de Désaugiers,

« Bon voyage, Monsieur Dumollet,
A Saint-Malo débarquez sans naufrage... »

avec un à-propos dont il n'avait aucunement conscience.

— Sais-tu s'il y a un port dans cette direction ? demanda-t-elle, un port de quelque importance ?

Sous son chapeau poussiéreux, Gracchus ouvrit de grands yeux.

— Oui. La fille de l'auberge m'en a parlé. C'est Livourne mais, à ce qu'elle m'a dit, il ne fait guère bon y aller en ce moment. Il paraît que depuis un mois les douaniers mettent sous séquestre tous les bâtiments à pavillon ottoman et leurs cargaisons et, comme presque tout le commerce de ce port se fait sous ce pavillon, vous imaginez ce que cela peut donner. On fouille tous les bateaux et paraît que ça va plutôt mal... Mais est-ce que nous n'allons plus à Lucques ?

Marianne ne répondit pas. Son regard avait rejoint la petite tartane qui semblait maintenant voguer dans une coulée d'or vers le soleil couchant. Gracchus retint ses chevaux.

— Oh ! Oh !... cria-t-il et la voiture s'arrêta.

Agathe ouvrit des yeux gros de sommeil. Marianne tressaillit.

— Pourquoi t'arrêtes-tu ?

— C'est que... si nous n'allons plus à Lucques, faudrait le dire tout de suite parce que voilà la route qui y mène, là sur notre gauche. Pour Livourne, c'est tout droit.

C'était vrai. Sur la gauche, un chemin s'en allait vers des collines piquées de cyprès où fleurissaient, çà et là, les murs roux d'une petite ferme ou le campanile rose d'une église. Là-bas, la tartane avait disparu, absorbée par le soleil rouge. Marianne ferma les yeux et contracta sa gorge pour retenir un sanglot nerveux. Ce n'était pas possible. Elle ne pouvait pas renier la parole qu'elle avait donnée. Et puis, il y avait l'enfant... A cause de lui toute aventure était impossible. Sa mère n'avait pas le droit de mettre en danger, sur les flots, cette vie fragile à laquelle désormais il lui fallait tout sacrifier, même ses répugnances, même ses plus légitimes aspirations.

— Vous êtes souffrante ? demanda Agathe inquiète de la voir pâlir. C'est ce terrible voyage.

— Non... ce n'est rien ! Continue, Gracchus ! Nous allons bien à Lucques.

Le fouet claqua, les chevaux s'élancèrent. Résolument la berline tourna le dos à la mer et prit la direction des collines.

Quand on arriva en vue de Lucques, le crépuscule était tombé, mauve et transparent, et le cœur de Marianne s'était apaisé. Depuis que l'on avait quitté la via Aurélia, on avait franchi une belle rivière, le Serchio, sur un noble pont romain, et l'on avait roulé, à travers une plaine calme et fertile vers un cercle de montagnes au creux duquel, comme au fond d'un tonneau, la ville, soudain, avait surgi rose et attirante, serrée dans ses murailles dont les rudes bastions s'adoucissaient d'arbres et de verdure. Lucques paraissait s'envoler dans le jaillissement aérien de ses campaniles romans et de ses tours, chevelues de végétation, vers de douces montagnes au sommet desquelles s'attardait un dernier reflet lumineux.

— Nous sommes arrivés, soupira Marianne. Tu n'auras qu'à demander le Duomo, Gracchus. C'est la cathédrale. L'auberge où nous allons doit être sur la place.

Les formalités auprès d'un corps de garde bon enfant et lymphatique furent rapides. Les papiers des voyageurs étaient d'ailleurs parfaitement en règle.

Avec un grondement de tonnerre, la berline s'engouffra sous la voûte du rempart tandis que, de tous les clochers, les notes frêles de l'Angélus s'envolaient vers la campagne. Des bandes d'enfants s'élancèrent en criant sur la trace de la voiture, cherchant à s'accrocher aux ressorts.

Le soir tombant allumait des lanternes ici et là au long de l'étroite rue bordée de hautes maisons médiévales dans laquelle s'engagea la voiture. Comme à la fin de chaque journée, quand il ne pleut pas, en Italie, toute la ville ou presque était dehors et la voiture dut aller au pas. Des hommes, surtout, passaient par groupes, se tenant par le bras et allant en direction des places. Quelques femmes aussi, vêtues de sombre pour la plupart mais enveloppées, de la tête aux genoux, dans de grands châles de dentelle blanche. On parlait haut, on s'interpellait, parfois fusait l'écho d'une chanson, mais Marianne remarqua de nombreux soldats et en conclut, avec ennui, que peut-être la grande-duchesse Élisa avait gagné sa résidence d'été lucquoise, cette fastueuse villa de Marlia dont lui avait parlé Arcadius. Si la nouvelle de la pseudo-cure entreprise par la cantatrice Maria-Stella venait jusqu'à elle, Marianne pouvait se trouver en butte à une gênante invitation, contraire non seulement aux recommandations de son parrain, mais encore à son propre désir. C'était à Lucques, en effet, que devait s'achever la carrière de l'éphémère

298

Maria-Stella. Il ne pouvait plus être question, pour elle, de remonter sur une scène, l'identité nouvelle qui allait lui être imposée s'y opposant certainement. D'ailleurs, Marianne s'avouait que ce serait sans regret qu'elle abandonnerait le théâtre pour lequel, décidément, elle ne se sentait pas faite. Sa dernière expérience publique, aux Tuileries, lui avait été trop cruelle. Donc, il valait mieux éviter autant que faire se pourrait la sœur de Napoléon...

Toujours entourée de gosses braillards, la voiture poursuivit sa route, prit le trot en traversant une grande et belle place plantée d'arbres où se dressait une statue de l'Empereur, en coupa une autre plus petite qui faisait suite et déboucha finalement en face d'une admirable église romane dont la façade, aérienne avec sa triple rangée de légères colonettes, tempérait l'arrogance d'un puissant campanile crênelé.

— Voilà votre cathédrale, commenta Gracchus. Et je voudrais bien savoir pourquoi ils appellent ça le dôme ? Il n'y a pas de dôme là-dessus.

— Je t'expliquerai plus tard. Cherche l'auberge.

— Pas difficile à trouver. La voilà, pardi ! On ne voit qu'elle !

Tourné l'angle d'un charmant palais de la Renaissance, dont les portes à bossages encadraient un jardin luxuriant, l'auberge del Duomo étalait ses fenêtres sévèrement grillées mais bien éclairées de l'intérieur et son large porche cintré au-dessus duquel s'étalait son enseigne et s'accrochait un chèvrefeuille.

— On dirait qu'il y a du monde ! murmura Marianne.

En effet, des chevaux de selle attendaient à la porte aux mains de quelques soldats.

— Doit y avoir un régiment de passage, grogna Gracchus. Qu'est-ce qu'on fait ?

— Que veux-tu que nous fassions ? fit Marianne impatientée. Entre ! Nous n'allons pas passer la nuit dans la voiture sous prétexte qu'il y a du monde à l'auberge. On doit avoir retenu pour nous.

En serviteur obéissant, Gracchus, sans se risquer à demander qui était ce « on » mystérieux, franchit le porche de l'auberge et vint arrêter majestueusement son attelage fumant dans la cour intérieure. Comme par enchantement, palefreniers et valets surgirent de tous les coins d'ombre et, par la porte de derrière, armé d'une grosse lanterne, apparut l'aubergiste qui se précipita vers cet élégant attelage aussi vite que le permettait son ventre et se répandit en courbettes multiples.

— Je suis Orlandi, Madame, au service de votre Excellence ! C'est un honneur pour l'auberge del Duomo qu'une visite comme celle de Madame, mais j'ose dire que nulle part ailleurs elle ne trouvera meilleur gîte et meilleure table.

— A-t-on retenu des chambres pour moi et mes gens ? demanda Marianne en excellent toscan. Je suis la signorina Maria-Stella et...

— Si, si... molto bene ! Si la signorina veut se donner la peine de me suivre. Le signor Zecchini attend depuis ce matin.

Marianne ne sourcilla même pas à l'énoncé de ce nom inconnu. Un envoyé du cardinal peut-être ? Ce ne pouvait tout de même pas être l'homme qu'elle devait épouser.

— Mais, tous ces gens dans votre auberge ? fit-elle en désignant les nombreux uniformes qui apparaissaient par les vitres noircies de la cuisine.

Le signor Orlandi haussa ses grasses épaules et, pour bien montrer en quelle estime il tenait les militaires, cracha par terre sans cérémonie.

— Peuh ! des gendarmes de Son Altesse la grande-duchesse. Ils sont seulement de passage... du moins j'espère !

— Des manœuvres peut-être ?

La ronde figure d'Orlandi sur laquelle une longue moustache de bandit calabrais s'efforçait sans succès de donner un air redoutable parut s'allonger curieusement.

— L'Empereur a donné ordre de fermer les couvents dans toute la Toscane. Certains évêques du Trasimène se sont élevés contre le pouvoir établi. Quatre d'entre eux ont été arrêtés, mais on craint que d'autres ne se soient réfugiés chez nous. D'où ces mesures exceptionnelles.

Toujours cet antagonisme incessant entre Napoléon et le Pape !

Marianne fronça les sourcils. Quelle idée avait donc eue son parrain de la faire venir justement dans cette région où les choses semblaient aller si mal entre l'Empereur et l'Église ? Les difficultés qu'elle entrevoyait pour son retour à Paris n'en seraient pas diminuées, bien au contraire. Déjà, elle n'évoquait pas sans frissonner la réaction de l'Empereur quand il saurait que, sans même le consulter, elle avait épousé un inconnu. Le cardinal, bien sûr, avait promis que ce ne serait pas un ennemi, mais pouvait-on jamais préjuger des réflexes d'un homme à ce point jaloux de son pouvoir ?

Le brouhaha qui régnait dans la grande salle de l'auberge sauta au visage des arrivants. Un groupe d'officiers en entourait un autre qui venait visiblement d'arriver. Couvert de poussière et rouge de fureur, le nouveau venu vociférait, le shako en bataille, la moustache menaçante et l'œil flambant.

— ... un valet glacial est venu jusqu'à la grille et m'a expliqué, en hurlant pour couvrir les aboiements des dogues, que son maître ne recevant jamais personne, il était inutile de perquisitionner chez lui pour voir si l'un de ces sacrés évêques s'y cachait ! Là-dessus, sans rien vouloir écouter de plus, il m'a tourné le dos et il est reparti aussi tranquillement que si nous n'existions pas. Je n'avais pas assez d'hommes pour investir sa sacrée villa mais, sacrebleu, ça ne se passera pas comme ça ! Allez, vous autres, en selle. On va montrer à ce Sant'Anna ce qu'il en coûte de se moquer des ordres de Sa Majesté l'Empereur et de Son Altesse Impériale la grande-duchesse !

Un concert d'approbation salua cette belliqueuse déclaration.

— Si la signorina veut m'attendre un instant, chuchota précipitamment Orlandi qui était devenu tout pâle, il faut que je m'en mêle. Holà ! Monsieur l'officier !

— Qu'est-ce que tu veux ! grogna l'homme en colère. Donne-moi un pichet de chianti et vite ! J'ai soif et je suis pressé.

Mais au lieu d'optempérer, Orlandi secoua la tête.

— Excusez l'audace mais... si j'étais vous, monsieur l'officier, je n'essaierais pas de voir le prince Sant'Anna... d'abord parce que vous n'y arriverez pas, ensuite parce que très certainement Son Altesse Impériale vous le reprochera.

Le vacarme cessa d'un seul coup. L'officier, écartant ses camarades, vint vers Orlandi. Marianne recula jusqu'à l'ombre de l'escalier pour éviter d'être remarquée.

— Qu'est-ce que tu veux dire par là ? Pourquoi est-ce que je n'y arriverai pas ?

— Parce que personne n'y est jamais arrivé. N'importe qui, à Lucques, vous en dira tout autant. Le prince Sant'Anna on sait qu'il existe... mais on ne l'a jamais vu !... personne que les deux ou trois serviteurs attachés à son service particulier. Tous les autres... et il y en a beaucoup, ici et dans les autres demeures du prince, n'ont jamais aperçu qu'une silhouette. Mais jamais un visage, jamais un regard. Tout ce qu'ils connaissent de lui, c'est le son de sa voix.

— Il se cache ! clama le capitaine. Et pourquoi se cache-t-il, hein, aubergiste ? Est-ce que tu sais pourquoi il se cache ? Si tu ne le sais pas, je te le dirai parce que je le saurai bientôt.

— Non, monsieur l'officier, vous ne le saurez pas... ou craignez la colère de la grande-duchesse Élisa qui, comme les grands-ducs, ses prédécesseurs, a toujours respecté la claustration du prince.

Le soldat se mit à rire, mais son rire sonna un peu faux aux oreilles de Marianne qui, intéressée malgré elle par cette étrange histoire, écoutait de toute son attention.

— Pas possible ? Mais c'est le Diable, alors, ton prince.

Avec un frisson superstitieux, Orlandi se signa précipitamment trois ou quatre fois et dans son dos, pour que l'officier ne le vit pas, pointa deux doigts en cornes afin de conjurer le mauvais sort.

— Ne dites pas des choses comme ça ! monsieur l'officier. Non, le prince n'est pas... enfin qui vous venez de nommer. On dit que, depuis sa petite enfance, il traîne une maladie terrible et que c'est pour cela qu'on ne l'a jamais vu. Jamais ses parents ne l'ont montré. Peu après sa naissance, ils sont partis au loin et ils y sont morts. Il est revenu, seul... ou tout au moins avec les serviteurs dont j'ai parlé, qui l'ont vu naître et qui mènent tout.

Plus impressionné qu'il ne voulait l'admettre, l'officier hocha la tête.

— Et il vit toujours dans ce domaine fermé de murs, de grilles et de serviteurs ?

— Parfois, il s'en va... sans doute pour une autre de ses propriétés, toujours avec son majordome et son chapelain, mais on ne le voit jamais ni partir ni arriver.

Le silence tomba, si pesant, tout à coup, que l'officier pour le secouer essaya de rire. Tourné vers ses camarades qui écoutaient, figés, il s'écria :

— C'est un farceur, votre prince ! Ou alors c'est un fou ! Et nous, les fous, on n'aime pas ça ! Si tu dis que la grande-duchesse n'aimerait pas qu'on l'attaque, on n'attaquera pas. On a d'ailleurs suffisamment à faire pour le moment. Mais on va envoyer un messager à Florence et...

Brusquement, il changea de ton, redevint menaçant et vint agiter son poing sous le nez du pauvre Orlandi.

— ... et si tu nous a menti, non seulement on ira le dénicher dans son trou ton oiseau de nuit, mais encore tu apprendras ce que pèse le fourreau de mon sabre ! Allez, vous autres, on s'en va ! Direction le couvent de Monte Oliveto... Sergent Bernardi, tu resteras ici avec une escouade ! Sont un peu trop confits en dévotion, dans cette sacrée ville. Autant les surveiller. On ne sait jamais !

Dans un grand bruit de bottes et de sabres traînés, les gendarmes quittèrent la salle. Orlandi se tourna vers Marianne qui, sans bouger, Gracchus et Agathe tendant le cou derrière elle, avait attendu la fin de ce bizarre dialogue.

— Pardonnez, signorina... mais je ne pouvais pas laisser ces hommes se lancer à l'assaut de la villa Sant'Anna. Cela n'aurait porté bonheur à personne... ni à eux, ni à nous.

Intriguée, Marianne ne résista pas au désir de poser quelques questions sur le curieux personnage que son aubergiste venait d'évoquer.

— Vous en avez vraiment si peur de ce prince ? Pourtant, vous non plus ne l'avez jamais vu ?

Orlandi haussa les épaules et prit un chandelier allumé sur une table pour guider les voyageurs à l'étage.

— Non, je ne l'ai jamais vu. Mais je vois le bien que l'on fait en son nom. Le prince est très généreux pour les petites gens. Et puis, avec un homme comme lui, comment savoir jusqu'où va son pouvoir ? J'aime mieux qu'on le laisse tranquille. On connaît sa générosité, on ne connaît pas encore sa colère... et si c'était, par hasard, un réprouvé ou un maudit...

A nouveau, Orlandi se signa trois fois à toute vitesse.

— Par ici, signorina !... Je conduirai ensuite votre

cocher à son logement. Pour votre servante, il y a une petite chambre à côté de la vôtre.

Un instant plus tard, il ouvrait devant Marianne la porte d'une pièce rustique, mais propre. Les murs étaient blanchis à la chaux et n'enfermaient que peu de meubles : un lit étroit et long, en bois noir, avec une tête si haute que Marianne, désagréablement impressionnée, lui trouva un air de mausolée, une table et deux chaises raides en bois noir, un grand crucifix et une foule d'images pieuses. Sans la cotonnade rouge qui garnissait la petite fenêtre et le lit, on eût pu prendre cette chambre pour une cellule de couvent. Les objets de toilette, en grosse faïence blanche et verte, étaient installés dans un placard. Une lampe à huile éclairait chichement le tout.

— Voilà, c'est ma plus belle chambre, fit le signor Orlandi avec satisfaction. J'espère que la signorina sera bien. Est-ce que... je préviens maintenant le signor Zecchini ?

Marianne tressaillit. L'histoire du prince invisible lui avait fait un peu oublier la sienne propre et surtout ce personnage mystérieux qui l'attendait depuis le matin. Autant voir tout de suite qui il était au juste.

— Prévenez-le et dites-lui que je l'attends. Ensuite vous nous ferez monter à souper.

— Est-ce que je fais aussi monter les malles ?

Marianne hésita. Elle ignorait s'il entrait dans les plans de son parrain qu'elle demeurât longtemps dans cette auberge et elle pensa que les malles ne souffriraient pas beaucoup à demeurer une nuit de plus sur sa voiture.

— Non. Je ne sais pas si je resterai. Montez seulement le grand sac de tapisserie qui est à l'intérieur de la berline.

Par prudence, quand Orlandi se fut retiré, elle envoya Agathe, qui d'ailleurs dormait visiblement debout, explorer son propre domaine, une petite pièce dont la porte basse donnait dans le fond de la chambre et lui ordonna de n'en pas bouger avant qu'elle n'appelât.

— Et... si je m'endors ? fit la jeune fille.

— Dormez en paix. Je vous réveillerai pour souper. Ma pauvre Agathe, vous ne pensiez pas que ce voyage serait un tel calvaire, n'est-ce pas ?

Sous son bonnet fripé, Agathe sourit gentiment à sa maîtresse.

— C'était fatigant mais intéressant. Et puis, avec Mademoiselle, j'irais au bout du monde. Mais il faut avouer qu'on n'est pas très bien dans cette auberge. On a beau être au mois de mai, une flambée ferait du bien. C'est humide ici.

De la main, Marianne lui fit signe de se taire et la renvoya tout à la fois. En effet, quelqu'un venait de frapper à la porte.

— Entrez ! fit Marianne quand sa soubrette eut disparu.

La porte s'ouvrit doucement, tout doucement, comme si la personne qui entrait ne le faisait qu'avec gêne ou avec beaucoup d'hésitation. Un long personnage vêtu d'un costume de drap cannelle à culotte courte et bas blanc, gros souliers à boucle et chapeau rond enfoncé sur une sorte de bonnet apparut. Le chapeau quitta la tête, le bonnet resta et l'arrivant, joignant les mains, leva les yeux au ciel et soupira :

— Dieu soit loué ! Vous êtes enfin arrivée ! Vous n'imaginez pas ce que j'ai pu me tourmenter durant cette journée avec tous ces soldats ! Mais vous êtes là, c'est le principal.

Durant cette bienvenue en forme d'action de grâce, Marianne avait eu tout le temps de se remettre de sa surprise en constatant que le signor Zecchini n'était autre que l'abbé Bichette. Mais le malheureux était si visiblement peu fait pour ses vêtements, ou plutôt les vêtements lui donnaient une physionomie si étrange qu'elle ne put s'empêcher de rire.

— Comme vous voilà fait, Monsieur l'Abbé !

Savez-vous que le carnaval est fini depuis bien long-temps puisque Pâques est passée depuis trois grandes semaines ?

— Ne riez pas, je vous en conjure. Je souffre déjà bien suffisamment sous cet accoutrement. Si ce n'était nécessaire et si Son Éminence ne l'avait exigé par prudence...

— Où est mon parrain ? demanda Marianne en retrouvant instantanément son sérieux. Je pensais le trouver ici.

— Vous pensez bien qu'un prince de l'Église est plus tenu qu'un autre encore à des précautions durant ces affreux événements que nous vivons. Nous avions pris logement ces temps derniers au monastère de Monte Oliveto, mais nous avons jugé plus prudent d'en sortir.

— C'était plus prudent, en effet, approuva Marianne songeant à ce qu'avait dit l'irascible gendarme quelques minutes plus tôt — c'était, en effet, vers cet important couvent qu'il dirigeait ses pas.

— Et, où est Son Éminence pour le moment ?

— En face, répondit l'abbé en désignant la fenêtre par laquelle on apercevait le campanile de la cathédrale. Il s'est installé ce matin chez le bedeau et il vous attend.

Marianne jeta un coup d'œil à la petite montre d'émail et d'or qui pendait à son cou.

— Il est déjà tard. L'église doit être fermée... surveillée...

— Le salut vient seulement de commencer. Les mesures de l'Empereur portent sur les couvents, non sur les églises où le culte doit se poursuivre. Les offices ont toujours lieu. De toute façon, le bedeau devait laisser une porte ouverte toute la nuit au besoin. Son Éminence doit vous attendre après le salut.

— Où cela ? Cette église est grande...

— Entrez par le portail de gauche et allez jusqu'au transept. Cherchez le tombeau d'Ilaria. Il représente

une jeune femme étendue, les pieds sur un petit chien.
C'est là que vous attendra le cardinal.

— Vous ne venez pas avec moi ?

— Non. Les ordres de Monseigneur sont que je
quitte l'auberge dans la nuit. Il ne tient pas à ce que
l'on nous voie trop ensemble. Ma mission étant remplie, je vais à nos autres affaires.

— Merci, monsieur l'Abbé. Je dirai à mon parrain
avec quel soin vous l'avez remplie. Quant à moi, je
vais maintenant me rendre à son rendez-vous.

— Dieu vous ait en sa sainte garde ! Je prierai pour
vous !

Mettant un long doigt sur sa bouche pour recommander le silence et marchant sur la pointe de ses
grands souliers avec une mine de conspirateur que
Marianne eût trouvée comique en toute autre circonstance, le faux signor Zecchini sortit sans faire plus de
bruit qu'à l'entrée.

Vivement, Marianne alla jusqu'à la table de toilette,
ôta son chapeau, s'assura que sa coiffure n'avait pas
trop souffert, puis, ouvrant le sac de tapisserie qu'Orlandi lui avait fait porter avant l'entrée de l'abbé, elle
y prit un grand châle de cachemire rouge sombre
qu'elle posa sur sa tête et dont elle s'enveloppa à la
manière des femmes de la ville. Après quoi elle alla
ouvrir la porte qui communiquait avec la chambre
d'Agathe. Comme elle l'avait prédit, la jeune fille
s'était endormie. Étendue sur sa couchette, tout habillée, elle n'entendit même pas la porte s'ouvrir.
Marianne sourit. Elle pouvait aller à son rendez-vous,
Agathe ne s'éveillerait pas de si tôt...

En descendant l'escalier, elle rencontra Orlandi qui
s'apprêtait à monter avec un plateau chargé d'assiettes,
de verres et de couverts.

— Un peu plus tard, le souper, s'il vous plaît, dit
Marianne. Je voudrais... aller jusqu'à l'église prier un
peu si cela est possible.

Le sourire commercial d'Orlandi se teinta d'une nuance plus chaude.

— Mais bien sûr, c'est possible ! Il y a justement le salut en ce moment ! Allez signorina, allez, je vous servirai quand vous rentrerez.

— Ces soldats... me laisseront-ils passer ?

— Pour aller à l'église ? s'indigna l'honnête aubergiste. Il ferait beau voir. Nous sommes bons chrétiens, ici, nous autres ! Si l'on avait voulu fermer les églises, vous auriez trouvé la ville en révolution. Voulez-vous que je vous accompagne ?

— Jusqu'à la porte de votre maison seulement. Ensuite, j'irai seule... mais merci tout de même.

Escortée d'Orlandi, la mine farouche, Marianne traversa l'auberge sans qu'aucun des soldats fît le moindre commentaire. Ils semblaient d'ailleurs peu agressifs. Le sergent jouait aux cartes avec un caporal et les hommes bavardaient en buvant un pot. Certains avaient sorti leurs longues pipes de terre et fumaient en rêvassant, les yeux au plafond enfumé. A peine hors de la maison, Marianne serra son châle autour d'elle et se mit à courir pour traverser la place. La nuit était complète maintenant et les quelques lanternes disséminées ici ou là permettaient tout juste d'apercevoir la masse claire de la vieille basilique.

Un vent léger s'était levé, chargé de toutes les senteurs de la campagne et Marianne s'arrêta un instant au centre de la place pour en respirer le parfum. Au-dessus de sa tête le ciel, lavé par les pluies récentes, étalait sa voûte bleu sombre où des milliers d'étoiles scintillaient doucement. Quelque part, dans la nuit, un homme chantait en s'accompagnant à la guitare mais, par les portes ouvertes de l'église, les sons graves d'un cantique venaient jusqu'à la jeune femme. La chanson que chantait l'homme était une chanson d'amour, le cantique proclamait la gloire de Dieu et les joies amères du renoncement et de l'humilité. L'une appelait au bonheur, l'autre à l'austère obéissance et Marianne pour la dernière fois hésita. Une brève, une toute légère hésitation, car le choix n'était plus possible pour elle entre l'amour et le devoir. Son amour, à elle, ne l'appelait pas, ne la cherchait pas. Au milieu d'un peuple en fête, il roulait sur les routes des Pays-Bas, souriant à sa jeune femme, insoucieux de celle qu'il avait laissée derrière lui et qui, maintenant, au prix de sa honte et de son déchirement, s'en allait vers un inconnu pour qu'il assure à son enfant le droit de vivre la tête haute.

Avec décision, elle tourna le dos à la chanson, regarda l'église. Comme elle semblait redoutable, dans cette obscurité, avec sa silhouette trapue et cette haute tour dressée vers le ciel comme un cri d'appel !... Son appel, à elle, Dieu ne l'avait pas entendu puisque l'ami dont elle avait réclamé le secours n'était pas venu, ne viendrait pas. Lui aussi était loin d'elle, lui aussi peut-être l'avait oubliée... Une émotion serra la gorge de Marianne, vite changée en un sursaut de colère.

— Sotte que tu es ! gronda-t-elle entre ses dents. Quand donc cesseras-tu de t'attendrir sur ton sort ? Il est ce que tu l'as fait, ce que tu as voulu qu'il soit ! Et, toujours, tu as su qu'il te faudrait payer ton bonheur, même s'il t'a paru trop court ! Alors paie, maintenant, et sans récriminer. Celui qui t'attend ici t'aime depuis toujours. Il ne peut vouloir que ton bonheur... ou tout au moins ta paix intérieure. Essaie donc de lui faire confiance comme tu le faisais jadis.

Avec décision, Marianne se dirigea vers le triple porche, gravit les quelques marches et poussa la porte de gauche. Mais son sentiment d'inquiétude ne s'était pas dissipé. Malgré tout, elle ne pouvait se défendre d'éprouver envers son parrain une méfiance qui lui faisait mal et qu'elle se reprochait. Elle aurait tant voulu retrouver l'aveugle confiance de ses jeunes années !... Mais ce mariage invraisemblable ! Cette soumission de tout l'être qu'il impliquait !

Hormis la lampe rouge du chœur et quelques cierges allumés, la cathédrale envahie par la nuit était obscure.

A l'autel majeur, un vieux prêtre à cheveux blancs officiait dans une chasuble d'argent terni pour quelques fidèles agenouillés, dont Marianne en entrant ne vit que les dos ronds, les épaules courbées, n'entendit que les voix murmurantes, répondant aux soupirs de l'orgue et montant harmonieusement vers les hautes voûtes dont le gothique s'habillait d'azur.

Elle s'arrêta un instant près d'un bénitier, fit le signe de croix et plia le genou pour une brève prière à laquelle son cœur ne participait pas vraiment. C'était plutôt une sorte de formule de politesse envers Dieu. L'esprit était ailleurs. Rapidement, sans faire plus de bruit qu'une ombre, elle glissa le long de la nef latérale, passa devant une élégante construction octogonale abritant un bizarre Christ en croix vêtu d'une longue robe byzantine et atteignit enfin le transept. Quelques silhouettes y étaient agenouillées, mais elle n'y vit pas celle qu'elle était venue chercher. Aucun de ceux qui étaient là ne tourna d'ailleurs la tête vers elle.

Lentement, elle s'approcha du tombeau. Elle l'avait vu tout de suite et il était d'une telle beauté que son regard, négligeant une admirable peinture de la Vierge entre deux saints, s'y accrocha et ne le quitta plus. Jamais elle n'avait imaginé qu'un sépulcre pût avoir cette grâce, ce charme fait de pureté et de paix. Sur la dalle, supportée par une frise d'angelots soutenant une épaisse guirlande, une jeune femme en longue robe reposait, les pieds sur un petit chien, ses mains sages croisées sur les plis fins de sa robe, ses cheveux échappés d'un bandeau fleuri encadrant un jeune et ravissant visage que Marianne contempla longuement, fascinée par cette jeunesse que le sculpteur avait rendue avec tant d'amour. Elle ignorait qui était cette Ilaria morte quatre siècles plus tôt, mais elle s'en trouvait curieusement proche, comme d'un reflet fidèle, bien que l'on ne pût deviner, sur ce fin visage, les souffrances qui l'avaient menée au tombeau au sortir de l'adolescence.

Pour lutter à la fois contre l'envie de poser sa main

sur celles de la gisante et contre un sentimentalisme qu'elle jugeait dangereux, Marianne alla s'agenouiller un peu plus loin, mit la tête dans ses mains et tenta de prier. Mais son esprit en alerte restait aux aguets. Aussi ne tressaillit-elle pas quand quelqu'un vint s'agenouiller sur le prie-Dieu voisin. Levant les yeux, elle reconnut son parrain malgré le haut col du vêtement noir qui lui cachait la moitié du visage. Voyant qu'elle le regardait, il lui sourit brièvement.

— Le salut va être terminé, chuchota-t-il. Quand tout le monde sera sorti, nous causerons.

L'attente ne fut pas longue. Quelques secondes plus tard le prêtre quittait l'autel, emportant l'ostensoir. L'église se vida peu à peu. Il y eut un bruit de chaises puis celui de pas qui s'éloignaient. Le bedeau vint éteindre les cierges et la lampe du chœur. Seuls continuèrent à brûler ceux du transept placés devant une très belle statue de saint Jean-le-Baptiste, œuvre du même artiste que le tombeau. Le cardinal se releva puis s'assit et, du geste, invita Marianne à en faire autant. Ce fut elle qui ouvrit le dialogue.

— Je suis venue, comme vous me l'avez ordonné...

— Non, pas ordonné, rectifia Gauthier de Chazay doucement. Je t'en ai seulement priée parce que j'estimais que cela était salutaire pour toi. Tu es venue... seule ?

— Seule !... et vous l'aviez bien prévu ainsi, n'est-ce pas ? ajouta-t-elle avec une imperceptible amertume qui n'échappa pas cependant à l'oreille fine du prélat.

— Non. Dieu m'est témoin que j'aurais bien préféré que tu trouves l'homme capable de concilier à la fois ton devoir et ton inclination. Mais je reconnais que tu n'avais pas beaucoup de temps, ni peut-être de choix. Néanmoins... j'ai l'impression que tu m'en veux de cette nécessité où tu te trouves...

— Je n'en veux qu'à moi, parrain, soyez-en certain. Dites-moi seulement si tout est bien en règle. Mon mariage...

— Avec l'Anglais ? Est dûment rompu tu le penses bien, sinon je ne t'aurais pas fait venir. Je n'ai eu aucun mal à en obtenir la dissolution. Les circonstances étaient exceptionnelles et, la situation du Saint-Père l'étant aussi, nous avons dû nous contenter d'un tribunal réduit pour statuer sur ton cas. C'est là-dessus que je comptais car, sans cela, nous n'aurions jamais pu aller aussi vite ! Plus encore, j'ai fait avertir le consistoire de l'Église d'Angleterre de cette dissolution et j'ai écrit au notaire qui avait dressé le contrat. Tu es libre !

— Mais pour si peu de temps ! Néanmoins, je vous remercie. C'est une grande joie pour moi d'être libérée d'une chaîne odieuse et je ne vous en remercierai jamais assez ! Vous semblez, parrain, être devenu un personnage singulièrement puissant, il me semble ?

Malgré le peu de lumière, le léger sourire qui, un instant, éclaira le visage sans beauté du cardinal n'échappa pas à Marianne.

— Je n'ai d'autre puissance que celle qui me vient de Dieu, Marianne. Es-tu prête, maintenant, à entendre la suite ?

— Je le suis... du moins je le crois !

C'était étrange ce dialogue dans une cathédrale vide. Ils étaient seuls, côte à côte, en face d'un monde obscur d'où parfois l'éclat d'une flamme faisait jaillir un chef-d'œuvre. Pourquoi ici plutôt que dans la chambre de l'auberge où, sous son habit bourgeois, le cardinal eût pénétré aussi aisément que l'avait fait l'abbé Bichette, malgré les soldats ? Marianne connaissait trop son parrain pour ne pas deviner qu'il avait délibérément choisi son décor, peut-être afin de donner aux paroles qu'ils allaient échanger une espèce de solennité. Et peut-être était-ce aussi pour cela qu'il paraissait maintenant se recueillir avant de poursuivre. Il avait fermé les yeux, courbé la tête. Marianne pensa qu'il priait mais ses nerfs, usés par le voyage et l'anxiété, étaient à bout de tension. Avec une sécheresse dont elle ne fut pas maîtresse, elle murmura :

— Je vous écoute !

Le cardinal se leva et, posant une main sur l'épaule de la jeune femme, reprocha doucement.

— Tu es nerveuse, petite et c'est trop naturel, mais, vois-tu, c'est sur moi que retombera toute la responsabilité de ce qui va suivre et il était normal que je m'accorde encore un instant de rémission. Écoute, maintenant, mais sache, avant toute chose, que tu ne devras mépriser en rien l'homme qui va te donner son nom. Vous allez être unis. Pourtant jamais vous ne formerez un couple et c'est là que réside mon tourment car ce n'est pas ainsi qu'un homme de Dieu doit envisager un mariage. Mais, ce faisant, vous vous rendrez un service mutuel car lui te sauvera et sauvera ton enfant du déshonneur et toi tu lui donneras un bonheur qu'il n'espérait plus. Grâce à toi, le grand nom qu'il avait condamné à mourir avec lui ne s'éteindra pas.

— Est-ce que... cet homme est incapable d'avoir un enfant ? Est-il trop vieux ?

— Ni trop vieux, ni incapable, mais procréer est pour lui chose impensable, plus encore terrifiante. Il aurait pu, bien sûr, adopter quelque autre enfant, mais il repoussait avec horreur l'idée de greffer un sang vulgaire au vieil arbre de sa famille. Tu lui apportes, mêlé au meilleur sang de France, celui non seulement d'un empereur mais de l'homme qu'au monde il admire le plus. Demain, Marianne, tu épouseras le prince Corrado Sant'Anna...

Oubliant où elle se trouvait, Marianne poussa un léger cri.

— Lui ? L'homme que personne n'a jamais vu ?

Le visage du cardinal prit une dureté de pierre. Son regard bleu étincela.

— Comment le connais-tu ? Qui t'a parlé de lui ?

En quelques mots, la jeune femme relata la scène

dont elle avait été témoin à l'auberge ; après quoi, son récit terminé, elle ajouta :

— On dit qu'il est atteint d'une maladie affreuse, que c'est pour cette raison qu'il se cache avec tant de soin, on dit même qu'il est fou.

— Personne n'a jamais réussi à enchaîner la langue des hommes et moins encore leur imagination. Non, il n'est pas fou. Quant à la raison de sa claustration volontaire, il ne m'appartient pas de te la révéler. Elle est son secret. Il te le dévoilera peut-être un jour s'il le juge bon... mais cela m'étonnerait fort ! Sache seulement qu'il obéit à des mobiles, non seulement respectables, mais très nobles.

— Pourtant... si nous devons être unis, il faudra tout de même bien que je le voie ! fit Marianne avec une note d'espoir inconscient.

Le cardinal hocha la tête et remarqua :

— J'aurais dû ajouter qu'on ne peut pas, non plus, maîtriser la curiosité des femmes ! Écoute bien ceci, Marianne, car je ne me répéterai pas. Entre toi et Corrado Sant'Anna, c'est un nouveau pacte, semblable en quelque sorte à celui que nous avions conclu ensemble. Il te donne son nom, il reconnaîtra ton enfant qui, un jour, sera l'héritier de ses biens et titres, mais il est probable que tu ne verras jamais son visage, même au moment du mariage.

— Mais enfin, s'écria Marianne irritée par ce mystère dans lequel semblait se complaire le cardinal, vous le connaissez, vous ? Vous l'avez vu ? Qu'a-t-il pour se cacher ainsi ? Est-ce un monstre ?

— Quel grand mot ! En effet, je l'ai vu souvent. Je l'ai toujours connu, depuis sa naissance qui fut un drame atroce. Mais j'ai juré sur l'honneur et sur l'Évangile de ne jamais rien révéler concernant sa personne. Dieu m'est témoin cependant que j'aurais donné beaucoup pour qu'il vous soit possible de former ensemble, et au grand jour, un véritable couple, car j'ai rarement rencontré homme d'une telle valeur. Mais, les choses étant ce qu'elles sont, je crois agir au mieux de vos intérêts à tous deux en concluant ce mariage... l'union en quelque sorte de deux détresses. Quant à toi, en échange de ce qu'il t'apportera, car tu vas être désormais une très grande dame, il te faudra vivre avec honneur et droiture, et respecter cette famille à laquelle tu vas appartenir et dont les racines plongent dans l'Antiquité elle-même, et à laquelle était apparentée celle qui dort dans ce tombeau. Y es-tu préparée ? Car, entendons-nous bien, si tu ne cherches ici qu'une couverture commode pour pouvoir mener une vie sans entraves au bras de n'importe quel homme, mieux vaut te retirer et chercher ailleurs. N'oublie pas que je ne t'offre pas le bonheur, mais la dignité, l'honneur d'un homme qui ne sera jamais auprès de toi pour les défendre et une vie exempte de tout souci matériel. En un mot, j'attends de toi que tu te conduises désormais selon ta race et selon les usages des tiens. Cependant, tu peux encore reculer si les conditions te semblent trop dures. Tu as dix minutes pour me dire si tu veux rester la chanteuse Maria-Stella ou devenir la princesse Sant'Anna...

Il semblait vouloir s'écarter d'elle pour la laisser à sa méditation, mais Marianne, saisie d'une brusque panique, agrippa son bras pour le retenir.

— Un mot encore, mon parrain, je vous en supplie. Comprenez ce qu'est pour moi la décision qu'il me faut prendre ! Je sais, depuis toujours, qu'il n'est pas d'usage qu'une fille de grande maison discute l'union préparée par ses parents, mais admettez que, cette fois, les circonstances soient exceptionnelles.

— Je l'admets. Pourtant je ne pensais pas que tu veuilles encore discuter.

— Ce n'est pas cela ! Je ne veux pas discuter. J'ai foi en vous et je vous aime comme j'aurais aimé mon père. Ce que je désire c'est un peu plus d'explications. Vous venez de me dire qu'il me faudra désormais vivre selon les lois des Sant'Anna, respecter le nom que je porterai.

— Et alors ? fit durement le cardinal. Je n'aurais jamais cru entendre, de ta bouche, semblable question...

— Je m'exprime mal, gémit Marianne. En d'autres termes : quelle sera ma vie du moment où j'aurai épousé le prince ? Serai-je tenue de vivre dans sa maison, sous son toit...

— Je t'ai déjà dit non. Tu pourras vivre exactement où bon te semblera : chez toi, à l'hôtel d'Asselnat ou n'importe où il te plaira. Tu pourras, également, résider dans l'une des demeures des Sant'Anna quand tu en auras envie, que ce soit dans la *villa* que tu verras demain, ou dans les palais qu'ils possèdent, à Venise ou à Florence. Tu seras libre entièrement et l'intendant des Sant'Anna veillera à ce que ta vie soit non seulement exempte de tout souci matériel, mais fastueuse, comme il convient à une femme de ton rang. J'entends seulement que tu prennes pleinement conscience de ce rang. Pas de scandales, pas d'aventures de passage, pas de...

— Oh, Parrain ! s'écria Marianne blessée, je ne vous ai jamais donné le droit de supposer que je pouvais descendre assez bas pour...

— Pardonne-moi, ce n'est pas non plus ce que j'ai voulu dire et moi aussi je m'exprime mal. Je pensais encore à cet état de chanteuse que tu avais choisi et dont, peut-être, tu n'avais pas médité les dangers. Je sais parfaitement que tu aimes et qui tu aimes ! Et si je déplore ce choix de ton cœur, je n'ignore pas qu'il a trop de puissance pour ne pas te ramener à lui quand il le souhaitera. Tu n'es pas de force à lutter contre lui et contre toi-même. Mais, mon enfant, ce que je te demande c'est de te souvenir toujours du nom que tu porteras et de te conduire en conséquence. N'agis jamais d'une façon telle que ton enfant... votre enfant désormais, puisse te le reprocher un jour. Je crois, d'ailleurs, que je peux te faire confiance. Tu es toujours la fille de mon cœur... Simplement, tu n'as pas eu de chance. Maintenant, je te laisse réfléchir.

Cela dit, le cardinal s'éloigna de quelques pas et alla s'agenouiller devant la statue de saint Jean laissant Marianne auprès du tombeau. Instinctivement, elle se tourna vers lui comme si la réponse que demandait le cardinal devait sortir de cette bouche de pierre. Vivre dans la dignité... mourir dans la dignité, c'était à cela sans doute que s'était résumée la vie de la jeune femme qui dormait là ! Mais que la dignité avait donc de grâce ainsi traduite ! Et, d'ailleurs, Marianne s'avouait sincèrement qu'elle n'avait pas tellement de goût pour les aventures, telles qu'elle les avait connues tout au moins et ne pouvait s'empêcher de songer que, si les choses avaient été différentes et surtout si Francis avait été différent, elle vivrait, à cette même heure dans le calme... et la dignité au milieu des majestueuses splendeurs de Selton Hall.

Doucement, elle s'approcha du tombeau, posa une main sur un pli de marbre dont le froid la surprit. Était-ce une illusion ou bien le mince visage aux yeux clos d'Ilaria si sage au-dessus du haut col qui l'encadrait, avait-il reflété un fugitif sourire ? Comme si la jeune femme avait cherché par-delà la mort à encourager sa sœur vivante ?

« Je deviens folle ! songea Marianne avec irritation. Voilà que j'ai des visions ! Il faut en finir !... »

Tournant résolument le dos à la statue, elle alla rejoindre son parrain qui priait, la tête dans les mains, et, sans s'agenouiller, déclara d'une voix nette :

— Je suis prête. Demain j'épouserai le prince.

Sans la regarder, sans même se retourner, le cardinal murmura, les yeux sur le saint Jean de pierre.

— C'est bien. Rentre chez toi, maintenant. Demain, à midi, tu quitteras ton auberge, tu monteras en voiture et tu ordonneras à ton cocher de prendre la route des Bains de Lucques qui sont distants de quatre ou cinq lieues. Nul ne s'en étonnera puisque tu es censée aller y prendre les eaux, mais tu n'iras pas jusque-là. A une lieue d'ici, sur la route, tu verras une petite chapelle votive. Je t'y attendrai. Va maintenant.

— Vous restez encore ? Il fait si sombre... et froid aussi.

— J'habite ici, le bedeau est un affil... un ami ! Va en paix, petite, et que Dieu te garde !

Il semblait las, tout à coup, en même temps que pressé de la voir s'éloigner. Avec un dernier regard à la statue d'Ilaria, Marianne reprit le chemin par lequel elle était venue, l'esprit occupé d'une nouvelle idée. Son parrain décidément n'en finirait jamais de l'étonner ! Quel mot avait-il failli prononcer à propos du bedeau ? Affilié ? Mais affilié à quoi ? Se pouvait-il qu'un prince de l'Église, un cardinal romain, appartînt à une secte quelconque ? Et laquelle, en ce cas... ? Il y avait là une nouvelle énigme qu'il valait mieux laisser de côté, peut-être... Marianne se sentait si lasse de tous ces secrets qui envahissaient lentement sa vie !

Après les odeurs de cire refroidie et de pierre humide de la cathédrale, l'air de la nuit lui parut délicieux. Sa senteur était si douce ! Et que le ciel était donc beau ! A sa grande surprise, Marianne découvrit qu'elle était en paix avec elle-même maintenant que sa décision était prise. Elle était presque heureuse d'avoir accepté cet étrange mariage. En vérité c'eût été folie de refuser une union qui lui assurait une vie conforme à ses goûts et à sa naissance tout en la laissant pleinement maîtresse d'elle-même... à la seule condition de porter dignement le nom des Sant'Anna !

Même l'image de Jason, qu'elle évoqua un instant, ne troubla pas cette sérénité toute neuve. Sans doute avait-elle eu tort de s'entêter à chercher le salut de ce côté. Le destin avait choisi pour elle et c'était peut-être mieux ainsi. Le seul être qui lui manquât vraiment, tout compte fait, c'était le cher Arcadius. Tout devenait toujours tellement plus facile quand il était là !...

Mais, en traversant la place obscure, le silence la surprit. Plus aucun bruit ne se faisait entendre. Il n'y avait plus de chanson d'amour dans l'air... plus rien que la nuit, les ténèbres angoissantes au bout desquelles luirait un jour dont elle ne parvenait pas à imaginer la couleur. Et sans bien savoir pourquoi, Marianne frissonna.

CHAPITRE X

LA VOIX DANS LE MIROIR

Quand sa voiture franchit l'immense grille armoriée qui encastrait entre les hauts murs une fantastique dentelle noire et or, Marianne eut l'impression d'entrer dans un monde nouveau dont les gardiens seraient les géants de pierre érigés sur les pilastres d'entrée et qui, armés l'un d'un arc tendu, l'autre d'une lance brandie, semblaient défier le visiteur de franchir un seuil défendu. La grille, comme par magie, s'était ouverte à deux battants devant les chevaux sans qu'apparut aucun gardien, ni aucun de ces chiens qui avaient si fort effrayé l'officier des gendarmes. Il n'y avait pas une âme en vue. Cette entrée, une longue allée sablée, bordée de buis et plantée de hauts cyprès noirs, alternant avec des citronniers dans des vases de pierre, ouvrait sur une verte solitude, une calme perspective que semblaient borner les panaches et la brume de grands jets d'eau jaillissant d'un bassin.

A mesure que la voiture avançait sur le sable de l'allée, des échappées s'ouvraient sur les lointains d'un parc romantique peuplé de statues, d'arbres géants, de légères colonnades et de fontaines jaillissantes : un monde à la fois végétal et minéral où l'eau semblait souveraine et les fleurs absentes. Saisie d'une irrépressible appréhension, Marianne regardait, retenant sa respiration, comme si le temps s'était arrêté. En face d'elle, le gentil visage d'Agathe était figé en une expression vaguement craintive. Seul, dans son coin, le cardinal absorbé par ses pensées semblait se désintéresser du décor et échapper à la mélancolie étrange qui se dégageait de ce domaine. Le soleil lui-même, brillant lorsque l'on avait quitté Lucques, avait disparu sous un amas de nuages blancs d'où filtraient de diffuses flèches de lumière. L'atmosphère, tout à coup, s'était faite oppressante. Aucun oiseau ne chantait, aucun autre bruit ne se faisait entendre, que la chanson mélancolique de l'eau. Dans la voiture, chacun se taisait et, sur son siège, Gracchus lui-même oubliait de chanter ou de siffler comme il en avait pris l'habitude au long de l'interminable route.

La berline tourna, franchit un bosquet de thuyas géants et déboucha en plein songe. Au bout d'un long tapis vert où se cabraient des statues de chevaux, où des paons blancs, hiératiques et somptueux, traînaient leurs plumes neigeuses, un palais adossé aux lointains bleutés des collines toscanes reflétait dans un miroir d'eau sa calme ordonnance. Murs blancs couronnés de balustres, hautes fenêtres luisant autour d'une grande loggia dont les entre-colonnes s'ornaient de statues, dôme vieil or du pavillon central au faîte surmonté d'un cavalier chevauchant une licorne, la demeure du prince inconnu, Renaissance teintée d'un baroque fastueux, semblait rêver au bord d'une légende.

Les grands arbres qui se massaient de chaque côté du tapis vert et de la pièce d'eau se trouaient de longues échappées où des flèches de soleil allumaient des verts tendres et des blancheurs diffuses, révélant parfois dans les profondeurs la grâce d'une colonnade ou le bondissement d'une cascade.

Du coin de l'œil, le cardinal épiait les impressions de Marianne. Les yeux agrandis, les lèvres entrouvertes, elle semblait absorber par toutes les fibres de son être la beauté de ce domaine enchanté. Le cardinal sourit :

— Si tu aimes la *villa dei Cavalli*, il ne tiendra qu'à toi d'y séjourner autant qu'il te plaira... et même toujours !

Négligeant l'insinuation discrète, Marianne s'étonna.

— La *villa dei Cavalli* ? Pourquoi ?

— Ce sont les gens du pays qui l'ont baptisée ainsi : la *Maison des chevaux*. Ils sont les maîtres ici, les véritables rois. Depuis plus de deux siècles, les Sant'Anna possèdent un haras qui serait sans doute aussi célèbre que les fameuses écuries du duc de Mantoue si les produits en sortaient. Mais, hormis pour des présents somptueux, les princes Sant'Anna ne se sont jamais séparés de leurs bêtes. Regarde...

On approchait de la maison. Sur le côté droit, Marianne aperçut un autre bassin où l'eau jaillissait d'une conque marine. Un peu plus loin, entre deux nobles pilastres marquant peut-être le chemin des écuries, un palefrenier tenait en main trois superbes chevaux d'une blancheur neigeuse et qui, avec leurs crinières flottantes et leurs longues queues en panache, semblaient les modèles mêmes des statues qui émaillaient le parc. Depuis sa plus tendre enfance, Marianne avait toujours adoré les chevaux. Elle les aimait pour leur beauté. Elle les comprenait mieux qu'elle n'avait jamais compris aucun être humain et les caractères les plus ombrageux ne lui avaient jamais fait peur, bien au contraire. Cette passion, elle la tenait de sa tante Ellis qui, avant l'accident qui l'avait laissée boiteuse, avait été une remarquable cavalière. Les trois bêtes splendides qui se tenaient là lui parurent le plus rassurant et le plus amical des accueils.

— Ils sont superbes, soupira-t-elle. Mais comment s'accommodent-ils d'un maître invisible ?

— Il ne l'est pas pour eux, coupa sèchement le cardinal. En fait, pour Corrado Sant'Anna, ils sont la seule joie réelle. Mais nous arrivons.

Ayant décrit une courbe gracieuse qui faisait grand honneur à la science de Gracchus, la voiture s'arrêtait en effet auprès d'un grand escalier de marbre à double rampe sur lequel était rangée la domesticité du palais. Marianne vit un imposant bataillon de valets blancs et or dont les perruques poudrées accentuaient les teints méridionaux et les traits immobiles. Sur le perron qui menait à la loggia, trois personnages noirs attendaient : une femme à cheveux blancs dont la sévère toilette s'éclairait d'un col blanc et de clefs d'or pendant à sa ceinture, un prêtre sans âge, chauve et gringalet, et un homme grand et robuste, au masque romain et aux épais cheveux noirs, argentés aux tempes, portant sans élégance réelle un habit irréprochable. Tout, en ce dernier, proclamait l'origine paysanne, une sorte de rude sève que seule la terre pouvait donner.

— Qui sont-ils ? chuchota Marianne impressionnée, tandis que deux valets venaient ouvrir la portière et abaisser le marchepied.

— Dona Lavinia est la femme de charge des Sant'Anna depuis plusieurs décades. Elle est de petite noblesse ruinée. C'est elle qui a élevé Corrado. Le père Amundi est son chapelain. Quant à Matteo Damiani, il est à la fois l'intendant et le secrétaire du prince. Descends maintenant et souviens-toi seulement de ta naissance. Maria-Stella vient de mourir... à jamais.

Comme dans un rêve, Marianne mit pied à terre. Comme dans un rêve, les yeux fixés sur ceux qui, là-haut, s'inclinaient profondément, elle gravit les degrés de marbre entre la double haie pétrifiée des valets, soutenue par la main soudain impérieuse de son parrain. Derrière elle, le souffle court d'Agathe, impressionnée, se faisait entendre. Le soleil revenu n'était pas trop chaud, pourtant Marianne eut soudain la sensation d'étouffer. Elle eut envie de desserrer la bride de sa capote qui l'étranglait. Elle entendit à peine la présentation que lui fit son parrain, puis la bienvenue de la femme de charge qui s'était abîmée en une profonde révérence comme si la nouvelle venue eût été une reine. Son propre corps lui parut tout à coup étrangement mécanique. Il agissait par réflexes automatiques sans que sa volonté y fût pour quelque chose. Elle s'entendit répondre avec grâce aux paroles d'accueil du chapelain et de dona Lavinia. Mais c'était le secrétaire qui la fascinait. Lui aussi agissait comme un automate. Ses yeux pâles s'étaient attachés au visage de Marianne avec une dureté absolue. Ils avaient l'air de scruter chaque trait de son visage, comme s'ils pouvaient lui fournir une réponse à une question connue de lui seul. Et Marianne aurait juré que, dans ce regard si implacable, il y avait aussi de la crainte. Elle ne s'y trompa pas : le silence de Matteo était lourd de méfiance et contenait un avertissement. Très certainement, il ne voyait pas d'un bon œil l'intrusion de cette étrangère. Et, d'emblée, Marianne eut l'impression d'avoir là un ennemi.

Tout autre était l'attitude de dona Lavinia. Son visage serein, malgré d'irréfutables stigmates de souffrances passées, n'était que douceur et bonté, son regard brun totale admiration. Relevée de sa révérence, elle avait baisé la main de Marianne en murmurant :

— Béni soit Dieu qui nous donne une si belle princesse !

Quant au père Amundi, s'il avait un maintien fort noble, il ne paraissait pas jouir de toutes ses facultés et Marianne remarqua aussitôt qu'il parlait tout seul et entre ses dents, ce qui donnait un bourdonnement rapide, parfaitement incompréhensible et assez agaçant. Mais il avait offert à la jeune femme un sourire si rayonnant, si ingénu, il était si visiblement content de la voir, qu'elle se demanda si d'aventure il n'était pas un vieil ami sorti de sa mémoire.

— Je vais vous conduire à votre appartement, Excellenza, fit chaleureusement la femme de charge. Matteo s'occupera d'escorter Sa Seigneurie.

Marianne sourit puis chercha le regard de son parrain.

— Va, mon petit, conseilla-t-il et repose-toi. Ce

soir, avant la cérémonie, je te ferai chercher afin que le prince puisse te voir.

Sans répondre, retenant la question instinctive qui lui montait aux lèvres, Marianne suivit dona Lavinia. Elle se sentait dévorée d'une curiosité telle qu'elle n'en avait jamais connue, une envie dévorante de « voir » elle aussi ce prince inconnu, le maître de ce domaine dressé aux limites de la réalité et gardé par des animaux de légende. Le prince allait la voir. Pourquoi donc ne verrait-elle pas le prince ? Cette maladie dont elle le soupçonnait atteint était-elle si grave, si terrible qu'elle ne put l'approcher ? Son regard se posa tout à coup sur le dos droit de la femme de charge qui marchait devant elle, dans un bruissement de soie et un doux cliquetis de clefs. Qu'avait dit Gauthier de Chazay ? Elle avait élevé Corrado Sant'Anna ? Nul sans doute ne le connaissait mieux qu'elle... et elle avait paru si heureuse de l'arrivée de Marianne.

« Je la ferai parler, songea la jeune femme. Il faudra qu'elle parle ! »

La magnificence intérieure de la *villa* ne le cédait en rien à la beauté des jardins. En quittant la loggia décorée de stucs baroques et de lanternes en fer forgé doré, dona Lavinia avait fait traverser à sa nouvelle maîtresse une immense salle de bal ruisselante de l'éclat amorti de ses ors, puis une série de salons dont l'un, particulièrement fastueux, où des encadrements rouges et or finement sculptés rehaussaient le sombre miroitement de panneaux de laque noire. Mais c'était une exception, le ton général de la maison étant le blanc et l'or. Les parquets, eux, étaient faits de mosaïques de marbre blanc et noir sur lesquelles les pas résonnaient.

L'appartement destiné à Marianne, situé dans l'aile gauche, était décoré dans le même esprit, mais son étrangeté surprit la jeune femme. Là aussi, ce n'était que blancheur et dorure malgré la présence, dans la chambre, de deux cabinets de laque pourpre qui apportaient une note plus chaude. Mais, penchés à la corniche des plafonds comme à quelque balcon, des personnages peints en trompe l'œil et portant des costumes vieux de deux siècles semblaient suivre chacun des mouvements des habitants de l'appartement. En outre, une véritable profusion de miroirs décorait les murs. Il y en avait partout, reflétant à l'infini les deux silhouettes sombres de Marianne et de dona Lavinia, la richesse écrasante du grand lit à la vénitienne tendu de brocart surélevé de trois marches, comme un trône, et flanqué de deux torchères, également vénitiennes, représentant des nègres vêtus à la persane et portant des bouquets de hautes bougies rouges.

Marianne regarda ce décor à la fois fastueux et impressionnant avec un mélange de stupeur et d'inquiétude.

— Est-ce... ma chambre ? demanda-t-elle tandis que les valets apportaient ses bagages.

Dona Lavinia alla ouvrir une fenêtre, arrangea un gigantesque bouquet de seringa dont les fleurs neigeaient d'un vase d'albâtre.

— Celle de toutes les princesses Sant'Anna depuis deux siècles. Vous plaît-elle ?

Pour éviter de répondre, Marianne choisit de poser une autre question.

— Tous ces miroirs... Pourquoi ?

Elle eut tout de suite l'impression que cette question gênait la femme de charge. Son visage fatigué eut une crispation légère et elle se détourna pour aller ouvrir une porte donnant sur une petite pièce qui avait l'air creusée dans du marbre blanc : une salle pour les bains.

— La grand-mère de notre prince, dit-elle enfin, était une femme d'une si grande beauté... qu'il lui fallait pouvoir la contempler sans cesse. C'est elle qui avait ordonné d'installer ces miroirs. On les a laissés depuis...

Elle semblait le regretter, mais son intonation avait intrigué Marianne. Sa curiosité envers cette famille ne faisait que croître.

— Il doit bien y avoir, quelque part, dans cette maison, un portrait d'elle, fit-elle en souriant. J'aimerais le voir.

— Il y en avait un... mais il a été détruit par le feu. Madame veut-elle se reposer, prendre un bain, se restaurer ?

— Les trois, si vous voulez bien, mais d'abord le bain. Où mettez-vous ma femme de chambre ? Je voudrais la garder près de moi, ajouta-t-elle au visible soulagement d'Agathe qui, depuis son entrée dans la *villa*, ne se déplaçait que sur la pointe des pieds, comme dans un musée ou dans une église.

— Dans ce cas, il y a une petite pièce au bout de ce couloir, répondit dona Lavinia en poussant du doigt un panneau sculpté si parfaitement joint que la forme de la porte ne se devinait pas. On y dressera un lit. Je vais faire préparer le bain.

Elle allait sortir, Marianne la retint.

— Dona Lavinia ?

— Excellenza ?

Plantant son regard vert bien droit dans celui de la femme de charge, elle demanda doucement :

— Dans quelle partie du palais se trouve l'appartement du prince ?

Visiblement, dona Lavinia n'attendait pas cette question, cependant fort naturelle. Marianne aurait juré qu'elle avait pâli.

— Quand il est ici, fit-elle avec effort, notre seigneur habite l'aile droite... l'appartement symétrique à celui-ci.

— C'est bien... Je vous remercie.

Avec une révérence, dona Lavinia disparut laissant Marianne et Agathe tête à tête. Les deux femmes se regardèrent. Le gentil visage chiffonné de la jeune fille trahissait la crainte et, de toute son assurance de Parisienne délurée, il ne restait rien. Elle joignit les mains en un geste enfantin de prière.

— Est-ce que... nous allons rester longtemps dans cette maison, Mademoiselle ?

— Non, pas très longtemps, je l'espère, Agathe. Est-ce qu'elle ne vous plaît pas ?

— Elle est très belle, fit la jeune fille en jetant autour d'elle un regard méfiant... mais elle ne me plaît pas. Je ne sais pas du tout pourquoi. Que Mademoiselle me pardonne... mais je crois que je n'arriverai jamais à m'y sentir à l'aise. Tout est tellement différent de chez nous !...

— Allez tout de même défaire mes bagages, fit Marianne avec un sourire indulgent, et ne craignez pas de vous adresser à dona Lavinia, la femme de charge, pour tout ce dont vous pourriez avoir besoin. Elle est sympathique et je la crois bonne ! Allons, Agathe, du courage ! Vous n'avez rien à craindre ici. C'est seulement le dépaysement, la fatigue du voyage...

A mesure qu'elle parlait, Marianne s'apercevait que, en cherchant à rassurer Agathe, c'était en fait à elle-même qu'elle donnait des excuses. Elle aussi se sentait bizarrement oppressée depuis qu'elle avait franchi l'immense grille de cette étrange et superbe demeure et d'autant plus qu'elle n'apercevait aucun signe tangible d'un danger quelconque. C'était quelque chose de plus subtil, comme une immatérielle présence. Celle, sans doute, de cet homme trop bien gardé dont ce palais était la demeure principale, le lieu, vraisemblablement, où il préférait se tenir. Mais il y avait autre chose encore et cela, Marianne l'aurait juré, venait de cet appartement lui-même... un peu comme si l'ombre de la femme qui avait jadis fait accrocher là tous ces miroirs errait encore, impalpable mais souveraine, dans ces chambres ordonnées comme autour d'un sanctuaire dont l'énorme lit doré eût été l'autel et les personnages de mascarade des plafonds la foule des fidèles attentifs.

Lentement, Marianne s'approcha de l'une des fenêtres. Peut-être à cause de la part anglaise de son sang, Marianne croyait aux fantômes. Le réseau sensible et délicat de ses nerfs la rendait accessible à une foule d'impressions qui n'eussent pas affecté un organisme moins complexe que le sien. Et, dans cet appartement, elle « sentait » quelque chose... L'avancée du pavillon central empêchait d'apercevoir l'autre aile de la maison, mais la vue s'étendait jusqu'à l'extrémité de la pelouse aux paons blancs et s'arrêtait à un château d'eau, semblable à des orgues gigantesques déversant, avec force, de vasque en vasque, une eau blanchissante qui venait emplir un large bassin encadré de deux groupes de chevaux furieux. Dans cette violence de torrent, contrastant si fort avec la paix verte des jardins, Marianne vit un symbole, celui de quelque force cachée mais puissante, enchaînée au fond d'un calme trompeur. A tout prendre, ce bouillonnement des ondes, cette révolte cabrée des bêtes que le sculpteur avait frappée dans la pierre, c'était la vie même, la passion d'être et d'agir que Marianne avait toujours senti gronder en elle. Et c'était peut-être pour cela que cette demeure trop belle et trop silencieuse lui faisait l'effet d'un tombeau. Seul le jardin vivait.

La nuit tombante trouva Marianne debout à la même place. Le vert du parc s'était fondu en des teintes imprécises, la cascade et les statues n'étaient plus que taches pâles et les grands oiseaux majestueux avaient disparu. La jeune femme s'était baignée, elle avait grignoté quelques bribes d'une légère collation, mais elle avait été incapable de trouver un instant de repos. C'était sans doute la faute de ce lit insensé sur lequel Marianne avait l'impression d'être la victime offerte au couteau du sacrificateur.

Maintenant, vêtue d'une robe de lourd brocart d'un blanc crémeux, toute brodée d'or, que dona Lavinia avait apportée sur ses deux bras, avec autant de solennité que s'il se fût agi d'une châsse, la tête ceinte pour la première fois d'un pesant diadème d'or et de perles énormes, assorties à celles enchâssées dans la parure d'une richesse presque barbare, qui chargeait sa gorge largement découverte, Marianne essayait, par la contemplation du jardin nocturne, de lutter contre une nervosité et une anxiété grandissantes à mesure que l'heure approchait.

Elle se revoyait, il y avait si peu de temps encore, debout à une autre place, contemplant un autre parc dans l'attente d'un autre mariage. C'était à Selton, au soir de son mariage avec Francis... Il y avait, mon Dieu ! Comment y croire ?... à peine les trois quarts d'une année, alors que cela semblait vieux de plusieurs siècles ! Derrière les vitres de la chambre nuptiale, à peine vêtue de batistes fragiles sous lesquelles son corps de jeune fille frémissait d'attente et d'angoisse mélangées, elle avait regardé la nuit envahir le vieux parc familier. Comme elle était heureuse, ce soir-là ! Tout était si beau, si simple... elle aimait Francis de tout son être neuf, elle espérait être aimée de lui et elle attendait avec une ferveur passionnée l'instant bouleversant où entre ses bras elle apprendrait l'amour...

L'amour, c'était un autre qui le lui avait appris et il n'était pas une fibre de son corps qui n'en tremblât encore d'ivresse et de reconnaissance au souvenir des nuits brûlantes du Butard et de Trianon, mais c'était aussi de cet amour qu'était née la femme dont les absurdes miroirs lui avaient tout à l'heure renvoyé l'image : la statue presque byzantine à force de splendeur d'une sorte de majesté aux yeux trop grands, au visage figé... La Sérénissime princesse Sant'Anna ! Sérénissime... Très sereine... immensément sereine, alors que son cœur chavirait d'angoisse et de détresse ! Quelle dérision !...

Ce soir, il ne s'agissait plus d'amour mais d'un marché, positif, réaliste, impitoyable. L'union de deux détresses avait dit Gauthier de Chazay. Ce soir aucun homme ne viendrait frapper à la porte de cette chambre, aucun désir ne viendrait réclamer ses droits sur son corps où se gonflait une vie encore obscure et cependant toute-puissante... aucun Jason n'apparaîtrait pour demander le paiement d'une dette insensée mais troublante...

Pour lutter contre le vertige qui l'envahissait, Marianne s'appuya à l'espagnolette de bronze de la fenêtre et, de toute sa force, repoussa l'image du marin, découvrant soudain que, s'il était venu, elle eût éprouvé peut-être une joie vraie, une douceur secrète. Son absence créait un vide bizarre ! Elle avait envie de crier, tout à coup, et mordit sa main couverte de bagues pour retenir un dérisoire appel au secours. Jamais elle ne s'était sentie aussi misérable que sous cette parure qu'eût enviée une impératrice.

La porte de sa chambre, en s'ouvrant à double battant, vint secouer cet état morbide où elle s'enlisait de même que les flambeaux portés haut par six laquais faisaient reculer les ténèbres de la pièce où Marianne avait défendu que l'on allumât la moindre lumière. Au milieu de toutes ces flammes scintillantes, le cardinal, en grand costume de prélat romain, les moires pourpres de sa simarre balayant le dallage miroitant, apparut comme dans une gloire et, devant l'éclat de cette entrée, Marianne cligna des yeux à la manière d'un oiseau nocturne brusquement tiré à la lumière. Le regard pensif du cardinal enveloppa un instant la jeune femme, mais il ne fit aucun commentaire.

— Viens, dit-il seulement, c'est l'heure...

Était-ce la formule ou le rouge sanglant du vêtement ? Marianne eut soudain l'impression d'être une condamnée que le bourreau venait chercher pour la mener à l'échafaud... Néanmoins, elle alla vers lui, posa sa main chargée de joyaux sur celle, gantée de rouge, qu'il lui offrait. Les deux traînes, celle de la capa magna, celle de la robe de reine glissèrent de concert sur le lac de marbre des salons.

En les traversant, Marianne constata avec étonnement que toutes les pièces étaient illuminées, comme pour une fête et, cependant, rien n'évoquait moins la gaieté que leur noblesse vide de toute présence humaine. Pour la première fois depuis bien longtemps, elle en revint aux lectures passionnées de son enfance, à ces charmants contes français qu'elle avait tant aimés. Ce soir, elle était à la fois Cendrillon, Peau d'Ane et la Belle au sommeil séculaire s'éveillant au milieu des splendeurs d'un passé aboli, mais son histoire à elle ne comportait aucun Prince Charmant. Son prince à elle était un fantôme.

La lente et solennelle promenade traversa ainsi tout le palais. Le cardinal semblait présenter avec orgueil la nouvelle venue aux ombres de tous ceux qui avaient, ici même, vécu, aimé, souffert peut-être. On parvint enfin à un petit salon tendu de damas pourpre où, à l'exception de quelques fauteuils et tabourets, l'ameublement principal était constitué par une haute glace Régence posée sur une console surdorée et encadrée de girandoles de bronze supportant des bouquets de bougies allumées.

Le cardinal fit asseoir Marianne dans l'un des fauteuils sans dire un seul mot puis se tint debout auprès d'elle dans l'attitude de quelqu'un qui attend. Il regardait vers la glace, en face de laquelle la jeune femme était assise, mais il avait gardé sa main dans la sienne comme pour la rassurer. Marianne se sentait plus oppressée que jamais et elle ouvrait déjà la bouche pour poser une question quand il parla.

— Voici, mon ami, celle que je vous avais annoncée : Marianne, Élisabeth d'Asselnat de Villeneuve, ma filleule, dit-il fièrement.

Marianne tressaillit. C'était au miroir qu'il s'était adressé et voilà que le miroir répondait...

— Pardonnez-moi ce silence, mon cher cardinal. C'était à moi de parler le premier pour vous accueillir... mais, en vérité, j'en étais incapable tant j'étais saisi d'admiration ! Votre parrain, Madame, avait tenté de peindre pour moi votre beauté mais, pour la première fois de sa vie, sa parole s'est révélée pauvre et gauche... d'une maladresse dont la seule excuse est la grossière impuissance des mots à traduire la divinité chez qui n'a point reçu le don sublime de la poésie. Puis-je dire que je vous suis profondément... humblement reconnaissant d'être ici... et d'être ce que vous êtes ?

La voix était basse, feutrée, naturellement ou volontairement assourdie. Son absence de couleur dégageait une lassitude et une tristesse profonde. Marianne se raidit pour maîtriser l'émotion qui accélérait son souffle. A son tour, elle fixa le miroir puisque la voix semblait venir de là.

— Pouvez-vous donc me voir ? demanda-t-elle doucement.

— Aussi nettement que si aucun obstacle ne se dressait entre nous. Disons... que je suis ce miroir où vous vous reflétez. Avez-vous jamais vu un miroir heureux ?

— J'aimerais en être sûre... votre voix est si triste !

— C'est parce qu'elle ne sert pas beaucoup ! Une voix qui n'a rien à dire oublie peu à peu qu'elle pourrait chanter. Le silence l'étouffe et finit par l'écraser. Mais la vôtre est pure musique.

Il était étrange ce dialogue avec l'invisible, mais Marianne, petit à petit, se rassurait. Elle décida tout à coup qu'il était temps pour elle de prendre en main son propre destin. Cette voix était celle d'un être qui avait souffert ou qui souffrait. Elle voulut jouer le jeu et le jouer elle-même. Elle se tourna vers le cardinal.

— Voulez-vous, Parrain, me faire la grâce de me laisser seule un instant ? Je souhaiterais causer avec le prince et, ainsi, cela me serait plus facile.

— C'est trop naturel. Je vais attendre dans la bibliothèque.

A peine la porte refermée, Marianne se leva mais, au lieu de s'approcher de la glace, elle s'en éloigna et alla vers l'une des fenêtres devant laquelle une grande jardinière de Chine faisait de son mieux pour contenir une forêt vierge en miniature. Elle aurait eu horreur d'un face à face avec elle-même, avec aussi, pour contrepoint, cette voix sans visage... qui, d'ailleurs, murmurait maintenant, avec une espèce de méfiance.

— Pourquoi avez-vous renvoyé le cardinal ?

— Parce qu'il fallait que nous parlions ensemble. Certaines choses, il me semble, doivent être dites.

— Lesquelles ? Je pensais que mon Éminentissime ami avait mis au point, définitivement, avec vous les termes de notre accord ?

— Il l'a fait. Tout est bien net, bien tranché... du moins, il me semble.

— Il vous a dit que je ne gênerais en rien votre vie ? La seule chose qu'il ne vous a peut-être pas dite... et que, cependant, je vous demanderai...

Il hésita. Marianne perçut une fêlure dans sa voix, mais il y remédia en ajoutant, très vite :

— ... je vous demanderai, quand l'enfant sera né... de l'amener parfois ici. Je voudrais, à défaut de moi, qu'il apprît à aimer cette terre... cette maison, tous ces gens aussi pour lesquels il sera une réalité tangible, éclatante... et non une ombre furtive.

A nouveau la fêlure, légère, presque imperceptible, mais Marianne sentit une vague de pitié s'enfler soudain au fond de son cœur avec, en même temps, la certitude que tout cela était absurde, insolite et, plus que tout, ce secret farouche dans lequel il s'enfermait. Sa voix se fit prière pour murmurer.

— Prince !... Je vous en supplie, pardonnez-moi si mes paroles vous blessent, si peu que ce soit, mais je ne comprends pas et je voudrais tant comprendre ! Pourquoi tant de mystère ? Pourquoi refuser de vous montrer à moi ? N'ai-je pas un peu le droit de connaître le visage de mon époux ?

Il y eut un silence. Si long, si pesant qu'elle crut un instant avoir fait fuir son étrange interlocuteur. Elle eut peur d'avoir, dans son impulsivité, été trop loin et trop tôt. Mais la réponse vint tout de même, pesante et définitive comme une sentence.

— Non. C'est impossible... Dans un instant, à la chapelle, nous serons l'un près de l'autre et ma main touchera votre main... mais jamais plus nous ne serons aussi proches.

— Mais pourquoi, pourquoi ? s'obstina-t-elle. Je suis fille d'aussi bonne race que vous-même et je n'ai peur de rien... d'aucun mal, si affreux soit-il, si c'est cela qui vous retient.

Il eut un petit rire bref, bas et sans gaieté.

— Depuis si peu de temps dans le pays, vous avez déjà entendu parler les gens n'est-ce pas ? Je sais... ils échafaudent à mon sujet toutes sortes d'hypothèses, dont la plus gracieuse est qu'une maladie affreuse me dévore... la lèpre ou quelque chose d'approchant. Je n'ai pas la lèpre, Madame, ni rien de semblable. Néanmoins, il est impossible que nous puissions nous voir, face à face.

— Mais pourquoi, au nom du Dieu vivant ?

Et cette fois ce fut sa voix, à elle, qui se fêla.

— Parce que je ne veux pas risquer de vous faire horreur !

La voix se tut. Le miroir demeura silencieux de si longues minutes que Marianne comprit qu'elle était vraiment seule maintenant. Ses mains, qu'elle avait crispées sur les épaisses feuilles vernies d'une plante inconnue se détendirent en même temps que sa poitrine se dégonflait en un profond soupir. La présence, vaguement angoissante, s'était éloignée. Marianne en éprouvait un soulagement réel car, maintenant, elle croyait savoir à quoi s'en tenir : l'homme devait être un monstre, quelque misérable déchet humain condamné à la nuit par une laideur repoussante, insupportable pour des yeux autres que ceux qui, toujours, l'avaient connu. Cela expliquait la dureté de pierre sur le visage de Matteo Damiani, la douleur sur celui de dona Lavinia et peut-être aussi l'enfance attardée sur la vieille face du père Amundi... Cela expliquait aussi qu'il eût, si vite, rompu leur entretien alors que tant de choses encore eussent pu être dites.

« J'ai été maladroite, se reprocha Marianne, je me suis trop hâtée ! Au lieu de poser, brutalement, la question qui m'intriguait, il aurait fallu en faire prudemment l'approche, essayer, au moyen d'allusions discrètes, de cerner peu à peu le mystère. Et voilà que, sans doute, je l'ai effarouché... »

Une chose l'étonnait, en outre : le prince ne lui avait posé aucune question sur elle-même, sa vie, ses goûts... Il s'était contenté de louer sa beauté comme si, à ses yeux, c'eût été la seule chose importante. Avec un peu d'amertume, Marianne songea qu'il ne se fût pas montré moins curieux si, au lieu d'un être humain, elle n'avait été qu'une belle pouliche destinée à son précieux haras. Et encore ! Il n'était pas sûr que Corrado Sant'Anna ne se fût pas enquis des antécédents, de la santé et des habitudes de l'animal ! Mais, au fond, pour un homme dont le seul but en cette vie était d'avoir un héritier pour continuer son vieux nom, le personnage physique de la mère ne pouvait que primer tout le reste ! Qu'avait à faire le prince Sant'Anna du cœur, des sentiments et des habitudes de Marianne d'Asselnat ?

La porte du salon rouge se rouvrit devant le cardinal qui revenait. Mais, cette fois, il n'était pas seul. Trois hommes l'accompagnaient. L'un était un petit bonhomme noir dont le visage paraissait se composer uniquement d'une paire de favoris et d'un nez. La tournure de son habit et le gros maroquin qu'il portait sous le bras annonçaient un notaire. Les deux autres semblaient descendus tout droit d'une galerie de portraits d'ancêtres. C'était deux vieux seigneurs portant habits de velours, brodés au temps du roi Louis XV, et perruques à marteau. L'un s'appuyait sur une canne et l'autre au bras du cardinal et leurs visages proclamaient qu'ils étaient tous deux fort âgés. Mais ils n'en conservaient pas moins cette hauteur de mine que la

mort elle-même ne parvient pas à enlever aux véritables aristocrates.

Avec une courtoisie raffinée et désuète, ils saluèrent
Marianne qui leur offrit à son tour une révérence en
apprenant que l'un était le marquis del Carreto et l'autre le comte Gherardesca. Parents du prince Sant'Anna,
ils étaient là en qualité de témoins du mariage que le
second, celui qui marchait avec une canne, devait en
outre, en tant que chambellan de la Grande-Duchesse,
faire enregistrer par sa chancellerie.

Le notaire s'installa à une petite table et ouvrit son
maroquin, tandis que tout le monde prenait place. Au
fond de la pièce étaient assis dona Lavinia et Matteo
Damiani qui étaient entrés après les témoins.

Distraite, nerveuse, Marianne n'écouta qu'à peine la
longue et fastidieuse lecture du contrat. Les formules
ampoulées du style notarial l'irritaient par leurs interminables développements. Elle n'avait plus qu'un
désir, maintenant, c'est que tout soit fini très vite...
Aussi ne s'intéressa-t-elle même pas à l'énumération
des biens que le prince Sant'Anna reconnaissait à son
épouse, pas plus qu'au chiffre royal de la pension qui
lui serait servie. Son attention était partagée entre le
miroir muet placé en face d'elle, derrière lequel, peut-
être, le prince était revenu, et une désagréable sensation : celle que procure un regard insistant.

Elle sentait ce regard sur ses épaules nues, sur sa
nuque découverte par le haut chignon relevé où se
noyait le diadème. Il glissait sur sa peau, insistant au
creux tendre du cou avec une force quasi magnétique,
comme si quelqu'un, par la seule puissance de sa
volonté, cherchait à attirer son attention. Cela devint
bientôt insupportable pour les nerfs tendus de la jeune
femme. Brusquement, elle se retourna mais ne rencontra que le regard glacé de Matteo. Il semblait si indiffé-
rent qu'elle crut s'être trompée. Pourtant, à peine eut-
elle retrouvé sa position première qu'à nouveau la
même sensation revint, plus nette encore...

De plus en plus mal à l'aise, elle accueillit avec joie la fin de cette cérémonie en forme de corvée, signa sans même regarder l'acte que le notaire lui offrait avec un salut profond, puis chercha le regard de son parrain qui lui sourit.

— Nous pouvons maintenant nous rendre à la chapelle. Le père Amundi nous y attend, dit-il.

Marianne pensait que la chapelle se trouvait quelque part dans la villa, mais elle comprit son erreur en voyant dona Lavinia s'approcher d'elle avec un long manteau de velours noir qu'elle posa sur ses épaules, prenant même soin d'en relever le capuchon.

— La chapelle est dans le parc expliqua-t-elle. La nuit est douce, mais il fait frais sous les arbres.

Comme au sortir de sa chambre, le cardinal vint prendre la main de sa filleule et la conduisit solennellement jusqu'au grand escalier de marbre où attendaient les valets armés de torches. Derrière eux, le petit cortège s'organisa. Marianne vit que Matteo Damiani avait, en remplacement du cardinal, offert son bras au vieux marquis del Carreto, puis le comte Gherardesca venait avec dona Lavinia qui avait hâtivement couvert sa tête et ses épaules d'un châle de dentelle noire. Le notaire et son maroquin avaient disparu.

On descendit ainsi dans le parc. En sortant, Marianne vit Gracchus et Agathe qui attendaient sous la loggia. Ils regardaient s'avancer le cortège avec une mine si ahurie qu'elle eut soudain envie de rire. Visiblement, ils n'avaient pas encore assimilé la nouvelle incroyable que leur maîtresse leur avait annoncée avant de s'habiller : elle était ici pour épouser un prince inconnu et, s'ils étaient trop bien stylés en même temps que trop aveuglément attachés à elle pour émettre la moindre remarque, leurs bonnes figures désorientées en disaient long sur leurs pensées intimes. En passant, elle leur sourit et leur fit signe de se placer derrière dona Lavinia.

« Ils doivent me croire folle ! songea-t-elle. Pour

Agathe, cela n'a pas beaucoup d'importance : elle n'a pas plus de cervelle qu'une linotte... une gentille fille, sans plus. Mais Gracchus, c'est autre chose ! Il faudra que je lui parle. Il a le droit d'en savoir un peu plus. »

La nuit était noire comme de l'encre. Le ciel, sans une étoile, était invisible, mais un vent léger effilochait les torches portées par les laquais. Malgré un grondement doux et lointain qui présageait un orage, le cortège s'avança d'un pas si lent et si solennel que Marianne se crispa :

— Qui portons-nous en terre ? murmura-t-elle entre ses dents. En vérité, ceci ressemble davantage à des funérailles qu'à un cortège nuptial ! N'y a-t-il pas ici quelque moine, pour entonner un Dies Irae ?

La main du cardinal serra la sienne à lui faire mal.

— Un peu de retenue ! gronda-t-il tout bas sans même la regarder. Ce n'est pas à nous d'imposer ici nos préférences. Il nous faut suivre les ordres du prince.

— Ils donnent la juste mesure de la joie qu'il éprouve à ce mariage !

— Ne sois pas amère ! Et, surtout, ne sois pas sottement cruelle. Personne plus que Corrado n'aurait souhaité de véritables et joyeuses noces ! Pour toi ce n'est qu'une formalité... pour lui un regret cuisant.

Marianne accepta la mercuriale sans protester, admettant avec honnêteté qu'elle l'avait méritée. Elle eut un petit sourire triste puis, changeant de ton, demanda brusquement :

— Il y a tout de même une chose que j'aimerais au moins savoir.

— Et c'est ?

— L'âge de mon... du prince Corrado.

— Je crois, un peu plus de vingt-huit ans !

— Comment ? Il est si jeune ?

— Je croyais t'avoir dit qu'il n'était pas vieux.

— En effet... mais à ce point !

Elle n'ajouta pas qu'elle avait imaginé un homme

d'une quarantaine d'années. Quand on approchait la vieillesse, comme Gauthier de Chazay, quarante ans étaient la fleur de l'âge. Or, elle découvrait que ce malheureux dont elle portait désormais le nom, qu'une nature inhumaine condamnait à la réclusion perpétuelle, à la nuit, au renoncement total, était, comme elle-même, un être jeune, un être qui, de toutes ses forces, devait aspirer à la vie, au bonheur, au grand air. Au souvenir de la voix feutrée, si lourde et si triste, elle se sentit envahie d'une immense pitié jointe à un désir sincère de lui venir en aide, d'adoucir autant que faire se pourrait le calvaire qu'elle imaginait.

— Parrain, chuchota-t-elle, je voudrais l'aider... lui donner peut-être un peu d'affection. Pourquoi refuse-t-il si obstinément de se montrer à moi ?

— Il faut laisser faire le temps, Marianne... peut-être amènera-t-il doucement Corrado à penser différemment qu'il n'a fait jusqu'ici... mais cela m'étonnerait. Souviens-toi seulement, pour apaiser ton regret charitable, que tu vas lui apporter ce dont il a toujours rêvé : un enfant de son nom.

— Dont, cependant, il ne sera pas le vrai père ! Il m'a demandé... de l'amener ici de temps en temps. Je le ferai volontiers.

— Mais... n'as-tu donc pas écouté la lecture de ton contrat ? Tu t'es engagée à mener l'enfant ici une fois par an.

— J'ai... non, je n'ai rien écouté ! avoua-t-elle tandis qu'une profonde rougeur envahissait son visage. Je crois bien que je pensais à autre chose.

— Ce n'était guère le moment ! bougonna le cardinal. Quoi qu'il en soit, tu as signé...

— ... et je tiendrai parole. Après ce que vous venez de me dire, je le ferai même avec joie ! Pauvre... pauvre prince !... Je veux être pour lui une amie, une sœur... Je veux l'être !

— Que Dieu t'entende et te permettre d'y parvenir ! soupira le cardinal. Mais j'en doute !

L'allée sablée qui menait à la chapelle ouvrait derrière l'aile droite de la *villa*, un peu après le portail menant aux écuries. En passant sur l'arrière de sa nouvelle demeure, Marianne s'aperçut que des miroirs d'eau l'entouraient sur les quatre côtés, mais celui qui s'étendait sur presque tout le dos de la maison s'entourait d'une imposante nymphée ordonnée autour d'une entrée de grotte. Des lanternes de bronze accrochées entre chaque colonne illuminaient toute cette architecture qui en prenait un air de fête vénitienne et se reflétaient dans l'eau noire en longues traînées d'or. Mais le chemin de la chapelle passant sous le couvert d'un petit bois, on perdit bientôt de vue l'élégante nymphée. Même la *villa* illuminée disparut, ne laissant plus que quelques rares points lumineux dans l'épaisseur du feuillage.

La chapelle elle-même, élevée dans une petite clairière, était basse, vieillotte et trapue, d'un roman très primitif qui se traduisait par des murs énormes, de rares ouvertures et des arcs arrondis. Elle contrastait, dans sa lourdeur primitive avec l'élégance un peu maniérée du palais entouré de ses eaux vives et ressemblait assez à quelque aïeule bougonne et têtue opposant sa rudesse réprobatrice aux folies de la jeunesse.

Le petit porche, ouvert, laissait voir les flammes des cierges brûlant à l'intérieur, la vieille pierre d'autel couverte d'une nappe immaculée, la chape d'or du vieux prêtre qui attendait... et une bizarre masse noire que Marianne ne distingua pas très bien depuis le parc. C'est seulement en atteignant le seuil de l'église qu'elle vit de quoi il s'agissait : accrochés à la voûte basse, des rideaux de velours noirs isolaient une partie du chœur qu'ils coupaient par le milieu. Et elle comprit que l'espoir, un instant caressé, d'apercevoir au moins la silhouette du prince durant la cérémonie s'évanouissait. Il se tenait, ou il se tiendrait là, dans cette espèce d'alcôve de velours auprès de laquelle on avait disposé un fauteuil et un prie-Dieu, frères jumeaux sans doute des meubles disposés à l'intérieur des rideaux.

— Même ici..., commença-t-elle.

Le cardinal hocha la tête.

— Même ici ! Seul, l'officiant verra l'époux car la partie qui regarde l'autel est ouverte. Le prêtre doit voir les deux époux au moment où ils prononcent les paroles d'engagement.

Avec un soupir de lassitude, elle se laissa conduire jusqu'à la place préparée pour elle. Un énorme cierge de cire blanche brûlait tout auprès, dans un chandelier d'argent posé à même le sol, mais aucun apprêt autre que les vases sacrés et la nappe d'autel n'avait été fait pour la cérémonie. La petite chapelle était froide, humide et l'on y respirait cette odeur fade des lieux jamais aérés. Sur les bas-côtés, les Sant'Anna des temps révolus dormaient leur sommeil de pierre sur les dalles des vieux sarcophages. L'atmosphère était sinistre. Marianne se souvint tout à coup avoir vu, jadis, à Londres, une pièce de théâtre particulièrement tragique, où la fiancée du héros, condamné à mort, était autorisée à l'épouser, dans la chapelle de sa prison, durant la nuit précédant l'exécution. Le prisonnier, alors, était séparé de la jeune fille par une grille de fer et Marianne se rappelait combien elle avait été impressionnée par cette scène si sombre et si dramatique... Ce soir, c'était elle qui jouait le rôle de la fiancée et le couple qu'elle allait former avec le prince durant la cérémonie serait tout aussi éphémère. En sortant de cette chapelle, ils seraient aussi séparés que si le tranchant d'une hache devait s'abattre sur l'un d'eux. D'ailleurs, l'homme qui se tenait, silencieux, derrière ce frêle rempart de velours n'était-il pas, lui aussi un condamné ? Sa jeunesse le condamnait à vivre... et dans des circonstances abominables.

Les témoins et le cardinal s'étaient installés un peu en retrait de la jeune femme, mais elle vit, avec étonnement, que Matteo Damiani était venu rejoindre le prêtre à l'autel pour servir la messe. Un surplis blanc drapait maintenant ses épaules massives, faisait ressortir le cou large et court dont la puissance plébéienne contrastait avec la noblesse de certains traits du visage. Le masque était vraiment romain, mais n'était pas réellement beau, à cause peut-être de la bouche, trop lourdement ourlée, dans les plis de laquelle se révélait une sensualité animale, ou encore dans ces yeux trop immobiles, qui ne cillaient jamais et dont le regard était si vite intolérable. Durant tout le temps que dura le service divin, Marianne, au supplice, surprit continuellement ce regard sur elle et comme, indignée, elle dardait sur lui un regard brillant de colère et de mépris, non seulement les yeux impudents de l'intendant ne se détournèrent pas, mais elle crut voir un fugitif et froid sourire passer sur sa vilaine bouche. Elle en fut à ce point exaspérée qu'elle en oublia un instant l'homme qui se tenait de l'autre côté du rideau, à la fois si proche et si lointain.

Pourtant, jamais elle n'avait écouté une messe aussi distraitement. Tout son esprit était absorbé par la voix déjà familière qui se faisait entendre presque sans arrêt, priant hautement avec une ardeur et une passion qui la troublèrent. Elle n'avait pas imaginé que le maître de ce domaine d'une beauté presque sensuelle, pouvait être le chrétien fervent que sa façon de prier laissait deviner. Jamais encore elle n'avait entendu, issu de lèvres humaines, ce mélange déchirant de douleur résignée et d'imploration. Seuls, peut-être, les plus austères couvents, ceux où une impitoyable règle préfigure l'anéantissement du tombeau, entendaient de telles oraisons. Peu à peu, elle oublia Matteo Damiani pour écouter cette voix bouleversante sous laquelle s'étouffaient les chuchotements fébriles du prêtre.

Mais l'instant de la bénédiction nuptiale était venu. Le chapelain descendait les deux marches de pierre et s'approchait de l'étrange couple. Comme dans un rêve, Marianne l'entendit solliciter du prince l'engagement rituel et bientôt la voix, avec une force inattendue, affirmait :

— Devant Dieu et devant les hommes, moi, Corrado, prince de Sant'Anna, prends ici, comme compagne et légitime épouse...

Les paroles sacrées, assenées cette fois comme un défi, emplirent les oreilles de Marianne d'une rumeur d'orage à laquelle un violent coup de tonnerre, qui éclata soudain sur le toit de la chapelle, apporta un contrepoint sinistre. La jeune femme pâlit, frappée de ce mauvais présage, et ce fut d'une voix mal assurée qu'à son tour elle prononça l'engagement d'usage. Puis, le prêtre murmura :

— Donnez-vous la main.

Le rideau noir s'entrouvrit. Marianne, les yeux agrandis, vit apparaître, prolongeant une manche de velours noir et une manchette de dentelles, une main gantée de peau blanche qui se tendait vers elle. C'était une très grande main, longue et forte, que le gant épousait avec une précision anatomique, la main normale d'un homme de très haute taille et vigoureux en conséquence. Tremblante soudain devant cette réalité tangible, Marianne la regardait, fascinée, sans oser y déposer la sienne. Il y avait, dans cette paume ouverte, dans ces doigts étendus, quelque chose d'inquiétant et d'attirant, tout à la fois. Cela avait l'air d'un piège.

— Tu dois donner ta main, chuchota dans son cou la voix du cardinal.

Tous les yeux étaient fixés sur Marianne. Ceux du père Amundi, étonnés, ceux du cardinal impérieux et suppliants aussi, ceux de Matteo Damiani sarcastiques. Ce fut peut-être ce regard-là qui l'emporta. Avec décision, elle posa sa main dans celle qui s'offrait et qui se referma sur elle tout doucement, presque délicatement, comme si elle craignait de lui faire mal. A travers le gant, Marianne sentit la chaleur, la fermeté vivante de la chair. Les paroles entendues tout à l'heure lui revinrent.

« Jamais plus nous ne serons aussi proches... » avait dit la voix.

Maintenant, le vieux prêtre prononçait les paroles sacramentelles qu'un nouveau coup de tonnerre étouffa en partie.

— ... Je vous déclare unis pour le meilleur et pour le pire et jusqu'à ce que la mort vous sépare.

Autour de la sienne, Marianne sentit frémir la main. Par la fente du rideau, une autre main apparut, juste le temps de glisser à son annulaire un large anneau d'or, puis les deux mains se retirèrent, entraînant celle de la jeune femme qui, soudain, frissonna de la tête aux pieds : sur le bout de ses doigts, deux lèvres s'étaient posées avant de leur rendre leur liberté.

Le fugitif lien de chair était dénoué. Derrière le rempart de velours, il n'y eut plus rien qu'un soupir. Devant l'autel, le père Amundi, agenouillé, priait, le dos si courbé sous sa chasuble qu'il avait l'air d'un paquet de tissu dont les cassures reflétaient la lumière. Un nouveau coup de tonnerre, plus violent encore que les deux précédents, éclata, si terrible que même les murs résonnèrent. En même temps, le ciel creva. Des trombes d'eau s'abattirent, cinglant le toit avec un bruit de cataracte. En un instant la chapelle et ses occupants devinrent un monde clos isolé dans la tempête, mais, sans paraître rien entendre, le vieux chapelain repartit vers la petite sacristie, emportant les vases sacrés. Matteo, alors, arracha presque son surplis.

— Il faut aller chercher une voiture ! s'écria-t-il. La princesse ne peut regagner la *villa* par ce temps.

Rapidement, il se dirigeait vers la porte. Gracchus, timidement, proposa :

— Puis-je vous accompagner et vous aider ?

L'intendant le toisa.

— Il y a suffisamment de valets pour cela ! Et vous ne connaissez pas nos chevaux. Restez ici !

Appelant à lui, d'un geste autoritaire, deux des valets porte-torches, il ouvrit la porte et se jeta, tête baissée, dans la tempête, chargeant contre le vent comme un taureau furieux. Avec un regard éperdu à l'alcôve noire où rien ne bougeait plus, où rien ne se faisait plus entendre, à croire que le prince avait pu se volatiliser par miracle, Marianne alla chercher refuge auprès de son parrain. Cet orage brutal, éclatant à l'instant précis de l'union, était plus qu'elle n'en pouvait supporter.

— C'est un présage ! souffla-t-elle. Un mauvais présage !

— Superstitieuse, maintenant ? gronda-t-il à voix basse. Ce n'est pas ainsi que l'on t'a élevée. C'est au Corse, je pense, que tu dois cela ? On dit qu'il l'est d'une façon insensée.

Elle recula devant cette colère qu'il contenait si mal et qu'elle ne s'expliquait pas... à moins que lui aussi n'eût été frappé par l'ouragan et ne cherchât ainsi à donner le change. Il pensait peut-être écraser la peur enfantine de Marianne sous son mépris adulte, mais le but qu'il atteignit fut tout autre. Le rappel à Napoléon fut salutaire pour Marianne. Ce fut comme si le Corse tout-puissant était entré subitement dans la chapelle avec son œil d'aigle, sa voix impérieuse et cette implacable dureté à laquelle se brisaient les plus forts. Elle crut l'entendre ricaner et le maléfice vola en éclats. C'était pour lui, après tout, qu'elle avait dû se plier à cet étrange mariage, pour l'enfant qu'il lui avait donné. Bientôt... demain, elle repartirait vers la France, vers lui, et tout cela ne serait plus dans son souvenir qu'un mauvais rêve.

Au bout de quelques minutes, Matteo reparut. Sans un mot, mais avec un geste plein d'orgueil qui la défiait de refuser, il offrit la main à Marianne pour la mener à la voiture, mais elle feignit de ne rien voir et, avec un regard glacé, marcha vers la porte. Entrée soutenue par son parrain, elle entendait sortir seule puisque aucun époux n'était là pour lui donner son bras. Il fallait que cet homme au regard impudent comprit, dès maintenant, qu'elle entendait désormais agir ici en maîtresse souveraine, ou, tout au moins, être traitée comme telle.

Au-dehors, la voiture attendait, marchepied baissé, la portière tenue ouverte par un laquais impassible et dégoulinant sous l'averse. Mais, entre elle et le petit porche, une large flaque d'eau s'étendait, alimentée par un violent rideau liquide. Marianne releva sur son bras la traîne de sa robe précieuse.

— Que Madame la Princesse me permette..., fit une voix.

Et, avant qu'elle ait pu protester, Matteo l'avait enlevée dans ses bras pour lui faire franchir l'obstacle. Elle poussa une exclamation, se raidit pour échapper au contact odieux de deux larges mains appliquées fermement à ses cuisses et à son aisselle, mais il la serra plus fort.

— Que votre Seigneurie prenne garde, fit-il d'une voix neutre. Votre Seigneurie pourrait tomber dans la boue.

Force fut à Marianne de le laisser la déposer sur les coussins de la voiture. Mais elle avait détesté se trouver, même un instant, contre la poitrine de cet homme et elle lui adressa, sans le regarder, un « merci » très sec. Et même la vue du petit cardinal, emballé dans ses moires rouges et transporté de la même façon ne parvint pas à effacer le pli de contrariété de son front.

— Demain, fit-elle entre ses dents quand il fut installé auprès d'elle, je rentre chez moi !...

— Déjà ? N'est-ce pas un peu... hâtif ? Il me semble que les égards manifestés par... ton époux mériteraient au moins un séjour... disons d'une semaine.

— Je me sens mal à l'aise dans cette maison.

— Où tu as cependant promis de revenir une fois l'an ! Allons, Marianne, est-il si pénible d'accorder ce que je te demande ?... Nous avons été si longtemps séparés ! Je pensais que tu accepterais de passer auprès de moi, à défaut d'une autre présence, ces quelques jours !

Sous leurs paupières baissées, les prunelles vertes glissèrent vers Gauthier de Chazay.

— Vous resteriez ?

— Mais... naturellement ! Ne crois-tu pas qu'il me serait doux, petite, de retrouver pour un moment ma petite Marianne d'autrefois, celle qui accourait vers moi sous les grands arbres de Selton.

Cette évocation inattendue fit monter instantanément des larmes aux yeux de la jeune femme.

— Je pensais... que vous aviez oublié ce temps-là.

— Parce que je n'en parle pas ? Il ne m'en est que plus cher. Je le garde caché, dans le coin le plus secret de mon vieux cœur et, de temps en temps j'entrouvre un peu ce coin... lorsque je me sens trop accablé.

— Accablé ? Rien ne semble jamais vous accabler, Parrain.

— Parce que je refuse d'en avoir l'air ? Mais l'âge vient, Marianne, et avec lui la lassitude. Reste un peu, mon enfant ! Nous avons besoin, toi et moi, de nous retrouver, d'oublier, côte à côte, qu'il existe des souverains, des guerres, des intrigues... tant d'intrigues surtout ! Accorde-moi cela... en souvenir d'autrefois.

La chaleur de l'affection retrouvée influença de façon sensible le souper qui réunit, peu après, les protagonistes du mariage dans l'antique salle de festins de la *villa*. C'était une pièce immense, haute comme une cathédrale et dallée de marbre noir sous un étonnant plafond à caissons, où les curieuses armes des Sant'Anna, une licorne et une vipère d'or affrontées sur champ de sable, se répétaient. Ces armes avaient d'ailleurs amusé Marianne qui, en les rapprochant de celles de sa famille où se retrouvaient le lion léopardé des Asselnat et l'épervier de leurs cousins Montsalvy, avait constaté que cela composait une bien singulière ménagerie héraldique.

Les murs de la salle, peints à fresque par un artiste inconnu, racontaient la légende de la licorne avec une grande fraîcheur de coloris et une naïveté charmante. C'était la première pièce de la *villa* qui plaisait vraiment à Marianne. Hormis sur la table fastueusement servie et parée, il y avait ici moins d'or que partout ailleurs et c'était, à tout prendre, reposant.

Assise à la longue table, avec le cardinal pour vis-à-vis, elle fit les honneurs du repas avec autant de grâce que si l'on eût été dans son hôtel de la rue de Lille. Le vieux marquis del Carreto, qui était assez dur d'oreille, n'était pas un causeur très passionnant mais, en revanche, c'était un excellent convive. Par contre, le comte Gherardesca avait une conversation animée et pleine d'esprit. Dans le laps de temps du repas, Marianne apprit de lui les derniers potins de la cour de Florence, les rapports fort tendres de la grande-duchesse Élisa avec le beau Cenami et ses amours plus tumultueuses avec Paganini, le violoniste diabolique. Il sut également faire entendre, avec discrétion, que la sœur de Napoléon serait heureuse de recevoir à sa cour la nouvelle princesse Sant'Anna, mais Marianne déclina l'invitation.

— Mes goûts ne sont guère tournés vers la vie de cour, comte. Si mon époux avait pu, lui-même, me conduire auprès de Son Altesse Impériale, c'eut été pour moi la plus grande des joies. Mais en de telles circonstances...

Le vieux seigneur lui adressa un regard plein de compréhension.

— Vous avez fait œuvre de charité, Princesse, en épousant mon malheureux cousin. Mais vous êtes infiniment jeune et belle, tandis que le dévouement doit avoir des limites. Il ne se trouvera personne, parmi la noblesse de ce pays, pour vous blâmer de sortir ou de recevoir hors de la présence de votre époux, puisque, malheureusement, l'humeur particulière du prince Corrado le pousse à se sentir reclus et caché.

— Je vous remercie de me le dire mais, pour l'instant, cela ne me tente vraiment pas. Plus tard, peut-être... et vous voudrez bien porter mes regrets... et mes respects à Son Altesse Impériale.

Tout en prononçant, machinalement, les paroles obligatoires de politesse, Marianne scrutait le visage aimable du comte pour essayer de deviner ce qu'il savait au juste de son cousin. Savait-il, lui, ce qui obligeait Corrado Sant'Anna à cette existence inhumaine ? Il avait parlé d'une « humeur particulière », alors que le prince, en personne, lui avait avoué se refuser à lui inspirer de l'horreur... Peut-être allait-elle poser une question plus précise, quand le cardinal, qui avait sans doute deviné sa pensée, détourna la conversation en interrogeant le comte sur les récentes mesures prises contre les couvents et le souper s'acheva sans que l'on revînt au sujet qui l'intriguait tant.

Quand on se leva de table, les deux témoins prirent congé, alléguant leur âge pour ne pas prolonger la soirée. L'un regagnait son palais de Lucques, l'autre une *villa* qu'il possédait dans les environs, mais tous deux, avec toutes les ressources d'une politesse exquise et surannée, exprimèrent le désir de revoir bientôt « la plus jolie des princesses ».

— En voilà deux qui sont plus que séduits ! commenta Gauthier de Chazay avec un sourire amusé. Je sais bien qu'il faut toujours tenir compte de l'enthousiasme du caractère italien, mais tout de même ! Cela ne me surprend aucunement, d'ailleurs. Mais, ajouta-t-il en cessant tout à coup de sourire, j'espère que les ravages de ta beauté s'arrêteront là.

— Que voulez-vous dire ?

— Que j'aurais infiniment préféré que Corrado ne te vît pas. Vois-tu, j'ai souhaité lui donner un peu de bonheur. Je serais désolé d'avoir fait son malheur.

— D'où vous vient cette soudaine pensée ? Car, enfin, vous saviez déjà que je n'étais pas repoussante.

— Elle est toute récente, avoua le prélat. Vois-tu,

Marianne... durant tout le repas, Corrado ne t'a pas quittée des yeux.

Elle tressaillit.

— Comment ? Mais enfin... il n'était pas là, ce n'est pas possible !

Puis, se rappelant le salon de damas rouge :

— Il n'y avait pas de miroir.

— Non, mais certains motifs du plafond se déplacent pour permettre de surveiller ce qui se passe dans la salle... un vieux système d'espionnage qui, jadis, s'est avéré d'une certaine utilité au temps où les Sant'Anna s'occupaient de politique et que je connais bien. J'y ai vu deux yeux... qui ne peuvent être que les siens. Si ce malheureux se prend à t'aimer...

— Vous voyez bien qu'il vaut mieux que je parte !

— Non, cela ressemblerait à une fuite et tu le blesserais. Après tout... laissons-lui ce pauvre bonheur ! Et qui sait ? Cela le décidera peut-être un jour à moins se cacher de toi, à défaut des autres...

Mais l'instant de détente était passé pour Marianne et l'impression pénible revenue. Malgré l'idée consolante que venait d'émettre le cardinal, elle éprouvait une sorte d'horreur à la pensée que l'homme à la voix si triste pourrait l'aimer. De toutes ses forces elle essaya de se raccrocher aux termes du marché conclu, car ce n'était que cela : un contrat et il fallait que ce ne fût rien d'autre !... Et pourtant, si Gauthier de Chazay avait raison, si elle avait apporté à cet homme sans visage un surcroît de douleur et de regrets ?... Elle se souvint du baiser posé sur ses doigts et elle frissonna.

En rentrant dans sa chambre, elle trouva Agathe en pleine déroute. L'étrange cérémonie à laquelle elle venait d'assister, jointe à la crainte que lui inspirait déjà le palais Sant'Anna et au discours que venait de lui délivrer dona Lavinia sur la façon dont il convenait qu'elle traitât désormais sa maîtresse, avaient plongé la petite cameriste dans un complet marasme. Debout à côté de dona Lavinia, toujours aussi calme, elle tremblait comme une feuille et, à l'entrée de sa maîtresse, plongea dans une révérence si profonde qu'elle s'acheva sur le dallage. Du coup elle se retrouva au bord de la panique et le sévère coup d'œil de la femme de charge l'acheva. Sans même songer à se relever, Agathe éclata en sanglots.

— Oh ! s'indigna dona Lavinia, mais elle est folle !

— Non, rectifia doucement Marianne, elle est seulement affolée. Il faut lui pardonner, dona Lavinia, je ne lui avais rien dit et, depuis que nous sommes arrivées ici, elle va d'étonnement en étonnement. De plus, le voyage a été rude.

A elles deux, elles parvinrent à remettre debout la jeune fille qui faisait des efforts désespérés pour s'excuser.

— Que Mad... Madame la Princesse... me pardonne ! Je... je ne sais pas ce... qui m'a pris. Je... je...

— Sa Seigneurie a raison, coupa dona Lavinia en lui fourrant un mouchoir entre les mains, vous n'avez plus le contrôle de vous-même, ma fille. Allez dormir. Si Madame le permet, je vais vous accompagner chez vous et vous donner un calmant. Demain, tout ira bien.

— Merci, dona Lavinia... et allez !

— Je reviens tout de suite pour aider Madame la Princesse à se défaire.

Tandis qu'elle entraînait Agathe toujours en larmes, Marianne s'approcha d'un grand miroir vénitien devant lequel était disposée une table basse, en laque chinoise, supportant une infinité de flacons de cristal et d'objets de toilette en or massif. Elle se sentait affreusement lasse et avait hâte, maintenant, de se coucher. Le grand lit doré, dont la couverture avait été faite, montrait ses draps de lin blanc, tout frais, et s'en trouvait infiniment plus accueillant. Une veilleuse douce brûlait sous les grands rideaux du baldaquin et les oreillers gonflés de plumes moelleuses invitaient irrésistiblement au repos.

Le diadème pesait lourd au front de Marianne qui sentait venir la migraine. Avec peine, car il était solidement épinglé, elle parvint à s'en débarrasser, le posa sur la table sans même un regard et défit sa coiffure. La robe aussi, avec ses épaisses broderies et sa longue traîne était accablante et, sans attendre le retour de dona Lavinia, Marianne entreprit de l'enlever. Cambrant sa taille souple où rien encore ne révélait une prochaine maternité, elle défit les agrafes, dégagea ses épaules et, avec un soupir de soulagement, laissa le lourd tissu glisser à ses pieds. Elle l'enjamba, ramassa la robe qu'elle jeta sur un fauteuil, enleva jupons et bas, puis, vêtue seulement de sa mince chemise de batiste garnie de valenciennes, elle s'étira comme une chatte avec un soupir de bonheur... mais le soupir s'étrangla en un cri d'horreur. Dans le miroir, en face d'elle, un homme la dévorait des yeux avec une avidité vorace.

Elle se retourna brusquement, mais ne vit plus rien que les autres miroirs accrochés au mur et qui ne reflétaient pas autre chose que les flammes paisibles des bougies. Il n'y avait personne dans la chambre... et pourtant Marianne aurait juré que Matteo Damiani était là, qu'il l'avait regardée ôter ses vêtements avec une convoitise brutale. Cependant, il n'y avait rien. Le silence était absolu. Pas un bruit, pas un souffle !...

Les jambes fauchées, Marianne se laissa tomber sur le tabouret couvert de brocart posé devant la coiffeuse et passa sur son front une main qui tremblait. Était-ce donc une hallucination ? L'intendant l'avait-il impressionnée à ce point qu'elle en fût déjà parvenue à le voir partout ? Ou bien était-ce la fatigue ?... Elle n'était plus très sûre, maintenant, d'avoir bien vu... L'esprit tendu jusqu'au malaise ne pouvait-il créer des phantasmes, faire surgir du néant des formes et des visages ?

Quand Dona Lavinia revint, elle la trouva prostrée sur le tabouret, pâle comme un linge et à demi-nue. Elle joignit les mains avec désolation.

— Votre Seigneurie n'est pas raisonnable ! reprocha-t-elle, pourquoi ne m'a-t-elle pas attendue ? La voilà toute tremblante ! J'espère qu'elle n'est pas malade ?

— Je suis surtout exténuée, dona Lavinia. Je voudrais me coucher très vite... et dormir, dormir moi aussi. Ne me donneriez-vous pas un peu de ce que vous avez donné à Agathe ? Je voudrais être certaine d'une bonne nuit.

— C'est trop naturel après une journée pareille.

Quelques instants plus tard, Marianne était étendue dans son lit et dona Lavinia lui servait une tisane chaude dont la vapeur agréable détendit déjà un peu ses nerfs. Elle la but avec reconnaissance, avide d'échapper enfin à ses pensées folles et certaine que, sans une aide extérieure, il ne lui serait pas possible, si grande que fût sa fatigue, de trouver le sommeil avec le souvenir de ce visage entrevu ou imaginé. Devinant peut-être son angoisse, dona Lavinia alla s'asseoir sur un fauteuil.

— Je vais attendre ici que Madame la Princesse soit endormie, afin d'être certaine que son sommeil sera paisible, promit-elle.

Délivrée d'un poids, bien qu'elle se refusât à l'admettre, Marianne ferma les yeux et laissa la tisane faire son bienfaisant effet. Quelques instants plus tard, elle dormait profondément.

Assise dans son fauteuil, dona Lavinia n'avait pas bougé. Elle avait tiré de sa poche un chapelet d'ivoire et en égrenait doucement les prières. Soudain, dans la nuit, le galop d'un cheval se fit entendre, léger d'abord, puis de plus en plus fort. Sans bruit, la femme de charge se leva, alla jusqu'à la fenêtre et en écarta légèrement l'un des rideaux. Loin, dans l'obscurité confuse, une forme blanche apparut, traversa les pelouses et disparut aussi vite : celle d'un cheval emportant un sombre cavalier au grand galop.

Alors, avec un soupir, dona Lavinia laissa retomber le rideau et revint prendre sa place au chevet de Marianne. Elle n'avait pas envie de dormir. Cette nuit, plus que jamais, elle sentait qu'il lui fallait prier à la fois pour celle qui dormait là et pour celui qu'elle aimait comme son propre enfant, afin qu'à défaut d'un impossible bonheur le ciel au moins leur accordât le doux engourdissement de la paix.

CHAPITRE XI

LA NUIT ENSORCELÉE

Le soleil éclatant qui inondait sa chambre quand elle ouvrit les yeux et le bon repos dû à sa longue nuit rendirent à Marianne toute sa vitalité. L'orage de la nuit avait tout lavé de frais dans le parc et les quelques dégâts, branches cassées ou feuilles arrachées par la violence du vent, avaient déjà été effacés par les jardiniers de la *villa*. Herbe et ramures rivalisaient de verdure et, par les fenêtres ouvertes, toutes les odeurs de la campagne rafraîchie entraient par bouffées parfumées où se mêlaient le foin, le chèvrefeuille, le cyprès et le romarin.

Comme en s'endormant, elle avait trouvé dona Lavinia debout auprès de son lit, souriante et occupée à disposer dans de grands vases une énorme brassée de roses.

— Monseigneur a voulu que le premier regard de Madame la Princesse se pose sur les plus belles des fleurs. Et, ajouta-t-elle, il y a aussi ceci.

Ceci, c'était un coffre d'assez belles dimensions qui reposait, tout ouvert, sur le tapis. Il était plein de boîtes de santal et d'écrins de cuir noir, frappés aux armes des Sant'Anna, mais portant les traces d'usure que n'évitent jamais les choses anciennes.

— Qu'est-ce que c'est ? demanda Marianne.

— Les joyaux des princesses Sant'Anna, Madame...

ceux de dona Adriana, mère de notre prince... ceux... des autres princesses ! Certains sont fort anciens.

Il y avait de tout, en effet, depuis d'antiques et très beaux camées jusqu'à d'étranges bijoux orientaux, mais la plus grande partie était composée de lourds et admirables joyaux de la Renaissance où d'énormes perles baroques servaient de corps à des sirènes ou à des centaures au milieu d'une profusion de pierres de toutes couleurs. Il y avait aussi des bijoux plus récents, guirlandes de diamants pour encadrer un décolleté, girandoles étincelantes, carcans et colliers d'or et de pierreries. Il y avait aussi certaines pierres non montées et, quand Marianne eut tout examiné, dona Lavinia lui tendit une petite boîte d'argent où, sur un lit de velours noir, reposaient douze émeraudes extraordinaires. Énormes et taillées de façon rudimentaire, elles étaient d'un vert à la fois profond et translucide, d'une intense luminosité, les plus belles certainement que Marianne eût jamais vues. Même celles que lui avait offertes Napoléon n'approchaient pas leur beauté. Et soudain les paroles de l'Empereur se retrouvèrent dans la bouche de la femme de charge.

— Monseigneur a dit qu'elles étaient du même vert que les yeux de Madame. Son grand-père, le prince Sebastiano, les avait rapportées du Pérou pour sa femme. Mais elle n'aimait pas ces pierres.

— Pourquoi ? fit Marianne qui, d'un geste bien féminin, faisait jouer la lumière dans les gemmes parfaites. Elles sont cependant bien belles !

— Les Anciens pensaient qu'elles étaient à la fois le symbole de la paix et de l'amour. Dona Lucinda aimait l'amour... mais haïssait la paix.

C'est ainsi que, pour la première fois, Marianne entendit prononcer le nom de la femme qui aimait sa propre image au point d'avoir couvert de miroirs les murs de son appartement. Mais elle n'eut pas le loisir d'en demander davantage. Avec une révérence, dona Lavinia l'informa que son bain était prêt, que le cardinal l'attendait pour déjeuner et la laissa aux mains d'Agathe, sans que la nouvelle princesse osât lui demander de rester et de répondre à ses questions. Il y avait eu, en effet, sur le visage de la vieille dame une crispation passagère, un assombrissement du regard comme si elle regrettait d'avoir prononcé ce nom et elle avait mis à se retirer une hâte certaine. De toute évidence, elle voulait éviter les questions qu'elle sentait venir.

Mais, quand Marianne retrouva son parrain dans la bibliothèque où il avait fait servir leur déjeuner, elle se hâta de poser la question qui avait mis en fuite dona Lavinia, après avoir raconté comment les bijoux ancestraux lui avaient été remis.

— Qui était au juste la grand-mère du prince ? J'ai cru comprendre qu'elle s'appelait Lucinda, mais il semblerait que l'on n'y pût faire allusion qu'avec une foule de réticences. Savez-vous pourquoi ?

Le cardinal arrosa ses pâtes d'une épaisse couche d'une odorante sauce à la tomate, y ajouta du fromage et mêla soigneusement le tout sans répondre. Puis, il goûta le mélange ainsi obtenu et, finalement, déclara :

— Non. Je ne sais pas.

— Allons donc ! C'est impossible ! Je suis certaine que vous connaissez les Sant'Anna depuis toujours. Sinon comment auriez-vous pu être admis à partager le secret dont s'entoure le prince Corrado ? Vous ne pouvez pas ne rien savoir sur cette Lucinda. Dites plutôt que vous ne voulez rien me dire...

— Tu as tellement envie de savoir que dans un instant tu vas me traiter de menteur, fit le cardinal en riant. Eh bien, ma chère enfant, apprends qu'un prince de l'église ne ment pas... tout au moins pas plus qu'un curé de campagne. Mais, en toute sincérité, je ne sais pas grand-chose, sinon qu'elle était vénitienne, de la très noble famille Soranzo et d'une extrême beauté.

— D'où les miroirs ! Cependant, le fait d'être très belle et de s'admirer un peu trop ne justifie pas les réticences que cette femme semble inspirer ici. Il paraît même que son portrait a disparu.

— Je dois dire que, d'après ce que j'ai pu en apprendre, dona Lucinda n'avait pas... euh... très bonne réputation. Certains parmi les gens, très rares maintenant, qui l'ont connue, prétendent qu'elle était folle, d'autres qu'elle était un peu sorcière et, en tout cas, en très bons termes avec les démons. On n'aime pas beaucoup cela par ici... ni ailleurs !

Marianne avait l'impression que le cardinal restait volontairement évasif. Malgré tout le respect et la confiance qu'elle avait envers lui, elle ne pouvait se défendre d'un sentiment bizarre : celui qu'il ne lui disait pas la vérité... ou, tout au moins, pas toute la vérité. Décidée cependant à le pousser dans ses retranchements autant qu'il serait possible, elle demanda, d'un air innocent, tout en faisant toute une affaire de choisir des cerises dans une corbeille de fruits.

— Et... où se trouve son tombeau ? Dans la chapelle ?

Le cardinal se mit à tousser, comme quelqu'un qui vient d'avaler trop vite, mais cette toux parut à Marianne un peu forcée et elle se demanda si elle n'était pas destinée à masquer la subite rougeur qui était montée aux joues de son parrain. Néanmoins, elle lui offrit un verre d'eau avec un beau sourire :

— Buvez ! Cela passera !

— Merci ! Le tombeau... hum... non, il n'y en a pas !

— Pas de tombeau ?

— Non. Lucinda est morte tragiquement dans un incendie. Et l'on n'a rien retrouvé de son corps. Il doit y avoir, quelque part dans la chapelle, une inscription qui... euh... mentionne ce fait. Veux-tu que nous allions maintenant visiter un peu ton nouveau domaine ? Il fait un temps idéal et le parc est si beau ! Puis, il y a les écuries qui, certainement, vont t'émerveiller. Tu aimais tellement les chevaux quand tu étais enfant ! Sais-tu que les bêtes d'ici ont la même souche que les fameux chevaux du Manège Impérial de Vienne ? Ce sont des Lipizzans. L'archiduc Charles qui, en 1580, a fondé à Lipizza, dans le Karst, les célèbres haras, en partant de produits espagnols, avait offert aux Sant'Anna de l'époque un étalon et deux juments. Depuis, les princes de cette maison se sont attachés à perfectionner la race...

Le cardinal était lancé. Il était tout à fait inutile d'essayer de l'arrêter, plus encore de le ramener à un sujet que, tout comme dona Lavinia, il préférait visiblement fuir. Ce flot de paroles était destiné, en empêchant Marianne de placer un mot, à changer insensiblement le cours de ses pensées. Et, de fait, en pénétrant avec lui dans l'immense cour des écuries, la jeune femme oublia un moment la mystérieuse Lucinda pour s'abandonner au goût ardent qu'elle avait toujours eu pour le cheval. Elle découvrit d'ailleurs que Gracchus-Hannibal Pioche, son cocher, l'y avait précédée et qu'il semblait heureux comme un poisson dans l'eau. Bien que ne parlant pas du tout italien, le jeune homme était parfaitement parvenu à se faire comprendre grâce à son expressive mimique de gamin parisien. Il était déjà l'ami de tous les palefreniers et garçons d'écurie qui avaient reconnu en lui un frère dans la religion du cheval.

— Jamais vu de plus belles bêtes ! C'est le paradis, ici, Mademoiselle Marianne ! lança-t-il à la jeune femme dès qu'il l'aperçut.

— Si tu veux y être admis longtemps, mon garçon, corrigea le cardinal mi-grondeur mi-amusé, il faudra t'habituer à dire Madame la Princesse ou Votre Seigneurie... à moins que tu ne préfères Son Altesse Sérénissime ?

— Séré... il faudra avoir de la patience avec moi, Mad..., je veux dire Madame la Princesse, s'excusa Gracchus devenu tout rouge. J'ai bien peur d'avoir du mal à m'y habituer et de me tromper encore.

— Dis simplement Madame, mon bon Gracchus, et tout ira bien. Maintenant, montrez-moi les bêtes.

Elles étaient, en vérité, magnifiques, pleines de feu et de sang, avec des encolures puissantes, des jambes à la fois fortes et fines, des robes presque toutes d'un blanc pur. Les quelques autres étaient noires comme l'Érèbe, mais tout aussi belles. Marianne n'avait pas besoin de forcer son admiration. Elle avait d'ailleurs un coup d'œil d'une justesse absolue pour jauger les qualités de tel ou tel cheval et, en une heure, elle eut convaincu tout le personnel des écuries que la nouvelle princesse était bien digne de la famille. Sa beauté fit le reste et, quand elle regagna la *villa*, assez tard dans la soirée, Marianne laissait derrière tout un petit monde définitivement conquis à la grande satisfaction du cardinal.

— Te rends-tu compte de ce que tu vas désormais représenter pour eux ? Une maîtresse vivante, visible et sachant les comprendre... Tu leur apportes un soulagement réel.

— J'en suis heureuse, mais il faudra bien qu'ils continuent à vivre sans moi la plupart du temps. Vous savez bien que je dois rentrer à Paris... ne fût-ce que pour régler avec l'Empereur ma nouvelle situation. Vous ignorez encore ce que sont ses colères.

— Je peux l'imaginer... mais, après tout, rien ne t'y force ! Si tu restais ici...

— Il serait très capable de me faire chercher par sa gendarmerie... tout comme il vous a fait reconduire à Reims... du moins par personne interposée ! Merci beaucoup ! J'ai toujours préféré le combat à la fuite et, en cette circonstance, j'entends m'expliquer moi-même.

— Dis-moi plutôt que, pour rien au monde, tu ne voudrais perdre cette occasion de le revoir ! soupira tristement le cardinal. Tu l'aimes toujours...

— Ai-je jamais prétendu autre chose ? riposta Marianne avec hauteur. Je ne crois pas vous avoir jamais trompé sur ce point. Oui, je l'aime toujours ! Je le regrette peut-être autant que vous-même, quoique pour d'autres raisons, mais je l'aime et n'y peux rien.

— Je le sais bien ! Il est inutile de nous disputer encore ! A certains moments, tu me rappelles beaucoup ta tante Ellis : aussi peu de patience et autant d'ardeur à la bataille ! Autant de générosité aussi ! N'importe ! Je sais que tu reviendras et c'est là le principal.

Le soleil se couchait derrière les frondaisons du parc et Marianne suivit sa chute avec une sourde angoisse. Avec le crépuscule, le domaine s'enveloppait d'une sorte de mélancolie indéfinissable comme si la vie, en même temps que la lumière, l'abandonnait. C'était ce que les gens du pays, habitués, appelaient « una morbidezza » et qui venait peut-être de l'excès de beauté des paysages et des ciels changeants.

Pour rentrer à la maison, Marianne, soudain frissonnante, serra autour de ses épaules l'écharpe de mousseline assortie à sa très simple robe blanche et, tout en marchant lentement aux côtés du prélat, elle regarda grandir la masse blanche de la maison que l'on abordait, de ce côté, par l'aile droite, celle qu'habitait le prince Corrado.

Les hautes fenêtres en étaient obscures, peut-être parce que les rideaux avaient déjà été tirés, mais aucun rais de lumière ne filtrait.

— Ne croyez-vous pas, dit-elle soudain, que je devrais remercier le prince des joyaux qu'il m'a fait remettre ce matin ? Il me semble que ce serait simplement poli.

— Non. Ce serait une erreur. Dans l'esprit de Corrado, ils te sont dus. Tu en es dépositaire... un peu comme le roi de France était dépositaire des Joyaux de la Couronne. On ne remercie pas pour un dépôt.

— Pourtant, les émeraudes...

— Sont sans doute un cadeau personnel... à la princesse Sant'Anna ! Tu les feras monter, tu les porteras... et tu les transmettras à tes descendants. Non, il est inutile de vouloir encore l'approcher. Je suis certain qu'il ne le souhaite pas. Si tu veux lui faire plaisir, porte les bijoux qu'il t'a donnés. Ce sera la meilleure façon de montrer qu'ils t'ont procuré une joie.

Ce soir-là, pour dîner en face du cardinal dans l'immense salle à manger, elle épingla au creux profond de son décolleté et à l'étroite ceinture qui passait sous la poitrine une large agrafe ancienne faite d'or, de rubis et de perles qui s'assortissait de longues et lourdes boucles d'oreilles. Mais, elle eut beau, durant tout le repas, jeter de discrets coups d'œil au plafond, elle n'y vit bouger aucun motif ni apparaître aucun regard... et fut étonnée d'en éprouver une vague déception. Elle se savait belle, ce soir, et cette beauté, elle souhaitait en faire l'hommage silencieux à l'époux invisible pour lui dire merci. Mais rien ne vint. Elle ne vit même pas apparaître Matteo Damiani qu'elle n'avait pas vu davantage dans la journée et, tout naturellement, elle interrogea dona Lavinia, une fois rentrée dans sa chambre.

— Est-ce que... le prince serait parti ?

— Mais... non, Votre Seigneurie. Pourquoi ?

— Rien, durant cette journée, n'a marqué sa présence et je n'ai même pas vu son secrétaire, ni le père Amundi.

— Matteo est allé voir des fermiers assez loin et le chapelain était avec son Altesse. Il ne sort guère de chez lui que pour la chapelle ou la bibliothèque. Dois-je dire à Matteo que vous souhaitez le voir ?

— Certainement pas ! fit Marianne juste un petit peu trop vite. Je posais seulement une question.

Étendue dans son lit, elle eut du mal, ce soir-là, à trouver le sommeil et plusieurs heures coulèrent avant qu'elle eût fermé les yeux. Vers minuit, comme elle commençait à s'assoupir enfin, elle entendit le galop d'un cheval traverser le parc et, un instant, elle écouta. Mais, songeant que c'était sans doute Matteo Damiani qui rentrait, elle ne s'en inquiéta pas davantage et, refermant les yeux, sombra dans le sommeil.

Les jours qui suivirent furent paisibles et à peu près semblables au premier. En compagnie du cardinal, Marianne visita le domaine, fit quelques promenades aux environs dans l'une des nombreuses voitures que renfermaient les remises. Elle visita les bains de Lucques, d'étranges vestiges antiques et aussi, à Marlia, les jardins de la fastueuse *villa* d'été de la grande-duchesse Élisa. Le cardinal, en petit costume noir sans aucun ornement, n'attirait guère l'attention mais, partout, la beauté de la jeune femme soulevait l'admiration et plus encore la curiosité car la nouvelle du mariage s'était répandue. Sur les petits chemins comme dans les villages, les gens du pays s'arrêtaient sur son passage et saluaient profondément avec, dans leurs regards, une admiration qui se teintait de pitié et faisait sourire Gauthier de Chazay.

— Sais-tu qu'ils ne sont pas loin de te considérer comme une sainte ?

— Une sainte ? Moi ? Quelle idée !

— L'opinion généralement répandue dans la région est que Corrado Sant'Anna est un très grand malade. Alors on admire que toi, si jeune, si belle, tu te dévoues à ce malheureux. Quand la naissance de l'enfant sera annoncée, tu ne seras pas loin de la palme du martyre.

— Comment pouvez-vous plaisanter ainsi ! reprocha Marianne choquée par le ton légèrement cynique du prélat.

— Ma chère enfant, si l'on veut supporter la vie sans trop souffrir des autres, le mieux est de chercher en toutes choses le côté humoristique. Au surplus, il fallait bien t'expliquer pourquoi ils te regardent ainsi. Voilà qui est fait !

Mais, le plus clair de son temps, Marianne le passait au haras, malgré les remontrances du cardinal. Selon lui, non seulement la place d'une grande dame se trouvait ailleurs qu'aux écuries, mais encore il s'inquiétait, vu l'état de la jeune femme, de la voir passer à cheval de longues heures, montant tour à tour tel ou tel animal afin d'en connaître à fond les qualités et les défauts. Marianne riait de toutes ses craintes. Son état ne la gênait en rien. Aucun malaise ne venait la troubler si peu que ce soit et elle se portait à merveille, cette vie au grand air lui convenait tout à fait. Elle avait conquis Rinaldo, le chef des écuries, et il la suivait partout, comme un gros chien quand, la traîne de son amazone retroussée sur son bras – elle n'avait pas osé, pour éviter de choquer, revêtir le costume masculin qu'elle préférait de beaucoup pour monter à cheval –, elle exécutait de longues marches à travers les champs où l'on menait les bêtes.

Au retour de ces tournées épuisantes, elle dévorait son souper puis tombait sur son lit et dormait d'un sommeil d'enfant jusqu'au retour du soleil. Même l'étrange tristesse dont la *villa* s'enveloppait chaque soir, à la nuit tombante, n'avait plus de prise sur elle. Le prince ne s'était plus manifesté, sinon pour lui faire dire qu'il était heureux de l'intérêt qu'elle prenait pour ses chevaux et Matteo Damiani semblait se tenir à distance. Il était souvent sur les terres et on ne le voyait guère. Quand, par hasard, il rencontrait Marianne, il saluait profondément, s'inquiétait de sa santé et disparaissait sans insister.

La semaine coula ainsi, rapide et sans heurt, si agréable même que la jeune femme ne la vit pas passer mais s'aperçut en fin de compte qu'elle n'avait pas tellement envie de rentrer à Paris. L'écrasante fatigue du voyage, l'insupportable tension de ses nerfs, ses angoisses et ses appréhensions, tout cela s'en était allé au contact de la nature.

« Au fond, pourquoi ne pas rester ici encore quelque temps ? songeait-elle. Je n'ai rien à faire à Paris où l'Empereur ne rentrera pas de sitôt sans doute. »

Même le voyage de noces de Napoléon avait cessé de l'irriter. Elle était en paix avec elle-même et goûtait si pleinement le calme de sa nouvelle résidence qu'elle envisagea un instant d'y passer tout l'été et d'écrire à Jolival de venir l'y rejoindre.

Mais la fin de cette semaine ramena l'abbé Bichette, enfin revenu de sa mystérieuse mission, et les choses changèrent. Le cardinal, qui s'était montré le plus affectueux et le plus gai des compagnons, s'enferma de longues heures avec son secrétaire. Il en sortit soucieux et le front barré de plis profonds. Ce fut pour annoncer à Marianne qu'il était obligé de s'absenter et allait la quitter.

— Est-ce vraiment indispensable ? fit-elle un peu déçue. Moi qui pensais que nous pourrions prolonger un peu ce séjour ? C'était si agréable d'être ensemble ! Mais, puisque vous partez, je vais faire préparer mes bagages.

— Pourquoi donc ? Je ne m'absente que quelques jours. Ne peux-tu m'attendre ici ? Je suis comme toi, j'ai pris plaisir à vivre ainsi, côte à côte, Marianne. Pourquoi ne pas prolonger un peu ? A mon retour, je pourrai certainement te consacrer une autre semaine.

— Que vais-je faire ici, sans vous ?

Le cardinal se mit à rire.

— Mais... ce que tu faisais avec moi. Nous n'étions pas toujours ensemble. Et puis, je ne serai pas toujours là lorsque tu reviendras, chaque année, avec l'enfant. Ne crois-tu pas qu'il serait bon de t'habituer à... régner seule ? Il m'avait semblé que tu te plaisais ici.

— C'est vrai, mais...

— Alors ? Tu peux bien m'attendre quelques jours ? Cinq ou six, tout au plus... Est-ce vraiment trop ?

— Non, sourit Marianne. Je vous attendrai. Mais, quand vous partirez de nouveau, moi aussi je m'en irai.

L'accord étant ainsi conclu, le cardinal quitta la *villa* dans l'après-midi, flanqué de l'abbé Bichette toujours affairé, toujours accablé sous la charge d'une foule de secrets, réels ou imaginaires, qui lui donnaient une assez réjouissante mine de perpétuel conspirateur. Mais, à peine la voiture eut-elle franchi la grille du domaine, que Marianne regretta d'avoir accepté d'attendre. L'impression pénible ressentie le premier jour revenait, comme si, seule, la présence du cardinal l'avait écartée.

En se retournant, elle vit qu'Agathe se tenait derrière elle et les yeux de la jeune fille étaient pleins de larmes. Comme elle s'en étonnait, Agathe joignit les mains.

— Est-ce que nous n'allons pas, nous aussi, nous en aller ?

— Pourquoi donc ? Est-ce que vous n'êtes pas bien ici ? Il m'a semblé que dona Lavinia s'occupait de vous avec beaucoup de gentillesse ?

— C'est vrai. Elle est la bonté même. Aussi n'est-ce pas d'elle que j'ai peur.

— De qui alors ?

Agathe eut un geste évasif qui voulait englober la maison tout entière.

— De tout... de cette maison où il fait si triste quand vient le soir, du silence quand les jets d'eau s'arrêtent, des ombres d'où l'on a toujours l'impression que quelque danger va sortir, de Monseigneur que l'on ne voit jamais... et aussi de l'intendant !

Marianne fronça les sourcils, contrariée de retrouver chez sa femme de chambre la même impression pénible qu'elle avait ressentie elle-même, mais elle s'efforça de répondre d'un ton léger pour ne pas aggraver l'inquiétude d'Agathe.

— Matteo ? Que vous a-t-il fait ?

— Rien... mais j'ai l'impression qu'il rôde autour de moi. Il a une façon de me regarder quand nous nous rencontrons, de frôler ma robe quand il passe près de moi !... Il me fait peur, Madame ! Je voudrais m'en aller.

Les faits étaient minimes, mais Agathe était toute

pâle et Marianne, se souvenant de ses propres sensations, voulut dissiper ce malaise. Elle se mit à rire.

— Voyons, Agathe, il n'y a là rien de bien effrayant. Ce n'est pas, j'imagine, la première fois qu'un homme vous fait comprendre que vous lui plaisez ? A Paris, il me semblait que les hommages ne vous manquaient pas... ne fût-ce que ceux du majordome de l'hôtel de Beauharnais... ou ceux de notre Gracchus, et vous ne paraissiez pas vous en plaindre ?

— A Paris, c'était différent, fit Agathe butée en baissant les yeux. Ici... tout est étrange, pas comme partout ! Et cet homme me fait peur ! insista-t-elle

— Eh bien, dites-le à Gracchus, il vous protégera et saura bien vous rassurer. Voulez-vous que j'en parle à dona Lavinia ?

— Non... elle me prendrait pour une sotte !

— Et elle aurait raison ! Une jolie fille doit être capable de se défendre. De toute façon, rassurez-vous, nous ne resterons plus très longtemps. Son Éminence reviendra dans quelques jours, cette fois pour un séjour assez bref, et nous repartirons en même temps qu'elle.

Mais l'inquiétude d'Agathe s'était glissée en elle, augmentant celle qui l'avait déjà envahie. Elle n'aimait pas l'idée de Matteo Damiani tournant autour d'Agathe car cela ne pouvait présenter aucun intérêt pour la jeune fille. Même si sa situation privilégiée auprès du prince pouvait en faire un parti enviable pour une petite camériste, même si, physiquement, l'homme était acceptable et ne paraissait pas son âge réel, il n'en avait pas moins largement dépassé la cinquantaine, alors qu'Agathe n'avait pas vingt ans. Elle décida d'y mettre le holà aussi discrètement mais aussi fermement que possible.

Le soir venu, incapable d'aller s'installer seule dans l'immense salle à manger, elle se fit servir chez elle et pria dona Lavinia de lui tenir compagnie et de l'aider à se coucher, tandis qu'Agathe irait, sous la protection de Gracchus, faire un tour dans le parc sous prétexte qu'elle ne lui trouvait pas bonne mine. Mais à peine Marianne eut-elle abordé le sujet qui la préoccupait que la femme de charge parut se replier sur elle-même comme une sensitive que l'on a effleurée.

— Que Votre Seigneurie me pardonne, dit-elle avec une gêne visible, mais je ne peux me charger de faire la moindre remontrance à Matteo Damiani.

— Pourquoi donc ? N'est-ce pas vous qui, jusqu'à présent, avez tout dirigé dans cette maison, les serviteurs comme la vie de chaque jour ?

— En effet... mais Matteo jouit ici d'une situation privilégiée qui m'interdit toute ingérence dans sa vie. Outre qu'il ne tolère pas facilement les reproches, il est l'homme de confiance de Son Altesse dont il a, comme moi-même, servi les parents. Si j'osais seulement une réflexion, j'obtiendrais un rire dédaigneux et un renvoi brutal à mes propres affaires.

— Vraiment ? fit Marianne avec un petit rire. Je pense n'avoir rien à craindre de semblable... quels que soient les privilèges de cet homme !

— Oh ! Madame la Princesse !...

— Alors, allez me le chercher ! Nous verrons bien qui de nous deux aura raison ! Agathe est à mon service personnel, elle est venue de France avec moi et j'entends que l'on ne lui fasse pas mener ici une vie impossible. Allez, dona Lavinia, et ramenez-moi Monsieur l'Intendant sur l'heure.

La femme de charge plongea dans sa révérence, disparut puis revint quelques instants plus tard, mais seule. A l'en croire, Matteo était introuvable. Il n'était pas auprès du prince ni dans aucun autre lieu de la maison. Peut-être s'était-il attardé à Lucques où il se rendait fréquemment, ou bien dans quelque ferme...

Elle parlait très vite, ajoutant les mots les uns aux autres, en femme qui cherche à convaincre, mais plus elle accumulait les bonnes raisons à l'absence de l'intendant et moins Marianne la croyait. Quelque chose lui disait que Matteo n'était pas loin mais ne voulait pas venir...

— C'est bon, fit-elle enfin. Laissons cela pour ce soir, puisqu'il est invisible, mais nous verrons la chose demain matin. Faites-lui savoir que je l'attends ici à la première heure... sinon, je prierai le prince... mon époux, de m'entendre !

Dona Lavinia ne répondit pas, mais son malaise semblait augmenter. Tandis que, remplaçant Agathe, elle défaisait les épaisses tresses noires de sa maîtresse et les brossait pour la nuit, Marianne sentit trembler ses mains toujours si sûres d'habitude. Elle n'en éprouva aucune pitié. Au contraire, pour essayer de percer un peu le mystère que représentait cet intendant intouchable, elle s'efforça, presque cruellement, de pousser dona Lavinia dans ses retranchements, posant question sur question au sujet de la famille de Damiani, de sa situation auprès des parents du prince, au sujet aussi de ces mêmes parents. Dona Lavinia feintait, se dérobait, répondait si évasivement que Marianne n'apprit rien de plus et que, finalement, exaspérée, elle pria la femme de charge de la laisser se coucher seule. Visiblement soulagée, elle ne se le fit pas dire deux fois et quitta la chambre avec la hâte de quelqu'un qui n'en peut plus.

Demeurée seule, Marianne fit, avec agitation, deux ou trois tours dans sa chambre, puis, arrachant sa robe de chambre, souffla les bougies et alla se jeter sur son lit. Une chaleur de mois d'août s'était abattue, depuis le matin, sur le pays et le soir n'y avait apporté que très peu d'allègement. Étouffante et lourde elle avait durant le jour envahi les grandes pièces de la *villa*, malgré la fraîcheur sans cesse renouvelée des cascades, et collait à la peau. Sous les rideaux dorés de son baldaquin, Marianne se sentit bientôt trempée de sueur.

Vivement, elle sauta à bas de son lit, alla tirer les rideaux, ouvrit les fenêtres en grand, espérant un peu d'apaisement à cette fièvre qui la brûlait. La clarté du jardin baigné de lune apparut, magique, irréelle, habitée seulement par la chanson ruisselante des fontaines. L'ombre des grands arbres s'étendait, très noire sur l'herbe sans couleur. La campagne, au-delà des jardins, était silencieuse et toute la nature semblait pétrifiée. Le monde, cette nuit, avait l'air mort.

Oppressée, la gorge sèche, Marianne voulut aller vers son lit pour boire un peu d'eau à la carafe posée sur son chevet, mais s'arrêta, le mouvement à peine ébauché, et revint à la fenêtre. Dans le lointain, le galop d'un cheval se faisait entendre, doux roulement qui se rapprochait peu à peu, s'amplifiait, devenait plus précis et plus fort. D'un bosquet jaillit un éclair blanc. L'œil perçant de Marianne reconnut aussitôt Ilderim [1], le plus bel étalon du haras, le plus difficile aussi, un pur-sang blanc comme neige, d'une incroyable beauté mais si capricieux que, malgré toute sa science équestre, elle n'avait pas encore osé le monter. L'enfant qui habitait son corps lui interdisait tout de même ce genre de folie. Elle distingua aussi la forme noire d'un cavalier mais sans parvenir à le reconnaître. Il semblait grand et vigoureux. Pourtant, à cette distance, il était impossible de rien préciser. Une chose était certaine : ce n'était pas Matteo Damiani et pas davantage Rinaldo, ni aucun des palefreniers. En l'espace d'un instant cheval et cavalier avaient franchi la pelouse et s'étaient engouffrés sous le couvert des arbres où le martèlement cadencé des sabots décrut pour disparaître complètement. Mais Marianne avait eu le temps d'admirer l'irréprochable assiette du cavalier qui, fantôme noir sur tant de blancheur, semblait ne faire qu'un avec sa monture. L'arrogant Ilderim reconnaissait en lui son maître.

Et soudain, une pensée traversa l'esprit de Marianne, s'y installa et le tourmenta si bien qu'incapable d'attendre le matin pour la vérifier, elle alla jusqu'à la sonnette disposée à la tête de son lit et l'agita aussi

1. L'éclair.

énergiquement que s'il s'était agi de sonner le tocsin. En quelques instants dona Lavinia, en camisole et bonnet à bride, fut dans la chambre, visiblement affolée et craignant sans doute le pire. Trouvant Marianne debout et apparemment très calme, elle poussa un soupir de soulagement.

— Dieu que j'ai eu peur ! J'ai cru que Madame la Princesse était malade et que...

— Ne vous troublez pas, dona Lavinia, je vais très bien. Croyez que je suis désolée de vous avoir réveillée, mais je souhaite que vous répondiez à une question... que vous y répondiez sur l'heure... et clairement si possible !

La chandelle que tenait Lavinia vacilla si fort qu'elle dut la poser sur un meuble.

— Quelle question, Madame ?

Du geste, Marianne désigna la fenêtre largement ouverte auprès de laquelle elle se tenait puis enveloppa de son regard impérieux le visage de la femme de charge qui, sous cet éclairage lunaire, semblait fait de plâtre.

— Vous savez très bien quelle question, dona Lavinia, sinon vous ne seriez pas si pâle ! Qui est l'homme que je viens de voir traverser, à cheval et à un train d'enfer, le tapis vert ? Il montait Ilderim sur le dos duquel je n'ai encore jamais vu personne. Allons, répondez ! Qui est-il ?

— Madame... je...

La pauvre femme semblait ne se soutenir qu'avec peine et avait cherché appui au dossier d'un fauteuil, mais Marianne alla vers elle, posa la main sur son épaule et, impitoyable, répéta, détachant les syllabes :

— Qui est-il ?

— Le... le prince Corrado !

La poitrine oppressée de Marianne se dégonfla en un long soupir de soulagement. Elle n'était pas surprise. Depuis qu'elle avait aperçu la vague forme du cavalier, elle s'était attendue à cette réponse, bien qu'elle fît lever en elle toute une suite de points d'interrogation. Mais dona Lavinia, vidée de ses forces et au mépris de tout protocole, venait de se laisser tomber sur le fauteuil et s'était mise à pleurer, la tête dans ses mains. En un instant, Marianne prise de remords devant cette douleur, fut à genoux près d'elle, cherchant à l'apaiser.

— Calmez-vous, dona Lavinia ! Je ne voulais pas vous faire de peine en vous interrogeant ainsi. Mais comprenez à quel point peut être pénible ce mystère qui m'entoure depuis que je suis ici !

— Je sais... je comprends bien..., balbutia Lavinia. Bien sûr... je savais qu'une nuit ou l'autre vous le verriez et que vous poseriez cette question, mais j'espérais... Dieu sait quoi ?

— Que je ne resterais pas assez longtemps pour l'apercevoir, peut-être ?

— Peut-être... mais c'était puéril car, tôt ou tard... Voyez-vous, Madame, il sort ainsi presque toutes les nuits. Il galope durant des heures avec Ilderim que lui seul peut monter. C'est sa plus grande joie... la seule qu'il s'accorde !

Un sanglot passa dans la voix de la femme de charge. Marianne, doucement, emprisonna ses deux mains dans les siennes et murmura :

— N'exagère-t-il pas la rigueur envers lui-même, dona Lavinia ? Cet homme n'est ni un malade, ni un infirme, sinon il ne pourrait pas monter Ilderim... La silhouette que j'ai aperçue ne semblait aucunement contrefaite. Il m'a semblé qu'il était grand et, apparemment vigoureux. Alors, pourquoi se cacher ainsi, pourquoi se condamner à cette claustration inhumaine, pourquoi s'enterrer vivant ?

— Parce qu'il est impossible qu'il en soit autrement... Impossible ! Croyez-moi, princesse, ce n'est pas par goût morbide du mystère ni par besoin de se singulariser que mon pauvre enfant s'est ainsi retranché du monde. C'est parce qu'il ne pouvait pas l'éviter.

— Mais enfin, la forme que j'ai aperçue vaguement

n'avait rien de repoussant. Elle semblait... normale, oui, normale.

— Peut-être est-ce... le visage qui ne l'est pas !

— Ce ne serait qu'un prétexte. J'ai vu, déjà, des hommes affreux, défigurés par une blessure et dont la vue était difficilement soutenable, mais qui n'en vivaient pas moins au grand jour. J'ai vu aussi des hommes porter des espèces de masques, ajouta-t-elle se souvenant de Morvan et de ses balafres.

— Et Corrado en porte un quand il sort ainsi. La nuit et l'ombre d'un manteau, d'un chapeau ne lui semblent pas suffisants pour le cacher. Mais, au grand jour, le masque lui-même serait insuffisant. Croyez-moi, je vous en conjure, Madame, ne cherchez pas à savoir, ni à l'approcher. Il... il pourrait en mourir de honte !

— De honte ?

Péniblement, dona Lavinia se leva et attira Marianne à elle pour qu'elle en fit autant. Elle avait cessé de pleurer et un grand calme s'était répandu sur son visage. En quelque sorte, elle semblait soulagée maintenant d'avoir parlé. Regardant Marianne bien droit dans les yeux, elle ajouta gravement :

— Voyez-vous, Corrado porte le poids d'une malédiction qui s'est jadis abattue sur cette maison autrefois forte et puissante, une malédiction qui avait un visage d'ange. Et seul l'enfant que vous allez lui donner pourra exorciser, sinon Corrado lui-même car au mal dont il souffre il n'est pas de remède, mais au moins le nom de Sant'Anna qui, à nouveau, brillera parmi les hommes. Bonne nuit, Votre Seigneurie. Essayez d'oublier ce que vous avez vu.

Cette fois, Marianne, vaincue, n'insista pas. Elle laissa dona Lavinia se retirer sans un mot. Elle se sentait lasse jusqu'à l'âme, comme si elle avait fourni un long et douloureux effort et le découragement s'était emparé d'elle. L'énigme que représentait Corrado l'emplissait tout entière, la hantait, insoluble et lancinante. Sa curiosité, exacerbée, ce besoin qu'elle avait toujours eu de ne voir autour d'elle que des choses claires et évidentes, la poussaient aux pires folies, par exemple aller se cacher sur le passage du cavalier fantôme ; se jeter devant les sabots d'Ilderim pour l'obliger à s'arrêter, mais quelque chose d'inexplicable la retenait. Peut-être ces mots que dona Lavinia avait prononcés : « Il pourrait en mourir de honte... », des mots aussi lourds de tristesse que la voix venue du fond d'un miroir.

Pour essayer à la fois de retrouver un peu de calme et de fraîcheur, elle alla baigner son visage et ses mains dans le cabinet de toilette, aspergea tout son corps d'eau de Cologne et revint s'étendre, mais sans pouvoir davantage trouver le sommeil. La chaleur accablante et les idées qui menaient dans sa tête une sarabande échevelée le chassaient inexorablement. Son oreille demeurait tendue vers les bruits incertains de la nuit, guettant le roulement lointain d'un cheval au galop. Mais les heures s'écoulèrent sans que rien ne se fît entendre et Marianne, épuisée, finit par sombrer dans une sorte de torpeur qui n'était plus la veille, mais n'était pas non plus un véritable sommeil. Des images étranges passaient dans son esprit, comme dans un rêve, et pourtant elle n'avait pas l'impression de dormir. C'étaient des formes vagues et nuageuses ou encore les personnages du plafond qui lui semblaient être soudain descendus pour l'entourer d'une ronde grimaçante et moqueuse, c'étaient des fleurs bizarres qui se penchaient sur elle et devenaient visages, c'était le mur de sa chambre qui s'entrouvrait soudain pour laisser passer une tête et cette tête était celle de Matteo Damiani...

Avec un cri, Marianne s'éveilla brusquement. Cette dernière impression avait été si forte qu'elle avait déchiré les brumes du sommeil pour la rejeter dans la réalité, trempée de sueur et la gorge serrée. Elle s'assit sur son lit, rejeta une longue mèche humide qui tombait sur son visage et regarda autour d'elle. Le jour commençait à poindre et baignait sa chambre d'une teinte mauve où déjà se devinait le rose de l'aurore. Quelque part dans la campagne, les coqs lançaient leurs cris enroués qui se répondaient, d'une ferme à l'autre. Une fraîcheur venait du jardin et, dans son lit humide, dans sa chemise collée à son corps, Marianne eut soudain froid. Elle se leva pour l'ôter, en prendre une sèche et mettre une robe de chambre, pour aussi achever de chasser l'angoisse que lui avait laissée son mauvais rêve, quand son regard tomba sur l'endroit où dans son cauchemar elle avait vu apparaître la tête de Matteo et elle eut une exclamation de stupeur : sous la bordure dorée de l'un des miroirs, une ligne noire apparaissait sur le mur, une ligne noire qu'elle n'y avait jamais vue.

Sans faire plus de bruit qu'un chat, sur ses pieds nus, Marianne, le cœur battant, s'en approcha, sentit un léger courant d'air. Sous sa main le panneau s'écarta doucement, découvrant le trou noir d'un petit escalier creusé dans l'épaisseur du mur où il s'enfonçait en spirale. Brusquement, tout s'éclaira dans son esprit. Ainsi elle n'avait pas rêvé ! Dans son demi-sommeil, elle avait vraiment vu Matteo Damiani apparaître à cette ouverture, mais dans quel but ? Pour quoi faire ? Combien de fois déjà avait-il osé venir ainsi dans sa chambre pendant qu'elle dormait ?... En même temps, elle se souvint du visage entrevu dans le miroir, au soir du mariage, tandis qu'elle se déshabillait. Là non plus, elle n'avait pas rêvé ! Il était bien là et, au souvenir de son expression de brutale convoitise, le visage de Marianne s'empourpra, à la fois de pudeur blessée et de fureur. Une folle colère s'empara d'elle. Ainsi, non content de courtiser Agathe de façon à la gêner, ce misérable avait osé s'introduire chez elle, Marianne, l'épouse de son maître, pour y surprendre les secrets de son intimité ! Qu'espérait-il en venant ainsi comme un voleur ? Quel geste insensé aurait-il peut-être osé un jour, ce matin même si elle n'avait pas découvert le panneau que, dans sa précipitation sans doute, il avait mal refermé ?

— Je vais lui ôter à tout jamais l'envie de recommencer ! gronda la jeune femme.

Sans prendre le temps même de respirer, elle enfila une robe prise au hasard, chaussa de minces sandales dont elle noua rapidement les rubans et alla prendre dans son sac de voyage l'un des pistolets que Napoléon lui avait donnés et qu'elle avait, naturellement, emportés de Paris. Elle en vérifia rapidement le chargement puis le glissa dans sa ceinture et alluma une bougie. Ainsi équipée elle se dirigea avec décision vers le panneau demeuré ouvert et s'engagea dans l'escalier.

Le courant d'air coucha la flamme de sa chandelle, mais ne l'éteignit pas. Doucement, sans faire le moindre bruit, protégeant la flamme de sa main libre, elle descendit les marches usées. L'escalier n'était pas long et ne faisait pas plus d'un étage. Il débouchait sur l'arrière de la maison, à l'abri d'un épais massif de feuillage qui en masquait l'entrée. A travers les branches, Marianne vit soudain devant elle l'eau calme de la nymphée que l'aurore empourprait. Elle vit aussi Matteo disparaître dans la grotte qui s'ouvrait au centre de la colonnade et décida de se lancer à sa poursuite. Vivement, elle souffla sa bougie et la posa sous les branches pour la reprendre au retour.

Elle ne savait pas ce que l'intendant allait faire là, mais elle savait qu'il y serait pris comme dans un piège et ne pourrait pas lui échapper. Elle connaissait, en effet, la grotte qu'elle avait visitée avec son parrain. C'était un lieu agréable par les grosses chaleurs. Le bassin de la nymphée se prolongeait à l'intérieur y créant une sorte de piscine au milieu d'un salon, car les rochers des murs étaient drapés de soieries et, autour du bassin, des tapis et des coussins avaient été disposés pour le repos avec une profusion tout orientale.

Légère, elle se lança sur la trace de l'intendant et se

mit à courir le long de la colonnade. Au moment de pénétrer dans la grotte, elle hésita un instant, s'aplatit contre la paroi rocheuse et tira son pistolet. Puis, lentement, lentement, elle avança, tourna l'entrée... et poussa une exclamation de stupeur : non seulement il n'y avait personne dans la grotte, mais encore l'une des draperies des murailles, relevée, révélait l'entrée d'une espèce de tunnel qui devait traverser la colline, car, au bout, le jour apparaissait.

Sans hésiter un seul instant, serrant seulement un peu plus fort son arme dans sa main, Marianne s'avança dans le tunnel qui était assez large et dont le sol couvert de sable fin était agréable à la marche et parfaitement silencieux. Une excitation avait peu à peu, en elle, remplacé en partie la colère, une excitation sœur jumelle de celle éprouvée jadis, à Selton, quand elle chassait le renard, mais ce renard-là pouvait se révéler aussi dangereux qu'un fauve et l'approche du danger exaltait Marianne. Il y avait aussi la pensée d'avoir, en si peu de temps, abordé quelques-uns des secrets des Sant'Anna. Mais parvenue au bout du passage, elle demeura blottie contre le rocher, dans l'ombre, contemplant l'étrange spectacle qui s'offrait à elle.

Le tunnel débouchait dans une clairière étroite, une faille entre deux escarpements, fermée sur deux côtés par des broussailles et une épaisse végétation forestière. Dans le fond, adossé à la muraille rocheuse, chevelue de ronces et de plantes grimpantes, un peuple de statues pétrifiées en une gesticulation délirante habitait une architecture de rocaille et accentuait l'aspect tragique du bâtiment dont les ruines calcinées occupaient le centre de la clairière.

Ce n'était plus qu'un amas de fûts de colonnes noircis, de pierres écroulées, de sculptures brisées sur lesquelles rampaient la ronce tenace et le lierre noir à l'odeur âpre. L'incendie qui l'avait détruit jadis avait dû être d'une rare violence, car la rocaille comme la muraille rocheuse montraient de longues traînées noires laissées par les flammes. Mais, sur ces ruines, sur cette désolation, miraculeusement préservée sans doute, brillant de toute la pureté de son marbre blanc, une statue s'érigeait et semblait régner. Et Marianne retint son souffle, fascinée par ce qu'elle voyait.

Dans l'amoncellement de décombres, quelques marches avaient été grossièrement aménagées et, sur le dernier de ces degrés, Matteo Damiani à genoux et courbé, enlaçait de ses deux bras les jambes de la statue. C'était la plus belle et la plus étrange statue que Marianne eût jamais vue. Elle représentait, grandeur nature, une femme nue d'une beauté presque diabolique à force de perfection et de sensualité. Debout, les bras rejetés en arrière et nettement détachés du corps, la tête renversée, comme tirée par le poids de sa chevelure dénouée, la femme, les yeux clos et les lèvres entrouvertes, semblait s'offrir à quelque invisible amant. L'art du sculpteur avait rendu avec une précision hallucinante les moindres détails du corps féminin, mais la vérité avec laquelle il avait traduit, sur ce visage aux yeux étirés, aux lèvres gonflées de volupté, l'extase d'un plaisir à ce point aigu qu'il frôlait la douleur, tenait du prodige. Et Marianne, troublée par cette trop belle image du désir, pensa que l'artiste avait dû aimer son modèle avec une ardeur suppliciante.

Le soleil se levait. Un rayon doré glissa sur l'épaule de la colline et vint caresser la statue. Aussitôt le marbre froid se réchauffa, se mit à vibrer. Des reflets dorés s'allumèrent sur le grain poli, plus doux peut-être qu'une peau humaine, de l'insensible pierre, et Marianne crut un instant que la statue s'animait. Alors, elle vit une chose incroyable : Matteo s'était dressé et, debout sur le socle, il avait pris la femme de marbre dans ses bras. Avec une passion furieuse il baisait les lèvres qui s'offraient si naturellement, comme s'il voulait leur communiquer sa propre chaleur, tout en murmurant des paroles sans suite, injures et mots d'amour mélangés. Cela formait une litanie singulière où la colère se mêlait à l'amour et aux plus brutales expressions du désir. En même temps, ses mains fébriles parcouraient le corps de marbre qui, dans la chaude lumière du matin, semblait frémir sous les caresses.

Cette scène d'amour avec une statue avait quelque chose d'hallucinant et Marianne, épouvantée, recula dans l'ombre du tunnel, oubliant qu'elle était venue ici pour confondre cet homme et le menacer. Le pistolet, inutile, tremblait maintenant entre ses doigts et elle le remit à sa ceinture. L'homme était fou, il n'y avait pas d'autre explication à ce comportement délirant et, soudain, Marianne eut peur. Elle était seule, avec un fou, dans un lieu caché que, peut-être, ignoraient la plupart des habitants de la *villa*. Même l'arme qu'elle portait lui parut dérisoire. Matteo était sans doute d'une force dangereuse. Il pouvait se jeter sur elle, s'il la découvrait, l'attaquer avant qu'elle ne pût se défendre. Ou, alors, il faudrait tirer, tuer... et cela, elle ne le voulait plus. La mort involontaire qu'elle avait donnée à Ivy St. Albans lui avait suffisamment pesé et lui pesait encore.

Elle entendit l'homme, dans son délire, promettre à son insensible maîtresse de revenir cette nuit.

— La lune sera pleine, diablesse, et tu verras que je n'ai rien oublié, gronda-t-il.

Le cœur de Marianne bondit. Il allait partir, la découvrir... sans plus attendre, elle s'enfuit, parcourant le tunnel, la grotte, la nymphée à la vitesse d'un lièvre poursuivi, se jeta derrière le massif et s'engouffra dans l'escalier, mais se retourna pour jeter un dernier regard à travers les feuilles. Il était temps. Matteo émergeait de la grotte et, à nouveau, Marianne se demanda si elle n'avait pas rêvé. L'homme que, l'instant précédent, elle avait surpris en pleine crise de folie érotique, marchait paisiblement sur le sentier tracé entre la colonnade et l'eau, les mains nouées au dos, son visage rude semblant respirer avec délices le vent léger qui jouait dans ses cheveux gris. Ce n'était plus qu'un promeneur matinal profitant de la fraîcheur des jardins humides de rosée avant d'entamer sa journée de travail...

Vivement, Marianne grimpa l'escalier, franchit le panneau ouvert mais, avant de le refermer, prit bien soin d'en observer le mécanisme extérieur et intérieur. Il pouvait, en effet, s'ouvrir des deux côtés, par une poignée dans l'escalier, par l'enfoncement d'un motif de la moulure dorée dans la chambre. Puis, comme l'heure approchait où Agathe lui apportait la tasse de thé matinale, Marianne se hâta d'ôter robe et sandales et de se glisser dans son lit. A aucun prix elle ne voulait qu'Agathe, déjà tellement effrayée, découvrît son expédition du petit jour.

Calée dans ses oreillers, elle essaya de réfléchir calmement bien que ce ne fût guère facile. La découverte successive du panneau dans le mur, du temple de la clairière, de la statue et de la folie de Matteo avait de quoi ébranler un système nerveux plus solide encore que le sien. Et il y avait aussi ce rendez-vous singulier et menaçant qu'il avait donné à sa maîtresse de marbre. Que signifiaient ces paroles bizarres ? Qu'est-ce qu'il n'avait pas oublié ? Que venait-il faire, la nuit, dans ces ruines et d'abord qu'était ce monument incendié sur les décombres duquel trônait la statue ? Une *villa* ? Un temple ? Quel culte y avait-on célébré et y célébrait-on encore ? A quel rituel obscur et dément Matteo Damiani entendait-il sacrifier cette nuit ?

Toutes ces questions s'entrecroisaient dans l'esprit de Marianne sans qu'elle pût y trouver la moindre réponse. Elle eut, tout d'abord, l'idée d'interroger une fois de plus dona Lavinia, mais elle savait que ses interrogatoires faisaient souffrir la pauvre femme, sans doute encore mal remise de celui de cette nuit. Et puis, il était très possible qu'elle ignorât tout de l'étrange déesse à laquelle l'intendant sacrifiait secrètement, comme de sa folie... Le prince lui-même savait-il à quoi son intendant et secrétaire occupait ses nuits ? Et, s'il le savait, accepterait-il de répondre à Marianne en admettant qu'elle réussît à se faire entendre de lui ? Le mieux était peut-être encore d'interroger Matteo lui-même, en prenant naturellement certaines précautions. D'ailleurs, n'avait-elle pas ordonné, la veille, à dona Lavinia de le lui envoyer à la première heure ?

— Nous allons bien voir ! fit-elle entre ses dents.

Sa décision prise, Marianne avala le thé brûlant qu'Agathe lui apportait justement, procéda à sa toilette et se fit habiller. La journée promettant d'être aussi chaude que la précédente, elle choisit une robe de jaconas jaune soufre brodée de marguerites blanches, des escarpins assortis. S'habiller de teintes claires et gaies lui semblait un bon moyen de lutter contre les impressions pénibles que lui avait laissées cette nuit. Puis, comme dona Lavinia venait l'avertir que l'intendant était à sa disposition, elle se rendit dans le petit salon attenant à sa chambre et ordonna qu'on l'introduisît.

Assise devant un petit secrétaire, elle le regarda approcher en essayant de dissimuler de son mieux l'aversion qu'il lui inspirait. La scène de la clairière était trop fraîche encore et trop présente à son esprit pour que le dégoût ne fût pas à fleur de peau, mais, si elle voulait apprendre quelque chose, il lui fallait absolument se maîtriser. Il ne semblait d'ailleurs nullement ému de se trouver là et quiconque l'eût vu, debout devant la jeune femme, dans une attitude déférente, eût juré qu'il était le modèle des serviteurs et non un homme assez vil pour s'introduire comme un voleur, chez cette même femme, quand le sommeil la laissait sans défense.

Pour se donner une contenance et empêcher ses doigts de trembler, Marianne avait pris une longue plume d'oie sur le plumier et jouait avec, distraitement, mais, comme elle gardait le silence, Matteo prit le parti d'ouvrir la conversation.

— Votre Seigneurie m'a fait demander ?

Elle releva sur lui un regard plein d'indifférence.

— Oui, signor Damiani, je vous ai fait demander.

Vous êtes l'intendant de ce domaine et, à ce titre, je pense qu'aucun des détails qui le concernent ne doit vous être inconnu ?

— Je crois, en effet, le connaître à fond, fit-il avec un demi-sourire.

— Vous allez donc pouvoir me renseigner. Hier après-midi la chaleur était si lourde que les jardins eux-mêmes étaient étouffants. J'ai donc cherché à la fois refuge et fraîcheur dans la grotte de la nymphée...

Elle s'arrêta mais son regard ne lâchait pas l'intendant et elle crut bien voir se pincer légèrement ses épaisses lèvres. Avec une feinte nonchalance, mais n'en distillant pas moins chaque mot, elle poursuivit :

— J'ai pu m'apercevoir que l'une des tentures, légèrement déplacée, laissait passer un courant d'air et j'ai vu l'ouverture qu'elle masquait. Je ne serais pas femme si je n'étais curieuse et j'ai suivi ce passage puis découvert, au bout, les vestiges d'un monument incendié.

Volontairement, elle n'avait pas mentionné la statue mais cette fois, elle en était sûre, Matteo avait pâli sous son hâle. Les yeux soudain assombris, il murmura :

— Je vois ! Puis-je dire à Votre Seigneurie que le Prince n'aimerait pas apprendre qu'elle a découvert le petit temple, c'est un sujet interdit pour lui et il vaudrait mieux pour Madame...

— Je suis seul juge de ce qui est préférable pour moi, signor Damiani. Si je vous parle à vous, c'est sans doute parce que je n'ai aucune intention d'aller interroger... mon époux sur cette question, à plus forte raison si elle lui est désagréable. Mais vous, vous allez me répondre.

— Pourquoi le ferai-je ? lança l'intendant avec une insolence dont il ne fut peut-être pas maître.

— Parce que je suis la princesse Sant'Anna, que vous le vouliez ou non, que cela vous plaise ou non...

— Je n'ai pas dit...

— Ayez au moins la courtoisie de ne pas me couper

la parole. Sachez ceci : quand je pose une question, j'entends que l'on me réponde. Tous mes serviteurs savent cela, ajouta-t-elle en appuyant volontairement sur le mot serviteur. Il vous reste à l'apprendre. Au surplus, je vois mal ce qui pourrait vous empêcher de me répondre. Si cet endroit devait demeurer ignoré, s'il rappelle à votre maître de si sombres souvenirs, que n'avez-vous muré le passage ?

— Monseigneur ne l'a pas ordonné.

— Et vous n'agissez jamais que sur son ordre formel, n'est-ce pas ? ironisa-t-elle.

Il se raidit mais parut prendre son parti. Son regard glacial se planta dans celui de la jeune femme.

— C'est bien ! Je suis aux ordres de Votre Seigneurie.

Heureuse d'avoir vaincu, elle s'offrit le luxe d'un sourire.

— Je vous remercie. Alors dites-moi simplement ce qu'était ce « petit temple »... et surtout qui était la femme dont la statue, magnifique et surprenante, habite ces ruines. Et ne me dites pas que c'est un vestige antique car je ne vous croirais pas.

— Pourquoi mentirais-je ? Cette statue, Madame, est celle de dona Lucinda, la grand-mère de notre Prince.

— Est-ce que sa tenue n'est pas un peu... sommaire pour une grand-mère ? Chez nous, en France, on en rencontre peu en cet appareil.

— Mais on y rencontre les sœurs de l'Empereur, s'écria-t-il. La princesse Borghèse n'a-t-elle pas fait immortaliser sa beauté dans le marbre par le ciseau de Canova ? Dona Lucinda avait fait de même. Vous n'imaginez pas ce que pouvait être sa beauté, à elle ! Quelque chose d'effrayant, d'insoutenable. Et elle savait en jouer avec un art diabolique. J'ai vu des hommes se traîner à ses pieds, devenir fous, se tuer pour elle... alors même qu'elle avait depuis longtemps

385

dépassé quarante-cinq ans ! Mais elle était possédée du Diable !

Comme un torrent qui a rompu son barrage, Matteo parlait maintenant, parlait comme s'il ne pouvait plus s'arrêter et Marianne, oubliant un instant sa répugnance et ses griefs, l'écoutait fascinée. Elle se contenta de murmurer.

— Vous l'avez connue ?

Il fit signe que oui, mais se détourna légèrement, gêné par le regard fixe de la jeune femme, puis il ajouta, avec colère :

— J'avais dix-huit ans quand elle est morte... brûlée, brûlée vive dans ce temple que, dans sa folie, elle avait fait élever à sa propre splendeur. Elle y recevait ses amants choisis presque toujours parmi des paysans, des montagnards ou des marins, car sa passion d'elle-même n'avait d'égale que sa frénésie amoureuse.

— Mais... pourquoi dans le peuple ?

Avec une soudaine violence, il se retourna vers Marianne le front baissé comme un taureau qui va charger et Marianne frémit en entendant gronder dans cette voix les feux d'enfer que Lucinda, elle le devinait, avait dû allumer.

— Parce qu'elle pouvait ensuite les faire disparaître sans que personne lui en demandât compte. Ceux de son rang, ceux aussi qui savaient lui plaire, bien sûr, elle les conservait sûre de leur soumission à l'esclavage qu'elle leur imposait et sans lequel ils refusaient de vivre. Mais combien de jeunes gars ont disparu sans laisser la moindre trace après avoir donné, en une nuit d'amour, toute leur jeunesse et leur ardeur à cette louve insatiable ? Personne... non personne ne peut imaginer ce qu'était cette femme. Elle savait éveiller les pires instincts, les pires folies et elle aimait que la mort fût la conclusion de l'amour. Peut-être après tout la légende a-t-elle raison...

— La légende ?

— On dit que cette beauté qui refusait de faner était

le résultat d'un pacte fait avec le Diable. Un soir où anxieusement elle interrogeait l'un des miroirs de sa chambre elle vit apparaître un beau garçon vêtu de noir qui, en échange de son âme, lui offrit trente années de beauté intacte, trente années de plaisirs et de domination. On dit qu'elle accepta, que le temps passa, mais qu'elle avait fait un marché de dupe, car les trente années n'étaient pas écoulées quand, un matin, ses serviteurs en entrant dans sa chambre ne trouvèrent qu'un squelette grouillant de vers...

Comme Marianne se levait avec un cri de dégoût, il ajouta avec un sourire de dédain.

— Ce n'est qu'une légende, Madame ! La vérité fut tout autre puisque, je vous l'ai dit, dona Lucinda périt dans l'incendie qui ravagea le temple... un incendie qu'elle avait allumé de sa propre main la nuit où elle découvrit une ride au coin de sa bouche. Et vous allez sans doute, Princesse, me demander pourquoi elle a choisi cette mort horrible ? A cela aussi je vais répondre : elle n'a pas voulu que le corps merveilleux qu'elle avait tant chéri se désagrégeât lentement dans la terre, connût l'horreur de la pourriture. Elle préféra l'anéantir dans les flammes !... Ce fut une nuit abominable... Le feu ronflait et ses flammes se sont vues de si loin que les paysans terrifiés jurent encore qu'elles étaient celles-là mêmes de l'enfer ouvert devant elle... J'entends encore son cri d'agonie... un hurlement de louve !... mais je sais qu'elle n'a pas disparu complètement ! Elle vit encore !

— Que voulez-vous dire ! s'écria Marianne qui secouait avec peine l'horreur dont elle était envahie.

Matteo tourna vers elle un regard halluciné. Il eut un sourire qui retroussa ses lèvres sur ses fortes dents jaunies et reprit sur un ton mystérieux, d'une bizarre puissance incantatoire :

— Qu'elle rôde toujours dans cette maison... dans les jardins... dans votre chambre où elle évoluait nue pour pouvoir sans cesse comparer, dans les miroirs, sa

beauté à celle de la statue qu'elle y avait fait dresser...
Elle a apporté ici la malédiction et elle veille sur cette
malédiction qui est sa vengeance... Vous-même ne
l'empêcherez pas !

Brusquement, il changea de ton et s'enquit d'une
façon presque obséquieuse :

— Est-ce que Madame la Princesse désire encore
savoir quelque chose ?

Un sursaut de volonté arracha Marianne à l'espèce
d'envoûtement où l'avait plongée l'intendant. Elle rougit violemment sous le regard insolent dont il l'enveloppait et qui la détaillait avec hardiesse et elle voulut
rendre coup pour coup. Le toisant avec hauteur, elle
riposta :

— Oui. Avez-vous été, vous aussi, l'amant de cette
femme... puisqu'elle aimait tant les paysans ?

Il n'hésita même pas. Du ton du triomphe il lança :

— Mais... oui, Madame... et, croyez-moi, je ne
pourrai jamais oublier les heures que je lui dois !

Incapable de contenir plus longtemps son indignation, Marianne préféra lui indiquer, du geste, qu'elle
n'avait plus besoin de lui. Mais, demeurée seule, elle
s'effondra et resta un long moment prostrée sur son
siège, cherchant à maîtriser la panique qui s'élevait en
elle. Toute la beauté de ce domaine où un instant elle
avait trouvé calme et joie tranquille lui semblait maintenant viciée, souillée, défigurée par le souvenir de la
femme démoniaque qui l'avait à ce point marqué de
son empreinte. En évoquant la silhouette sombre du
cavalier qui, cette nuit, montait Ilderim, cette image de
noblesse naturelle qu'offraient l'homme et la bête, elle
se sentit soulevée de pitié, car elle avait l'impression
qu'entre le prince et la malédiction qui l'accablait
c'était une lutte sans cesse recommencée, toujours perdue, toujours reprise. Elle dut faire appel à toute sa
raison pour ne pas demander, sur l'heure, ses bagages,
sa voiture, pour ne pas fuir sans plus tarder vers la

France. Il n'était jusqu'au bruit des cascades qui ne lui parût chargé de menaces...

Mais il y avait le cardinal qu'elle avait promis d'attendre... et il y avait l'étrange promesse faite par Matteo à l'ombre de Lucinda. Cette promesse, elle voulait savoir ce qu'elle contenait au juste et, au besoin, intervenir. Ce serait peut-être le moyen d'exorciser enfin le démon attaché à la maison des Sant'Anna ? Son regard errant se fixa soudain sur les armes de la famille, brodées au dossier d'un fauteuil et elle leur découvrit une étrange valeur de symbole. La vipère et la licorne ! La bête venimeuse, rampante, mortellement silencieuse et l'animal de légende, vêtu de blancheur et de lumière... Il fallait que le combat cessât avant que son enfant vînt au monde car elle ne voulait pas qu'il régnât sur l'univers de Lucinda. L'instinct maternel s'éveillait en elle, repoussant avec violence la plus légère ombre sur le destin de son enfant et, pour cela, il fallait qu'elle, Marianne, en terminât avec les démons. Ce soir, elle s'arrangerait pour surprendre les liens qui unissaient encore Matteo à la morte maudite, même si pour cela elle devait risquer sa vie. Ensuite, et quitte à forcer l'attention de son invisible époux, elle agirait comme sa conscience le lui dicterait.

Mais, quand la nuit revint envelopper la *villa* et les jardins, les projets héroïques de Marianne s'évanouirent devant la plus primitive des angoisses, celle que, cependant, elle n'avait encore jamais éprouvée, celle des ténèbres recéleuses de dangers inconnus. L'idée de retourner là-bas, dans la sinistre clairière, maintenant qu'elle savait, de revoir la diabolique statue, la glaçait jusqu'à la moelle. Jamais encore elle n'avait connu semblable crainte, même après l'évasion de Francis Cranmere quand un moment elle avait craint pour sa propre vie, car Francis, après tout, n'était qu'un homme, alors que Lucinda incarnait l'invisible, l'insondable au-delà.

Elle était demeurée enfermée chez elle la plus

grande partie de la journée, tant elle appréhendait de rencontrer de nouveau l'intendant. Seulement, dans l'après-midi, l'ayant vu se diriger vers la grande route, elle s'était rendue aux écuries et, là, elle avait longuement examiné Ilderim comme si quelque signe, sur le bel étalon, pouvait lui donner la clé de l'énigme représentée par son maître. Mais aucune réponse ne s'était présentée à la question qu'elle se posait. Elle n'avait pas davantage interrogé Rinaldo qui avait suivi avec étonnement le long tête-à-tête de la princesse et du pur-sang, répugnant à embarrasser un fidèle serviteur, certainement tout dévoué à son maître, sous le simple prétexte qu'elle en avait obtenu quelque estime.

Revenue chez elle, Marianne avait attendu la nuit, en proie à la plus complète indécision. Sa curiosité exacerbée la poussait à retourner là-bas, près des ruines du temple impie, mais ce que Matteo lui avait raconté de Lucinda lui causait un dégoût insurmontable et elle craignait presque autant de revoir l'impudique statue que son fanatique serviteur.

Elle avait pris un souper léger et vite expédié puis elle s'était fait préparer pour la nuit par ses femmes, mais elle ne s'était pas couchée. Sa chambre somptueuse, son lit orgueilleux lui faisaient maintenant horreur. Elle croyait y voir se dresser encore la statue et elle osait à peine tourner les yeux vers les miroirs, de crainte d'y deviner le fantôme de la Vénitienne diabolique. Malgré la chaleur toujours très forte, elle avait fait fermer étroitement les fenêtres, les rideaux, en un réflexe de crainte enfantine dont, au fond d'elle-même, elle avait pitié, mais dont elle ne pouvait se défendre. Bien entendu, le panneau mobile avait retenu un long moment son attention et elle avait accumulé contre lui tout un échafaudage de table et de sièges, plus quelques objets métalliques tels que de lourds chandeliers à seule fin que nul ne pût le pousser sans faire éclater un énorme vacarme.

Avant de renvoyer Agathe et dona Lavinia, elle avait

prié cette dernière de lui envoyer Gracchus. Son idée était d'installer le jeune cocher sur un matelas dans le petit couloir qui reliait sa chambre à celle d'Agathe, mais, ignorant des affres où se débattait sa maîtresse, Gracchus était allé passer la soirée chez Rinaldo dont il était devenu l'ami et qui habitait une ferme aux confins du domaine. Force avait donc été à Marianne de se défendre seule contre sa peur, cette peur qui, cent fois dans la journée, lui avait fait tendre la main vers la sonnette pour demander sa voiture. Sa volonté avait été la plus forte, mais, maintenant, il lui fallait passer une nuit qui lui semblait pleine de dangers. Les quelques heures la séparant du retour du soleil allaient durer une éternité.

« Le mieux serait de dormir, de dormir profondément, s'était-elle dit, ainsi je ne serais pas tentée de retourner à la clairière... »

Dans ce but, elle avait demandé à dona Lavinia de lui préparer la tisane qui lui avait si bien réussi le premier soir, mais, au moment de la boire, elle l'avait reposée sur sa table de chevet sans y toucher. Si elle allait dormir d'un sommeil trop profond pour ne pas même entendre la chute des objets disposés contre le panneau, au cas où ?... Non, même si cette nuit devait être un pénible cauchemar, il lui fallait la subir tout entière et avec le plus de lucidité possible.

Avec un soupir découragé, elle disposa ses deux pistolets auprès du lit, prit un livre, s'étendit et essaya de lire. C'était une œuvre de M. de Chateaubriand, un roman fort émouvant traitant des amours de deux jeunes Indiens, Chactas et Atala. Jusque-là, Marianne y avait pris grand plaisir mais, ce soir, son esprit n'y était pas. Il vagabondait bien loin des rives du Meschacebé, autour de cette clairière où il allait se passer Dieu seul savait quoi. Peu à peu revenait en elle, insinuante et perfide, la vieille curiosité. Finalement, Marianne jeta son livre.

— Ce n'est pas possible ! dit-elle tout haut. Si cela dure, je vais devenir folle.

Et, tendant le bras, elle saisit la sonnette qui la reliait à la chambre d'Agathe et tira. Elle comptait demander à la jeune fille de venir passer cette nuit avec elle. A deux, elle se sentirait plus forte pour lutter aussi bien contre la terreur que contre son désir de savoir et Agathe, elle-même, toujours si effrayée, serait enchantée de rester près de sa maîtresse. Mais Marianne eut beau attendre, sonner et resonner, rien ne vint.

Pensant que, peut-être, la jeune fille avait pris la mixture de dona Lavinia, elle se leva, s'enveloppa d'un saut de lit de batiste, glissa ses pieds dans ses pantoufles et se dirigea vers la chambre d'Agathe. Elle frappa doucement à la porte sous laquelle il y avait de la lumière et, n'obtenant pas de réponse, tourna le bouton et ouvrit. La chambre était vide.

Une bougie brûlait sur la table de chevet, mais il n'y avait personne dans le lit dont les draps pendaient à terre comme si, en se levant, la petite cameriste s'était traînée. Inquiète, Marianne leva machinalement les yeux vers la cloche pendue au-dessus du lit et qui communiquait avec sa chambre. Une exclamation de surprise mêlée de colère lui échappa : bourrée de linge, la cloche ne pouvait émettre aucun son. Cela, c'était trop fort ! Non seulement Agathe quittait sa chambre la nuit, mais encore poussait le cynisme jusqu'à étouffer le son de la cloche. D'ailleurs, pour aller où ? Rejoindre qui ? Pas Gracchus, il était chez Rinaldo... et pas un autre valet car Agathe ne frayait avec aucun et ne quittait guère, quand elle n'était pas avec sa maîtresse, les jupes de dona Lavinia, la seule qui lui inspirât confiance dans cette maison. Quant à...

Marianne qui allait rentrer chez elle s'arrêta, revint vers le lit et considéra d'un air songeur la bizarre disposition des draps. Ils ne seraient pas tombés autrement si la jeune fille avait été emportée de son lit. On ne défait pas ainsi un lit en se levant. Par contre, quand on enlève un corps, inerte ou non... Marianne sentit brusquement son cœur se serrer. Une idée terrible venait de se présenter à elle. Cette cloche privée de voix, ces draps traînant, cette bougie brûlant encore... et aussi cette tasse vide sur le chevet du lit, cette tasse où demeurait l'odeur caractéristique de la fameuse tisane... jointe à une autre plus subtile... Agathe n'était pas partie de son propre mouvement. On l'avait emportée. Et Marianne avait peur de deviner qui.

Ses dernières hésitations volèrent en éclats. En même temps, la peur qui, durant toute la soirée, lui avait mordu les entrailles, s'envola. Elle regagna sa chambre en courant, démolit fébrilement l'échafaudage qui défendait le panneau, serra son déshabillé flottant autour de sa taille au moyen d'une écharpe, prit une bougie d'une main, un pistolet de l'autre, glissa le second dans sa ceinture et s'engagea dans le même chemin que le matin.

Mais, cette fois, elle le parcourut rapidement, sans une hésitation, soulevée par une colère qui balayait jusqu'à la simple prudence et jusqu'à l'instinct de sécurité. Elle n'eut pas besoin d'éteindre sa chandelle au bas de l'escalier : le vent la lui souffla. Il s'était levé dans la soirée mais, derrière ses fenêtres calfeutrées, elle ne s'en était pas rendu compte. Il faisait aussi beaucoup plus frais. Aspirant avec délice cet air qui avait cessé d'être étouffant, elle pensa qu'il avait dû pleuvoir quelque part. Le ciel était clair puisque la lune était en son plein, mais des nuages y couraient rapidement, voilant par instant le large disque argenté. Le silence angoissant avait cessé. Tout le parc bruissait de ses innombrables feuilles, de toutes ses branches remuées.

Avec décision, Marianne s'engouffra dans la grotte qu'elle traversa d'un trait, mais, dans le passage sous la colline, elle ralentit l'allure pour ne pas être entendue. Là-bas, dans la clairière, une lueur rouge apparaissait. Dans le passage, il faisait presque froid, à cause du courant d'air et Marianne, frissonnante, serra plus étroitement sur sa gorge la mince batiste de son peignoir. En approchant de l'extrémité, son cœur se mit à battre plus fort, mais elle assura fermement l'arme dans sa paume, s'aplatit contre le mur et risqua la tête au-dehors. Elle eut alors l'impression de changer de siècle, de tomber tout à coup de l'ère napoléonienne, pleine de bruit, de fureur, de gloire mais bouillonnant d'une vie intense, au plus profond, au plus noir de l'obscurantisme médiéval.

Au pied de la statue qu'éclairaient les flammes de deux grands cierges de cire noire et de deux pots à feu d'où se dégageaient une âcre fumée et d'étranges lueurs rouges, une espèce d'autel avait été aménagé sur les ruines. Il supportait la forme inerte d'une femme nue et sans doute inconsciente, car elle était parfaitement immobile bien qu'aucun lien ne soit visible. Un vase ressemblant assez à un calice était posé sur une petite planche placée sur son ventre. Avec une stupeur mêlée d'effroi, Marianne reconnut Agathe. Cependant, elle retint sa respiration tant le silence était profond. Il lui semblait que le moindre souffle engendrerait la pire des catastrophes.

Devant la jeune fille inerte, Matteo était agenouillé, mais un Matteo que Marianne eut peine à reconnaître. Il portait une sorte de longue dalmatique noire brodée de signes étranges et largement ouverte sur la poitrine. Un cercle d'or ceignait ses cheveux gris. Ce n'était plus le silencieux intendant du prince Sant'Anna mais une sorte de nécromant s'apprêtant à célébrer l'un des cultes les plus impies et les plus antiques venus du fond des âges. Il se mit tout à coup à réciter, en latin, des prières à l'audition desquelles Marianne n'eut plus aucun doute sur ce qu'il était en train de faire.

« La messe noire ! » pensa-t-elle avec épouvante tandis que son regard allait de l'homme agenouillé à la statue qui, sous cet éclairage sinistre, semblait vêtue de sang. Un livre, poussiéreux, découvert dans les profondeurs de la bibliothèque de Selton lui avait un jour, à sa grande frayeur, décrit l'abominable cérémonie. Tout à l'heure, sans doute quand il aurait terminé son oraison sacrilège, Matteo offrirait à sa déesse qui, ici, tenait la place de Satan lui-même, la victime choisie. C'est-à-dire qu'il la posséderait puis égorgerait sur son corps quelque animal ou même un être vivant, ainsi que l'annonçait le long couteau dont la lame luisait sinistrement sur les pieds mêmes de Lucinda. A moins qu'il n'égorgeât Agathe elle-même... ce qui semblait le plus plausible puisque aucune autre trace de vie ne se manifestait dans la clairière.

Matteo maintenant semblait entré en transe. Les paroles qu'il prononçait n'étaient plus compréhensibles, mais formaient une sorte de bourdonnement qui emplit Marianne d'horreur. Les yeux agrandis d'épouvante, elle le vit se lever, ôter le vase qu'il déposa auprès de lui, couvrir de baisers le corps de la jeune fille inconsciente et saisir le couteau. Un éblouissement passa devant les yeux de Marianne, mais sa terreur miraculeusement s'envola d'un seul coup. Quittant l'abri du tunnel, elle fit quelques pas dans la clairière, leva son bras armé, visa et froidement fit feu.

La détonation parut emplir l'espace. Matteo bondit, lâcha son couteau et regarda autour de lui d'un air égaré. Il n'avait aucune blessure car Marianne avait visé la statue, mais il poussa un affreux gémissement en constatant que le menton levé de Lucinda avait disparu. Éperdu, il voulut se précipiter vers elle, quand la voix glacée de Marianne l'arrêta net.

— Restez tranquille, Matteo ! fit-elle en jetant le pistolet devenu inutile et en saisissant l'autre. J'aurais pu vous tuer, mais je ne veux pas priver votre maître d'un si bon domestique. Néanmoins, j'ai une autre balle à votre disposition si vous n'obéissez pas. Et vous avez pu constater que je ne rate jamais mon coup. J'ai défiguré votre démon femelle, la prochaine balle sera pour votre tête. Enlevez Agathe d'ici et rapportez-la dans sa chambre... C'est un ordre que je ne répéterai pas !

Mais l'homme n'avait pas l'air d'entendre. Sur les mains et les genoux, il rampait sur les ruines, les yeux fous, la bouche tordue, cherchant cependant à se remettre debout. Les pierres coupantes le laissaient insensible et aussi les épines des ronces. Il semblait véritablement en proie à une transe mais, comme il avançait vers elle, Marianne eut horreur de ce qu'elle allait être obligée de faire pour se protéger de cet homme dont les forces, peut-être, étaient décuplées : tirer dessus presque à bout portant.

— Arrêtez ! ordonna-t-elle. Je vous dis de reculer, vous entendez ? Reculez !

Il ne l'entendait pas. Il avait réussi à se remettre debout et il avançait toujours, les mains tendues, avec ce regard effrayant de somnambule. Instinctivement, Marianne recula, recula encore. Elle ne parvenait pas à se décider à tirer. C'était comme si une force plus puissante que sa volonté paralysait son bras. L'épouvante peut être une sorte d'anesthésique et Matteo, avec son visage convulsé, sa robe noire et ses mains déchirées ressemblait véritablement à quelque démon vomi par l'enfer. Marianne sentait ses forces l'abandonner. Elle recula encore, cherchant derrière elle, de sa main libre, l'entrée du tunnel, mais elle avait dû dévier de son chemin et ne rencontra que des herbes folles, des feuilles. Le fourré peut-être où elle pourrait disparaître, se cacher ?... Elle recula encore, mais son pied buta sur quelque obstacle et, avec un cri de terreur, elle s'écroula dans un buisson. Matteo approchait toujours, les mains tendues. Il lui parut grandir, grandir démesurément... Dans la chute, le pistolet avait échappé de sa main et Marianne se vit perdue.

Elle cria encore, mais son cri s'étrangla dans sa gorge. Il y eut une sorte de roulement de tonnerre puis, à l'autre bout de la clairière, une fantastique apparition jaillit des fourrés. Un grand cheval blanc portant un cavalier noir, un cavalier qui la cravache haute se rua sur Matteo et parut gigantesque à la jeune femme épouvantée. Sa vue lui arracha un nouveau hurlement. Avant de s'évanouir, elle put apercevoir, sous le bord d'un chapeau, une face sans traits, blanchâtre et figée, où les yeux avaient l'air de deux trous noirs et brillants, quelque chose d'informe qui se perdait dans le tourbillon noir d'un vaste manteau. C'était un spectre qui montait Ilderim, un fantôme sorti des ténèbres de l'effroi et qui accourait vers elle... Ce fut avec un gémissement désespéré qu'elle perdit connaissance.

Marianne ne put jamais savoir combien de temps elle était demeurée évanouie. Quand elle ouvrit les yeux, avec l'impression d'émerger d'un interminable cauchemar, elle vit qu'elle était dans sa chambre, étendue dans son lit et, dans les brumes du réveil, elle crut en effet avoir rêvé. Au-dehors le vent soufflait, mais aucun autre bruit ne se faisait entendre. Sans doute n'avait-elle vécu qu'un mauvais rêve dans la chambre d'Agathe, dans la clairière, aux prises avec un Matteo en plein délire et l'effrayant cavalier qui montait Ildérim, et elle en éprouva un profond soulagement. Tout cela aussi était tellement étrange ! Il fallait que son esprit fût surexcité pour avoir imaginé cette scène affreuse !

A l'heure qu'il était, Agathe devait dormir profondément dans son petit lit, bien loin de se douter du rôle qu'elle avait joué dans les fantasmes nocturnes de sa maîtresse.

Pour achever de se remettre, Marianne voulut se lever afin d'aller s'asperger le visage d'eau fraîche. Sa tête était si lourde, ses pensées si confuses encore ! Mais, en rejetant la couverture, elle s'aperçut qu'elle était nue dans son lit où une main inconnue avait semé des brins de jasmin odorant... Alors, elle sut qu'elle n'avait pas rêvé, que tout était vrai : la clairière, la messe noire, le coup de pistolet tiré sur la statue, la fureur meurtrière de Matteo et enfin l'irruption du terrible cavalier...

En l'évoquant, elle sentit ses cheveux se dresser sur sa tête et toute sa chair se hérisser. Était-ce donc lui qui l'avait ramenée ici ? Ce ne pouvait pas être Matteo... Matteo avait voulu la tuer et elle croyait bien l'avoir vu s'écrouler sous la cravache du cavalier... Alors, c'était le prince qui l'avait emportée... dévêtue... couchée dans ce lit... qui avait semé ces fleurs odorantes sur un corps que l'inconscience lui livrait entièrement... qui avait peut-être... non, cela ce n'était pas possible !... et d'ailleurs pourquoi l'aurait-il fait puisqu'à l'entendre, comme à entendre le cardinal, il ne voulait pas, il ne voulait à aucun prix que leur mariage devînt une réalité... Pourtant, en fouillant désespérément le brouillard qui avait envahi son esprit durant son évanouissement, elle croyait y retrouver des baisers, des caresses...

Une terreur folle, proche voisine de la panique, jeta cette fois Marianne hors de son lit. Elle voulait fuir, fuir à tout prix et tout de suite, quitter cette maison où elle risquait de devenir folle, où le départ de son parrain l'avait livrée sans défense à tous les dangers d'une demeure habitée par des gens qui faisaient du secret leur pain quotidien. Elle voulait retrouver le grand jour, le soleil, les paysages paisibles, moins romantiques peut-être mais combien plus rassurants, de la France, le calme de sa jolie demeure de la rue de Lille, les yeux gais d'Arcadius et même, oui même cela lui semblerait merveilleux, les fureurs de Napoléon et jusqu'à la menace que Francis Cranmere faisait toujours peser sur elle et que, inévitablement, elle retrouverait en regagnant la France ! Oui, tout plutôt que cette atmosphère morbide et sensuelle dans laquelle elle s'engluait et contre laquelle toute sa saine jeunesse se révoltait !

Sans même se soucier de se vêtir, elle courut de nouveau chez Agathe, constata avec un profond soulagement que la jeune fille, elle aussi, était revenue dans son lit et ne perdit pas de temps à se poser des questions. Qui l'avait rapportée, qu'était devenu Matteo, elle refusait de s'en soucier. Avec une énergie née de sa terreur, elle secoua si vigoureusement la jeune fille qu'elle parvint tout de même à l'éveiller. Mais comme Agathe, visiblement encore sous le coup de la drogue, vacillait dans son lit et la regardait avec des yeux troubles de sommeil, elle saisit un pot à eau sur la table de toilette et, de toute sa force, en jeta le contenu au visage d'Agathe qui sursauta, s'étouffa... mais finalement s'éveilla complètement.

— Enfin ! s'écria Marianne. Levez-vous, Agathe, et dépêchez-vous !... Il faut faire les bagages, aller réveiller Gracchus, lui dire d'atteler tout de suite, tout de suite !

— Mais... Ma... Madame..., bafouilla la jeune fille éberluée de ce qu'elle voyait autant que de se trouver ainsi réveillée en pleine nuit et au moyen d'une inondation par une Marianne sommairement vêtue de ses cheveux dénoués, Madame... est-ce que nous partons ?

— Sur l'heure ! Je veux que le soleil levant nous trouve sur la route ! Allez, debout, et plus vite que cela.

Tandis qu'Agathe, ruisselante, s'extrayait de son lit, Marianne, possédée maintenant d'une activité dévorante, courait à sa chambre, vidait coffres et armoires, traînait ses bagages que l'on avait empilés dans un débarras proche de la salle de bains et commençait à tout entasser dedans sans aucun ordre. Quand la femme de chambre apparut, séchée et habillée, quelques minutes plus tard, elle la trouva s'agitant comme une diablesse au milieu du plus effroyable désordre qu'elle eût jamais vu. A ce spectacle Agathe arracha au passage un peignoir et courut en envelopper Marianne qui, jusque-là, n'y avait même pas pensé.

— Madame va prendre froid, remarqua-t-elle d'un ton réprobateur mais sans se risquer à poser la moindre question.

— Merci. Maintenant aide-moi à ranger tout cela...

ou plutôt, non, va réveiller Gracchus... et puis, non, j'y vais moi-même !

— Il n'en est pas question ! s'insurgea Agathe, Madame va s'habiller tranquillement pendant que moi je vais aller chercher Gracchus. Il ferait beau voir qu'on la rencontrât aux communs pieds nus et en peignoir ! Je vais prévenir dona Lavinia de venir l'aider.

Agathe eut à peine le temps de sortir. A la grande surprise de Marianne, la femme de charge parut l'instant suivant, tout habillée, comme si elle n'avait pas gagné son lit de la nuit. C'était peut-être le vacarme fait par sa maîtresse qui l'avait éveillée, mais elle ne marqua aucun étonnement de la trouver au milieu des malles et d'un amas de vêtements éparpillés. Sa révérence fut aussi correcte, aussi calme que s'il eût été huit ou dix heures du matin.

— Est-ce que votre Seigneurie nous quitte ? dit-elle seulement.

— Oui, dona Lavinia ! Et je remarque que vous ne paraissez pas en être autrement surprise.

Les yeux bleus de la femme de charge se posèrent, paisibles et doux, sur le visage empourpré de Marianne. Elle eut un sourire triste.

— J'ai craint qu'il n'en soit ainsi dès que Monsieur le cardinal nous a quittés. Madame, seule ici, ne pouvait que réveiller les forces mauvaises qui règnent encore sur cette demeure. Elle voulait trop savoir de choses... et sa beauté est de celles qui engendrent les drames. Qu'elle ne le prenne pas en mal, mais je suis heureuse que Madame parte... Cela vaudra mieux pour tout le monde.

— Que voulez-vous dire ? interrogea Marianne les sourcils froncés, car le calme de Lavinia la surprenait.

C'était comme si la femme de charge n'ignorait rien des événements de cette nuit.

— Que Monseigneur, en rentrant tout à l'heure, s'est enfermé chez lui avec le père Amundi qu'il a réclamé d'urgence... que Matteo Damiani est empri-

sonné dans la cave... et que la foudre a dû tomber derrière la colline où s'appuie la nymphée car j'y ai vu de
grandes lueurs et j'ai entendu un bruit d'écroulement.
Il vaut mieux pour le moment que Madame parte.
Quand elle reviendra...

— Je ne reviendrai jamais ! dit Marianne d'un ton
farouche qui, cependant, ne parvint pas à ébranler la
douceur de Lavinia.

Elle se contenta de sourire.

— Il le faudra bien ! Madame ne s'y est-elle pas
engagée ? Quand elle reviendra, dis-je, bien des choses
auront changé. Je... je crois qu'elle n'aura plus rien à
craindre... Le prince...

— Je l'ai vu, coupa Marianne ! Il est effrayant ! J'ai
cru voir un spectre ! Il m'a fait si peur... Ce visage de
plâtre...

— Non, corrigea doucement Lavinia, un simple
masque, un masque de cuir blanc. Il ne faut pas lui
garder rancune. Il est plus à plaindre que jamais, car
cette nuit il a souffert cruellement. Je vais faire les
malles.

Interdite, Marianne la regarda aller et venir à travers
la vaste pièce, pliant les robes, les lingeries, rangeant
les chaussures dans leurs boîtes et plaçant le tout adroi-
tement dans les coffres ouverts. Quand elle voulut y
ajouter les écrins des joyaux, Marianne s'interposa.

— Non, pas cela, je ne veux pas les emporter !

— Il le faut bien ! Ils sont désormais à Votre Seigneurie. Veut-elle donc désespérer plus encore notre
maître ? Il en serait profondément blessé et croirait que
Votre Seigneurie le rend responsable et lui tient
rigueur.

Elle n'ajouta pas de quoi. Avec découragement,
Marianne fit un geste d'assentiment. Elle ne savait plus
que penser. Même, elle avait un peu honte d'elle-
même, de cette panique qu'elle avait laissé l'emporter,
mais elle ne se sentait pas le courage de changer ses

ordres et de demeurer plus longtemps. Elle devait partir.

Une fois hors de ce domaine inquiétant, elle se retrouverait elle-même, elle pourrait réfléchir calmement, lucidement, faire le point en quelque sorte, mais, pour l'heure présente, il lui fallait s'en aller. A ce seul prix elle pourrait éviter de devenir folle et ce serait seulement quand elle aurait mis entre la *villa* des Sant'Anna et elle-même un long ruban de route qu'elle pourrait examiner les événements de cette nuit sans danger pour sa raison. Il lui fallait s'éloigner du cavalier d'Ilderim.

Quand, enfin, elle fut prête, les bagages terminés et que lui parvint le bruit de la voiture s'arrêtant devant le grand escalier, elle se tourna vers dona Lavinia.

— J'avais promis à mon parrain de l'attendre, commença-t-elle tristement, et cependant je pars.

— Soyez en paix, princesse, je lui dirai... ou plutôt le prince et moi lui dirons tout !

— Dites-lui aussi que je rentre à Paris, que je lui écrirai, ici, puisque j'ignore où il veut se rendre ensuite. Dites-lui enfin que je ne lui en veux pas, que je sais qu'il a cru bien faire.

— ... et que, d'ailleurs, il a bien fait ! Plus tard, vous le reconnaîtrez. Bon voyage, Votre Seigneurie, et n'oubliez jamais que cette maison est à vous, comme toutes celles de notre maître. Soyez assurée qu'il saura désormais vous y protéger et, quand vous reviendrez, faites-le avec confiance, sans crainte.

Marianne avait pitié de cette vieille femme qui faisait tout pour effacer de son esprit l'impression pénible dont il portait la trace. Elle savait qu'elle aurait peut-être quelques regrets plus tard de s'être conduite si peu héroïquement, mais elle savait aussi que, quand elle reviendrait, puisqu'il faudrait bien qu'elle revînt, elle ne le ferait plus jamais seule. Il faudrait que le cardinal ou Arcadius, ou les deux, fussent avec elle... Mais, gardant pour elle cette pensée, elle tendit affectueusement ses deux mains à dona Lavinia.

— Soyez tranquille, dona Lavinia. Faites mes adieux à votre maître... et merci, merci pour tout ! Je ne vous oublierai pas. Quand je reviendrai il y aura l'enfant et tout ira bien. Dites-le au prince.

Quand elle monta enfin en voiture, la brume du petit matin enveloppait le parc, lui conférant une étrange irréalité. Le vent de la nuit était tombé. Il faisait gris, humide. Le temps peut-être allait changer. Il y aurait de la pluie tout à l'heure, mais Marianne, installée avec Agathe au fond de sa voiture, se sentait maintenant à l'abri, protégée de tous les sortilèges vrais ou supposés que renfermait le beau domaine. Elle retournait chez elle, vers ceux qu'elle aimait. Plus rien ne pouvait l'atteindre.

Le fouet claqua... la voiture s'ébranla dans le cliquetis des gourmettes et le grincement léger des essieux. Le sable des allées crissa sous les roues. Les chevaux prirent le trot. Marianne posa sa joue contre le cuir froid du capiton et ferma les yeux. Son cœur affolé s'apaisait, mais elle se sentait, tout à coup, lasse à mourir.

Tandis que la lourde berline s'enfonçait dans le brouillard de l'aube pour entamer la longue, longue route vers Paris, elle songeait à l'absurdité du destin, à sa cruauté aussi qui la condamnait à cette errance perpétuelle à la recherche, sinon d'un impossible bonheur, du moins d'un sort qui ne vagabonderait pas continuellement hors des sentiers battus. Elle était venue ici fuyant un mari indigne et criminel, elle était venue mère sans être épouse pour que l'enfant qui faisait germer en elle le sang d'un empereur pût vivre la tête haute, elle était venue enfin avec l'espoir inavoué de conjurer à jamais la fatalité acharnée à la détruire. Elle repartait riche, pourvue d'un titre princier, d'un grand nom, d'un honneur désormais intact, mais avec un cœur plus vide encore d'illusions et de tendresse. Elle repartait... vers quoi ? Vers les miettes d'amour que pourrait lui offrir l'époux de Marie-Louise, vers l'obscure menace que faisait peser sur elle la haine vengeresse de Francis Cranmere, vers la mélancolie d'une vie de solitude puisqu'il lui faudrait à l'avenir garder la face, puisque Jason n'avait pas pu... ou pas voulu venir. Tout compte fait, ce qui l'attendait au bout du chemin, c'était une vieille demeure habitée seulement par un portrait et par un fidèle ami, c'était l'enfant à venir, c'était un horizon dont elle ne pouvait deviner les formes ni les couleurs, c'était, à nouveau, l'inconnu...

DU MÊME AUTEUR
CHEZ POCKET

La Florentine
1. Fiora et le Magnifique
2. Fiora et le Téméraire
3. Fiora et le Pape
4. Fiora et le roi de France

Les dames du Méditerranée-Express
1. La jeune mariée
2. La fière Américaine
3. La princesse mandchoue

Catherine
1. Il suffit d'un amour t1
2. Il suffit d'un amour t2
3. Belle catherine
4. Catherine des grands chemins
5. Catherine et le temps d'aimer
6. Piège pour catherine
7. Le dame de Montsalvy

Dans le lit des rois
Dans le lit des reines

Le roman des châteaux de France t. 1 et t. 2

Un aussi long chemin

De deux roses l'une

ROMAN

Sous le signe du feu
Les enchaînés

HARAN MAEVE
Le bonheur en partage
Scènes de la vie conjugale
L'honneur d'une mère
L'homme idéal

IBBOTSON EVA
Les matins d'émeraude

JAHAM MARIE-REINE DE
La grande Béké
Le maître-savane
L'or des îles
  1 - L'or des îles
  2 - Le sang du volcan
  3 - Les héritiers du paradis

JONES ALEXANDRA
La dame de Mandalay
La princesse de Siam
Samsara

KRANTZ JUDITH
Flash
Scrupules (t. 1)
Scrupules (t. 2)

KRENTZ JAYNE ANN
Coup de folie

LAKER ROSALIND
Aux marches du palais
Les tisseurs d'or
La tulipe d'or
Le masque de Venise
Le pavillon de sucre
Belle époque

LANCAR CHARLES
Adélaïde
Adrien

LANSBURY CORAL
La mariée de l'exil

MCNAUGHT JUDITH
L'amour en fuite
Garçon manqué
Séduction

PERRICK PENNY
La fille du Connemara

PHILIPPS SUSAN ELIZABETH
La belle de Dallas

PILCHER ROSAMUND
Les pêcheurs de coquillages
Retour en Cornouailles
Retour au pays
Retour en Ecosse

PLAIN BELVA
À force d'oubli
À l'aube l'espoir se lève aussi
Et soudain le silence
Promesse
Les diamants de l'hiver
Le secret magnifique
Les mirages du destin

PURCELL DEIRDRE
Passion irlandaise
L'été de nos seize ans
Une saison de lumière

RAINER DART IRIS
Le cœur sur la main
Une nouvelle vie

RIVERS SIDDONS ANNE
La Géorgienne
La jeune fille du Sud
La maison d'à côté
La plantation
Quartiers d'été
Vent du sud
La maison des dunes
Les lumières d'Atlanta
Ballade italienne
La fissure

ROBERTS ANNE VICTORIA
Possessions

RYAN MARY
Destins croisés

RYMAN REBECCA
Le trident de Shiva
Le voile de l'illusion

SHELBY PHILIP
L'indomptable

SIMONS PAULLINA
Le silence d'une femme

Photocomposition Nord Compo
Villeneuve-d'Ascq, Nord

Impréssion réalisée sur Presse Offset par

BRODARD & TAUPIN

GROUPE CPI

La Flèche (Sarthe), le 18-10-2002
15296 – Dépôt légal : février 2001

POCKET – 12, avenue d'Italie - 75627 Paris cedex 13
Tél. : 01.44.16.05.00
Imprimé en France